Joachim B. Schmidt

Kalmann

ROMAN

Diogenes

Covermotiv: Foto von Jens Klettenheimer / Schieflicht Fotografie
Copyright © Jens Klettenheimer / Schieflicht Fotografie

Mit Unterstützung von ProHelvetia,
Schweizer Kulturstiftung

Copyright © 2020
Diogenes Verlag AG Zürich
www.diogenes.ch
200 / 20 / 44 / 1
ISBN 978 3 257 07138 2

Für Kristín Elva

Lange Nächte
strahlend kalte Tage
habe ich gesucht
es ist der Menschen Saga
Jónas Friðrik Guðnason,
ljóðskáld

⌘

I

Schnee

Ich wünschte, Großvater wäre bei mir gewesen. Er wusste immer, was zu tun war. Ich stolperte über die endlose Ebene Melrakkaslétta, hungrig, erschöpft, blutverschmiert, und fragte mich, was Großvater getan hätte. Vielleicht hätte er sich eine Pfeife gestopft und die Blutlache einfach zuschneien lassen, hätte seelenruhig zugeschaut, einfach um sicherzugehen, dass sie sonst niemand finden würde.

Immer wenn ein Problem anstand, stopfte er sich eine Pfeife, und sobald uns der süße Rauch benebelte, war alles gar nicht mehr so schlimm. Vielleicht hätte Großvater beschlossen, niemandem davon zu erzählen. Er wäre nach Hause gegangen und hätte sich keine Gedanken mehr darüber gemacht. Denn Schnee ist Schnee, und Blut ist Blut. Und wenn einer spurlos verschwindet, ist das vor allem sein Problem. Neben dem Eingang unseres Häuschens hätte Großvater sich die Pfeife an der Schuhsohle ausgeklopft, die Glut wäre im Schnee erloschen, und damit wäre die Sache erledigt gewesen.

Aber ich war ganz alleine da oben, Großvater war hunderteinunddreißig Kilometer entfernt, und durchs verschneite Hinterland der Melrakkaslétta wandern konnte er schon lange nicht mehr. Also gab es auch keinen Pfeifenrauch, und weil es schneite und einfach alles, mal abgesehen von der roten Blutlache, weiß war und man keinen einzigen Laut hörte, fühlte ich mich, als wäre ich der letzte Mensch auf der ganzen Welt. Und wenn man der letzte Mensch auf der ganzen Welt ist, ist man froh, wenn man es jemandem erzählen kann. Darum erzählte ich es dann doch, und damit fingen die Probleme an.

Großvater war Jäger und Haifischfänger. Jetzt war er es nicht mehr. Er saß meistens auf einem gepolsterten Stuhl im Pflegeheim in Húsavík und schaute den ganzen Tag aus dem Fenster – und schaute doch nicht, denn wenn ich ihn fragte, ob er etwas Bestimmtes sehe, gab er meistens keine Antwort oder brummte und guckte mich komisch an, als störte ich ihn bei irgendwas. Sein Gesicht war nun die meiste Zeit verdrossen, die Mundwinkel zeigten nach unten, die Lippen zusammengepresst, so dass man gar nicht sah, dass ihm vier Zähne fehlten, oben, die ganz vorne. Er konnte niemanden mehr beißen. Manchmal fragte er mich, was ich hier zu suchen habe, ziemlich barsch fragte er das, worauf ich ihm erklärte, ich heiße Kalmann und sei sein Enkel und besuche ihn einfach nur, wie jede Woche. Also kein Grund zur Sorge. Doch Großvater warf mir misstrauische Blicke zu und schaute wieder aus dem Fenster, total mürrisch. Er glaubte mir nicht. Ich sagte dann nichts mehr, denn Großvater guckte wie jemand, dem man die Pfeife weggenommen hatte, und darum war es besser, ich sagte nichts.

Eine Pflegefrau hatte mir geraten, Geduld mit Großvater zu haben, so, als wäre er ein kleines beleidigtes Kind. Ich müsse ihm immer wieder alles erklären, das sei ganz normal, und so sei das Leben nun mal, denn manche, die das

Glück hätten, ein hohes Alter zu erreichen, würden in gewissem Sinne wieder Kleinkinder, denen man beim Essen helfen müsse, beim Anziehen, Schnürsenkel binden und so weiter. Einige bräuchten sogar wieder Windeln! Alles gehe rückwärts. Wie ein Bumerang. Was das ist, weiß ich. Das ist eine Waffe aus Holz, die man in die Luft schleudert, ein Bumerang eben, der dann in einem Bogen wieder zurückfliegt und einem den Kopf abschneidet, wenn man nicht mordsmäßig aufpasst.

Ich fragte mich, wie das mit mir sein wird, wenn ich mal so alt bin wie Großvater. Denn es war noch nie richtig vorwärtsgegangen mit mir. Man vermutete, dass die Räder in meinem Kopf rückwärtslaufen. Kam vor. Oder dass ich auf der Stufe eines Erstklässlers stehengeblieben sei. Ist doch mir egal. Oder dass in meinem Kopf bloß Fischsuppe sei. Oder dass mein Kopf hohl wie eine Boje sei. Oder dass meine Leitungen falsch verbunden seien. Oder dass ich den IQ eines Schafes habe. Dabei können Schafe gar keinen IQ-Test machen. »Run, Forrest, run!«, riefen sie früher im Sportunterricht und lachten sich krumm. Das ist aus einem Film, in dem der Held behindert ist, aber schnell laufen und gut Pingpong spielen kann.

Ich kann nicht schnell laufen und auch nicht Pingpong spielen und früher wusste ich nicht mal, was ein IQ ist. Großvater wusste es zwar, aber er sagte, das sei nichts als eine Zahl, um Menschen in Schwarz und Weiß einzuteilen, eine Messmethode wie Zeit oder Geld, eine Erfindung der Kapitalisten, dabei seien wir alle gleich, und dann verstand ich überhaupt nichts mehr, und Großvater erklärte mir, dass nur das Heute zähle, das Hier, das Jetzt, das Ich, hier mit ihm. Fertig. Das verstand ich. Er fragte mich, was ich machen würde, wenn ich draußen auf dem Meer wäre und Sturmwolken aufzögen. Die Antwort war einfach: So schnell wie möglich in den Hafen zurückfahren. Er fragte mich, was ich anziehen würde, wenn es draußen regnete. Einfach: Regenkleider. Wenn jemand vom Pferd gefallen wäre und sich nicht mehr bewegte. Kinderspiel: Hilfe holen. Großvater war zufrieden mit meinen Antworten und sagte, ich sei geistig völlig auf der Höhe.

Das sah ich ein.

Aber manchmal kapierte ich einfach nicht, was gemeint war. Kam vor. Dann sagte ich lieber nichts. Das brachte es dann einfach nicht. Denn niemand konnte die Sachen so gut erklären wie Großvater.

Zum Glück bekam ich dann einen Computer mit Internetanschluss, und damit wusste ich schlagartig viel mehr als früher. Denn das Internet weiß alles. Es weiß, wann du Geburtstag hast und ob du den Geburtstag deiner Mutter vergessen hast. Es weiß sogar, wann du das letzte Mal auf dem Klo gewesen bist oder dir einen runtergeholt hast. Das sagte zumindest Nói, der mein bester Freund war, als sich die Sache mit dem König zutrug. Aber was genau in meinem Kopf los war, konnte mir niemand erklären. Ärztepfusch, sagte meine Mutter einmal, als sie noch in Raufarhöfn lebte und ihr das so rausrutschte, wahrscheinlich als ich Elínborgs Katze abknallte und zerlegte, weil ich von Großvater gelernt hatte, wie man das machte, und üben wollte. Meine Mutter wurde sehr wütend, denn Elínborg hatte sich bei ihr beschwert und gedroht, zur Polizei zu gehen, und wenn meine Mutter wütend war, sagte sie nichts mehr, sondern machte was. Den Müll rausbringen zum Beispiel. Den Mülltonnendeckel aufklappen, den Müllsack hineinwuchten und den Deckel zuschlagen – und wieder öffnen und wieder zuschlagen. Peng!

Aber wer nun glaubt, dass ich eine schwierige Kindheit hatte, weil in meinem Kopf Fischsuppe ist, liegt falsch. Großvater übernahm das Denken für mich. Er passte auf mich auf. Aber eben, das war einmal.

Jetzt guckt mich Großvater mit farblosen, wässrigen Augen an und erinnert sich an nichts. Und vielleicht werde ich auch verschwinden, wenn Großvater nicht mehr ist, werde mit ihm begraben, ganz so wie das beste Pferd eines Wikingerhäuptlings. Das haben sie früher nämlich gemacht, die Wikinger; das Pferd einfach mit dem Häuptling beerdigt. Die gehörten einfach zusammen. So würde der Wikingerhäuptling über Bifröst nach Walhall reiten können. Das machte dann Eindruck.

Aber der Gedanke machte mich nervös. Begrabensein, meine ich. Zugedeckt unterm Sargdeckel. Da bekommt man Platzangst, und dann ist es besser, man ist tot. Darum blieb ich meistens nicht lange im Pflegeheim. In Húsavík bekam ich wenigstens etwas Anständiges zu futtern. Im Tankstellenimbiss bei Salvör gab es nämlich die besten Hamburger für eintausendachthundertfünfundvierzig Kronen. Den Betrag hatte ich immer passend, immer, und das wusste auch Salvör, der das Münzgeld gar nicht mehr zählte. Aber manchmal schmeckte mir der Hamburger dann doch nicht, weil ich traurig war, weil Großvater nicht mehr wusste, wer ich war. Und wenn *er* es nicht mehr wusste, wie bitte sollte *ich* es dann wissen?

Großvater hatte ich alles zu verdanken. Mein Leben. Wenn es ihn nicht gegeben hätte, hätte mich meine Mutter in ein Behindertenheim gesteckt, wo ich missbraucht und vergewaltigt worden wäre. Jetzt würde ich in Reykjavík leben, einsam und verwahrlost. In Reykjavík herrscht Verkehrschaos, und die Luft ist schmutzig, und die Menschen sind gestresst. Pfui Teufel, das ist nichts für mich. Großvater hatte ich zu verdanken, dass ich wer war, hier, in Raufarhöfn. Er hatte mir alles gezeigt, mich alles gelehrt, was man eben braucht, um zu überleben. Er hatte mich auf die Jagd und aufs Meer mitgenommen, obwohl ich anfangs noch keine große Hilfe war. Vor allem auf der Jagd benahm ich mich wie der hinterletzte Trottel, stolperte und keuchte, und Großvater sagte, ich fiele über meine eigenen Füße, ich müsse sie heben, wenn das Gelände uneben sei, was ich dann auch machte, die Füße heben, wohlgemerkt, aber immer nur für ein paar Schritte, dann vergaß ich es schon wieder und stolperte über den nächsten Grashöcker, und manchmal fiel ich der Länge nach hin und machte dabei einen solchen Krach, weil ich doch so dick war, dass die Schneehühner aufgeschreckt davonflatterten und die Polarfüchse das Weite suchten, bevor wir sie überhaupt erspäht hatten. Aber wer jetzt denkt, Großvater sei deswegen wütend geworden, irrt sich mordsmäßig. Denn Großvater wurde nicht wütend. Im Gegenteil. Er lachte nur und half mir auf die Beine, klopfte mir den Schmutz von den Kleidern und sprach mir Mut zu. »Nur Mut, Genosse!«, sagte er. Und bald gewöhnte ich mich an das unebene Gelände, und ich war dann auch nicht mehr so dick. Selbst auf dem kleinen Kutter konnte ich dann aufrecht stehen, ohne hinzufallen, auch wenn das Boot schaukelte. Es machte mir plötzlich Spaß, die Wellen in den Knien abzufedern, und ich musste mich dazu gar nicht mehr konzentrieren, machte es automatisch, programmierte den Wellengang in meinen Knien, und auf der Jagd hob ich meine Füße und verscheuchte die Beute nicht mehr, so dass wir manchmal mit zwei Schneehühnern oder einem Nerz am Gürtel zurück ins Dorf marschierten. Manchmal mit einem Polarfuchs. Ich war so stolz! Und damit uns auch sicher alle bemerkten, machten wir jeweils ein paar Runden durch Raufarhöfn. Ehrenrunden. Und die Leute winkten uns zu und lobten uns. Daran kann man sich gewöhnen. Lob.

Das sei eine Droge, sagte Nói, mein bester Freund, als er noch mein bester Freund war. Ich müsse vorsichtig mit Lob umgehen und mich bloß nicht daran gewöhnen. Nói war ein Computergenie, aber sein Körper machte ihm Probleme. Er sagte, er sei mein Gegenteil, mein Gegenstück, mein Gegenspieler, und ich hatte keine Ahnung, was er damit meinte. Er sagte, wenn wir beide eine Person wären, wären wir unschlagbar. Schade, dass er in Reykjavík wohnte.

Aber dann passierte die Sache mit Róbert McKenzie, der war bei uns der Quotenkönig, und das war dann der Anfang vom Ende, und niemand hat gerne, wenn etwas zu Ende geht. Darum will man lieber an früher denken, wo etwas seinen Anfang genommen hat und das Ende in weiter Ferne ist.

Die Tage mit Großvater auf dem Meer und auf der Melrakkaslétta waren die schönsten meines Lebens. Manchmal durfte ich auch mit Großvaters Flinte schießen, die jetzt mir gehört. Er zeigte mir, wie man ein guter Schütze wird, wie man zielt, wie man ganz sachte am Abzug zieht, ohne dabei zu wackeln. Wenn ich während der Trockenübungen mein Ziel anvisierte, legte er ein Steinchen oben auf den Lauf, und ich musste abdrücken, ohne dass das Steinchen vom Lauf fiel. Das ist nämlich schwieriger, als man denkt, denn man muss *ziehen*, nicht drücken! Erst, als mir das gelang, durfte ich auch mal richtig schießen. Meine Mutter hätte aber auf keinen Fall davon erfahren sollen, das hatten wir so abgemacht, ich und Großvater, denn meine Mutter glaubte, Schusswaffen seien zu gefährlich für mich. Es kam ihr dann aber trotzdem zu Ohren, als ich Elínborgs Katze abknallte, direkt hinterm Haus. Das war dumm von mir. Jemand hatte den Schuss gehört und meine Mutter im Gefrierhaus verständigt. Sie kam also direkt von der Arbeit und war sauer, obwohl sie sich ein paarmal über die Katze aufgeregt hatte, die uns gelegentlich ins Kartoffelbeet schiss. Sie wurde sogar richtig wütend, meine Mutter, und vielleicht war sie auch beleidigt, denn sie sagte, es sei Zeit, Klartext mit mir zu reden, was sie dann auch tat. Ich sei anders als die anderen, und sie tippte an ihre Schläfe. Ich sei langsamer da oben, und darum wolle sie nicht, dass ich mitten in Raufarhöfn mit dem Gewehr auf die Jagd gehe und Tiere abknalle, das werde Probleme im Dorf geben – was dann tatsächlich so war, denn mit Elínborg war nicht zu spaßen, sie verständigte sofort die Polizei.

Aber meine Mutter hätte es so nicht sagen sollen. Denn wenn mich jemand anbrüllte, selbst wenn dieser Jemand meine eigene Mutter war, verlor ich die Beherrschung. Dann stellte mein Kopf ab. Und wenn ich die Beherrschung verlor, flogen die Fäuste. Meine Fäuste. Meistens gegen mich. Das war dann nicht so schlimm. Manchmal gegen andere, wenn andere da standen, wo meine Fäuste gegen mich flogen. Das war dann schlimmer, aber ich machte es gar nicht mit Absicht, und ich konnte mich danach auch fast nicht erinnern. Als hätte die Nadel auf der Schallplatte einen Sprung nach vorne gemacht. Und darum versuchte meine Mutter, mich zu beruhigen, versicherte mir, dass sie mir durchaus zutraue, mit einem Gewehr umgehen zu können, dass ich bestimmt ein guter Schütze sei, was Großvater übrigens bestätigen konnte, der über die ganze Streiterei nur den Kopf schüttelte und die Polizisten wieder wegschickte. Er war auch gar nicht wütend, dass ich Elínborgs Katze abgeknallt hatte. Er fand, meine Mutter übertrieb, denn so verteufelt anders sei ich gar nicht, eigentlich kaum nennenswert, es gäbe weitaus größere Idioten da draußen, es komme eben nicht auf Schulleistungen, sondern darauf an, wie man sich anderen gegenüber benehme, was man für ein Mensch sei und so weiter. Und er machte ein Beispiel, er konnte das gut, denn es ist wichtig, Beispiele zu machen, damit alle verstehen, was gemeint ist. Er erzählte uns von diesem Sportler, der in Amerika lebte und gut aussah und nett war und sogar Schauspieler wurde, dann aber seine Frau umbrachte, weil er eifersüchtig war und nichts weiter als das. Eifersucht. Peng! Ende der Geschichte. Darum sei ich ein besserer Mensch als dieser berühmte Sportler. Aber meine Mutter sagte, er könne sich seinen Sportler sonst wohin stecken, denn Elínborgs Katze sei das wahrscheinlich schnuppe, aber Elínborg sei es nicht schnuppe, dass ich ihre Katze abgeknallt habe, und der Polizei auch nicht und der Schulbehörde auch nicht. Es sei nun mal so, ein gewisses Verhalten, eine gewisse Leistung werde von uns erwartet, er solle endlich im zwanzigsten Jahrhundert ankommen, bevor es zu Ende sei, und er solle aufhören, sich einzumischen, schließlich sei *sie* meine Mutter und sie habe das letzte Wort, wenn es um meine Erziehung gehe. Aber Großvater war da knallhart. Er konnte nämlich auch ziemlich wütend werden, wenn er wollte, und er erinnerte sie lautstark daran, dass *er* ihr Vater ist, dass wir in *seinem* Haus wohnten, *seine* vier Wände, *seine* Regeln, und deshalb habe er verdammt noch mal das allerletzte Wort. Zudem verbringe er mehr Zeit mit mir als sie, worauf meiner Mutter die Worte im Hals steckenblieben. Sie stürmte dann raus, um etwas zu machen. Den Müll rausbringen oder so. Und ich machte dann auch etwas kaputt, ich erinnere mich aber überhaupt nicht mehr, was es war. Etwas ging aber ganz bestimmt in die Brüche. Ich habe ein ganz klares Bild vor mir, einen Erinnerungsfetzen: Großvater, der mit hochrotem Kopf rittlings auf mir drauf sitzt, meine Arme auf den Boden drückt, verzweifelt nach meiner Mutter ruft und mir ins Gesicht brüllt, ich solle mich verdammt noch mal beruhigen.

Ich erlegte meinen ersten Polarfuchs mit elf. Füchse sind eine Plage, auch wenn sie schon hier waren, bevor die Wikinger kamen. Die darf man schießen, die Füchse. Es ging eigentlich ganz schnell, und ich war so überrascht, dass ich gar keine Zeit hatte, aufgeregt zu sein. Wir spazierten querfeldein, als plötzlich einer vor uns auftauchte, seinen Kopf hinter einem Grashöcker hervorstreckte, uns also bemerkte, aber auf die Schnelle kein Versteck fand. Großvater drückte mir die Flinte in die Hand, sagte nichts, guckte nur mit zusammengekniffenen Augen den Fuchs an, der ganz erschrocken zurückguckte, und ich verstand. Ich legte an, der Fuchs suchte das Weite, doch ich folgte ihm mit dem Lauf, Fingerkuppe am Abzug, zog sachte daran, bis es knallte. Den Schlag des Gewehrkolbens bemerkte ich gar nicht. Mein Herz schlug härter. Der Fuchs fiel auf die Seite, überschlug sich sogar einmal und zuckte mit den Beinen, als würde er noch immer davonlaufen wollen. Konnte er aber nicht mehr.

Ich fühlte mich seltsam. Großvater sagte noch immer kein Wort, klopfte mir aber zufrieden auf die Schulter, und dann schauten wir dem Tier beim Sterben zu. Es hatte nämlich bald ausgezuckt und lag mit dem Fell im dickflüssigen Blut, das aus seiner Schnauze quoll. Anfangs hob und senkte sich sein Brustkorb schnell, aber sein Atmen wurde dann immer langsamer, ruckartiger, bis der Fuchs schließlich ganz starr dalag. Er tat mir eigentlich leid, aber als ich auf dem Gemeindebüro die fünftausend Kronen entgegennahm, wusste ich, was Berufung war. Berufung ist, wenn man wie gerufen für etwas kommt.

Großvater hatte nicht mehr lange zu leben. Jedes Mal, wenn ich mich von ihm verabschiedete, sah ich ihn vielleicht zum letzten Mal. Das hatte mir eine Pflegefrau mitgeteilt. Und sie hatte auch gesagt, dass ich dann sehr traurig sein werde, was aber ganz normal sei, weinen auch, also kein Grund zur Sorge. Nói erklärte mir einmal, dass mein Großvater für mich die Vaterrolle übernommen habe, was meine Mutter bestimmt abgestritten hätte. Aber Nói hatte recht, schließlich hieß ich Kalmann Óðinsson, nach Großvater, der Óðinn hieß, und nicht nach meinem eigentlichen Vater, den meine Mutter manchmal Samenspender nannte.

Quentin Boatwright. So hieß er, ihr Samenspender. Und wenn ich seinen Namen bekommen hätte, hätte ich Kalmann Quentinsson geheißen. Das ging aber nicht, weil es diesen Namen und den Buchstaben Q in Island nicht gab. So wie meinen Vater. Den gab es hier auch nicht. Wenn ich in Amerika gelebt hätte, hätte ich Kalmann Boatwright geheißen. Das mit den Namen ist da verkehrt.

Wenn ich einmal Kinder haben würde, würde ich für sie da sein. Ich wollte so sein, wie Großvater für mich war, und ich würde ihnen erzählen, was mir Großvater erzählt hatte. Ich würde meinen Kindern zeigen, wie man jagt, wie man Polarfüchsen auflauert, Schneehühner im Schnee erkennt oder Grönlandhaie fängt. Wie man sich selbst versorgt. Ganz egal, ob ich Jungen oder Mädchen haben würde. Aber wenn man Kinder haben will, braucht man eine Frau. Das geht gar nicht anders. Das ist die Natur.

Ich war jetzt schon dreiunddreißig Jahre alt, es dauerte nur noch ein paar Wochen bis zu meinem vierunddreißigsten Geburtstag. Ich brauchte dringend eine Frau. Aber das konnte ich mir an den Cowboyhut streichen, denn hier in Raufarhöfn gab es keine Frauen, die so einen wie mich wollten. Die Frauenauswahl war hier etwa so üppig wie die Gemüsekiste im Dorfladen. Bis auf Karotten, Kartoffeln, zwei schrumpelige Paprika und braunen Salat gab's da nichts. Und dass sich meine zukünftige Frau nach Raufarhöfn verirren würde, sechshundertneun Kilometer von Reykjavík entfernt, war eher unwahrscheinlich.

Meine Mutter sagte immer: »Am Ende der Welt links abbiegen!« Ich fand das lustig, aber sie lachte nie. Sie machte auch nie Witze, sondern war sowieso meistens müde von der langen Arbeit im Gefrierhaus. Sie sagte, ich dürfe nicht jeden Tag Cocoa Puffs essen, weil ich sonst noch dicker und nie im Leben eine Frau finden werde. Aber meine Mutter war jetzt nicht mehr da, und Großvater auch nicht, ich konnte also den ganzen Tag Cocoa Puffs essen, wenn ich wollte, und niemand beschwerte sich. Aber ich aß nur zum Frühstück Cocoa Puffs, und manchmal abends, wenn ich *The Bachelor* guckte. Aber nie zum Mittagessen. Das war meine Regel.

Man braucht Regeln im Leben, das ist wichtig, sonst hätten wir Anarchie, und Anarchie ist, wenn es keine Polizei und keine Gesetze mehr gibt und alle machen, was sie wollen. Ein Haus anzünden zum Beispiel. Einfach so, ohne Grund. Niemand arbeitet mehr, niemand repariert die defekten Maschinen, die Waschmaschinen zum Beispiel, die Schiffsmotore, die Satellitenschüsseln und die Mikrowellen. Und dann sitzt man mit leerem Teller vor dem schwarzen Fernsehbildschirm in einem abgebrannten Haus, und die Leute bringen sich wegen eines Chicken Wings oder Cocoa Puffs gegenseitig um. Aber ich hätte so was überlebt, denn ich konnte mich verteidigen. Ich konnte Grönlandhaie so verarbeiten, dass das Fleisch genießbar wurde. Und ich konnte ein Schneehuhn rupfen. Das Haus meines Großvaters war groß genug, und vielleicht hätte dann eine Frau bei mir leben wollen, denn hier in Raufarhöfn wäre die Anarchie nicht so schlimm gewesen, weil wir einfach zu weit weg gewesen wären. Meine Frau hätte jünger sein müssen als ich, denn wir hätten viele Kinder haben müssen, um das Bestehen der Menschheit zu sichern. Wir hätten praktisch jeden Abend Sex gehabt. Vielleicht sogar zweimal am Tag! Dabei hätten wir von den Straßenschlachten in Reykjavík gar nichts mitbekommen, weil der Fernseher ja nicht mehr funktioniert hätte. Zudem gab es in Raufarhöfn seit der Finanzkrise keine Polizei mehr, und darum hatten wir so gesehen schon jetzt Anarchie. Die Leute hatten es einfach noch nicht bemerkt.

⌘

2

Blut

Großvater machte den besten Gammelhai auf der ganzen Insel. Ich machte den zweitbesten. Das haben mir schon mehrere bestätigt, Schafbauer Magnús Magnússon von Hólmaendar zum Beispiel, der seinen Gammelhai direkt von mir bezog und gut Akkordeon spielen konnte. Er sagte es jedes Mal: »Kalmann minn«, sagte er, »dein Großvater hat den besten Gammelhai in ganz Island gemacht. Aber deiner ist fast genauso gut!« Und das war nur logisch, weil ich ja vom Besten gelernt hatte.

Ich wünschte, Großvater wäre bei mir gewesen, als die Sache mit Róbert McKenzie passierte. Großvater hätte Rat gewusst. Und ich war, ganz ehrlich gesagt, ein bisschen sauer auf ihn, dass er mich in diesem Schlamassel einfach alleinließ. Ich wünschte, ich wäre an jenem Tag gar nicht auf Fuchsjagd gegangen. Ich wünschte, Róbert wäre so spurlos verschwunden wie ein Schiff am Horizont. Auf dem Meer gibt es nämlich keine Spuren. Ein Meer sieht immer so aus, als wäre es noch nie von jemandem berührt worden, ausgenommen dem Wind. Ist es nicht seltsam, dass man nur mit Luft Spuren auf dem Wasser machen kann?

Ausgerechnet ich musste an der Stelle beim Arctic Henge Monument vorbeikommen. Dabei folgte ich bloß der Fährte eines Polarfuchses, dem ich den Namen Schwarzkopf gegeben hatte, wie das Shampoo, aber das hatte mit dem Fuchs nichts zu tun. Ein ungezogener Fuchs war er, ein junges Männchen, einer, der sich bis an die Häuser herangetraute und sich da nach Essbarem umschaute. Vielleicht mochte ich ihn gerade deshalb. Und wenn es nach mir gegangen wäre, hätte ich ihn auch gar nicht abgeknallt. Ich hatte einen heimlichen Pakt mit ihm. Aber Hafdís hatte mich gebeten, dem Fuchs eine Lektion zu erteilen, und jeder weiß, was das bedeutet, und wenn dich die Schulrektorin, die auch zur Gemeindeverwaltung gehört, um einen Gefallen bittet, sagt man nicht einfach nein. Zudem war Hafdís eine sehr schöne Frau, auch wenn sie nicht mehr jung war und drei erwachsene Kinder hatte. Manchmal fragte ich mich, was Hafdís hier in Raufarhöfn eigentlich verloren hatte. Sie sah nämlich aus wie eine Moderatorin im Fernsehen. Sie sagte, der kleine Kerl schleiche sich gefährlich nahe hinterm Gemeindehaus rum, und wenn man ihn verscheuche, mache er sich manchmal Richtung Vogar davon. Ich würde ihn am dunklen Fell und am noch etwas dunkleren Kopf erkennen.

Also einer mit blauem Fell, ging mir durch den Kopf, denn zu diesem Zeitpunkt hätte er noch weiße Flecken im Winterfell gehabt, wenn er die Farbe gewechselt hätte. Hafdís kannte sich mit Tieren nicht so gut aus, obwohl sie die Schulrektorin war. Aber ich sagte nichts, denn eine Schulrektorin darf man nicht belehren. Das würde die auch gar nicht zulassen.

Schwarzkopf war also ein Polarfuchs mit blauem Fell. Das sagt man so, obwohl das Fell gar nicht blau ist. Es ist braun, grau oder dunkelgrau. Die blauen Füchse ändern ihre Fellfarbe zum Saisonwechsel nicht, weil sie sich meistens an der Küste rumtreiben. Zwischen den schwarzen Steinen, Lappentang und Treibholz ist es die beste Tarnung. Da fällst du mit weißem Fell auf, denn am Strand liegt meistens kein Schnee, und darum brauchen die isländischen Füchse gar kein weißes Fell wie die Füchse in Sibirien oder in Grönland, wo alles schön weiß ist.

Das alles hätte ich Hafdís erklären können, machte ich aber nicht. Ich tippte nur mit dem Zeigefinger an die Krempe meines Cowboyhutes – so sagt man in Amerika »Okidoki«, denn von da war mein Cowboyhut – und nahm hinterm Gemeindehaus die Fährte auf, kletterte den Hang hoch und überblickte das ganze langgezogene Dorf, das neuere Holtquartier mit dem Schul- und Sportgebäude zu meiner Rechten, der Hafen und die Kirche zu meiner Linken. Der Hüttenteich war noch immer mit einer matschigen Eisschicht überzogen, aber aufs Eis hinausgewagt hätte ich mich nicht. Ich ging der Kante des Hanges entlang, bis ich auf der Höhe des Schulhauses war, kletterte wieder runter, ging am Schulhaus und am leeren Campingplatz vorbei, weiter zur Küste und von da der Strandlinie entlang bis in die Bucht von Vogar. Außer ein paar Eiderenten, Heringsmöwen und Dreizehenmöwen, die auf dem Wasser saßen und nichts machten, sah ich jedoch keine Tiere. Ich malte mir aus, wie ich Schwarzkopf das Fürchten lehren würde. Insgeheim hoffte ich aber, dass der Fuchs zutraulich war, ich mich mit ihm befreunden und ihn als Haustier würde halten können. Das gibt es nämlich. Zum Beispiel in Russland. Ich glaube, wenn ich einen gezähmten Fuchs als Haustier gehabt hätte, hätte ich bei den Frauen bessere Chancen gehabt.

Schwarzkopf hätte an jenem Tag ein weißes Winterfell gebrauchen können, denn es schneite wie verrückt; dicke, schwere Flocken, weshalb selbst die Steine am Strand schneebedeckt waren. Das Wasser lag matt und grau, bewegte sich kaum, das Wetter war ruhig. Bis auf das Nieseln des Schnees war es so still, dass man einfach ein Liedchen singen musste, denn der Schnee schluckte den Gesang, und niemand konnte mich hören.

Ich sang gerne. Aber das wusste eigentlich niemand. Schwarzkopf wusste es vielleicht, weil er mich gehört und sich darum versteckt haben muss, denn an jenem Tag bekam ich ihn nicht zu Gesicht, obwohl ich stundenlang da draußen herumstolperte, um die ganze Bucht herum, in die Melrakkaslétta hinein, zu den Glápavötn-Seen hoch und im Zickzack zum Arctic Henge rüber, dem halbfertigen arktischen Steinkreis, den Róbert McKenzie vor ein paar Jahren hatte errichten lassen. Ich ging gar nicht mehr davon aus, dass ich überhaupt einem Säuger begegnen würde, denn das Wetter war ungeeignet, die Sicht schlecht. Ich sah nicht einmal Schneehühner. Aber es war nicht mehr so kalt wie im Winter, nur etwa null Grad. Die Märzhelligkeit war angenehm. Und außerdem hatte ich es Hafdís versprochen, und ein Versprechen, das man einer Schulrektorin gibt, hält man.

Die Leute stellen sich die Jagd immer so spannend vor, glauben, dass man Spuren liest, die Nase in den Wind hält, die Sinne anstrengt, die Tiere schließlich aufschreckt und ihnen hinterherjagt. Quatsch. Man sitzt meistens auf dem kalten Boden und hofft, dass einem etwas vor den Lauf gerät. Dazu braucht man eine gute Portion Geduld. »Des Jägers wichtigste Tugend«, wie mein Großvater immer sagte. Er war wie ein Mentor. Ein Mentor ist ein Lehrer, der aber keine Prüfungen macht.

Doch an jenem Tag hatte ich keine Lust, irgendwo auf dem kalten Boden zu sitzen, denn ich vermutete, dass Schwarzkopf in seinem warmen Bau meinem Gesang zuhörte und sich die Ohren zuhielt. Ich frage mich, wieso ich ausgerechnet an jenem Tag zum Arctic Henge hochging. Wieso bog ich nicht einfach ab und ging heim? Es wäre besser gewesen. Denn da oben, ganz in der Nähe des Arctic Henge, stieß ich auf die Stelle mit dem Blut. Und es war viel Blut. Erstaunlich eigentlich, wie viel Blut in einem Menschen drin ist.

Das Blut glänzte rot und dunkel im weißen Schnee. Die Schneeflocken legten sich unaufhörlich darauf und schmolzen in der Blutlache. Mir war ganz heiß vom Gehen, ich schwitzte, aber weil ich jetzt plötzlich stillstand und einfach nur bewegungslos auf die Blutlache starrte, begann ich zu schlottern. Erschöpfung machte sich in mir breit. Meine Glieder waren plötzlich bleischwer, als hätte ich eine anstrengende Arbeit gemacht. Ich dachte an Großvater, während ich zuschaute, wie das Blut die Schneeflocken aufsog, bis die rote Stelle unterm Neuschnee verblasste. Eine ganze Weile muss ich einfach nur dagestanden haben, aber schließlich gab ich mir einen Ruck, steif vor Kälte, und erwachte wie aus einem Traum. Ich schaute mich um und wusste erst gar nicht, wo ich mich befand, bis ich die Steinblöcke des Arctic Henge erkannte und mich an Schwarzkopf erinnerte. Ob er das Blut gerochen hatte? Vielleicht konnte ich ihm hier auflauern.

Natürlich schaute ich mir die ganze Sauerei etwas genauer an. Ich bemerkte Spuren, aber sie waren durch den Neuschnee nur noch undeutlich zu erkennen. Die Vertiefungen führten von der Blutlache weg Richtung Dorf, hinunter an den Hafen, dann verloren sie sich im Schneetreiben. Ich war plötzlich nicht mehr sicher, ob es jetzt meine Fußspuren waren oder die eines anderen. Oder waren es zwei Spuren? Mehrere Leute? Aus welcher Richtung war ich eigentlich gekommen? Wohin hatte ich gewollt? Ich schaute mich nach allen Seiten um. Ich war mutterseelenallein. Die Schneeflocken, die unaufhaltsam auf mich niedernieselten, verwirrten mich. Wenn alles weiß ist, weiß oben, weiß unten und weiß rundherum, geraten die Sinne durcheinander. Vielleicht waren die Spuren gar keine Spuren, sondern bloß Vertiefungen im Boden, zwischen den Grashöckern, und plötzlich dachte ich: Es könnte ja eigentlich auch ein Eisbär sein.

Eisbären sind in Island selten anzutreffen, aber trotzdem gefährlich. Sehr gefährlich. Die sind dann hungrig, wenn sie kommen. Doch ich war zu erschöpft, um mich zu sorgen. Ich hatte genug. Ich wollte heim. Ich wollte mich auf die Couch legen, vielleicht mit Nói quatschen. Die Blutlache war nun fast nicht mehr zu erkennen. Wenn es so weiterschneite, war sie bald weg. Gut so.

Ich stapfte Richtung Dorf, schaute bei Hafdís in der Schule vorbei und teilte ihr mit, dass ich Schwarzkopf nicht hatte aufspüren können.

»Schwarzkopf?«, fragte sie und klappte ihren Laptop zu. Ich wurde rot. Eigentlich hatte ich nicht gewollt, dass sie den Namen erfuhr. Das war eine Sache zwischen mir und dem Fuchs. Darum sagte ich nichts und schaute zu Boden.

»Hast du ihm einen Namen gegeben? Wie das Shampoo?«

Hafdís schmunzelte. Sie stand von ihrem Tisch auf und trat an mich ran, fasste mich an beiden Händen, hob sie etwas hoch und schaute sie sich an. »Deine Hände sind ja ganz rot!«, sagte sie erschrocken. »Ist das Blut? Hast du dich verletzt?«

Ich entzog ihr meine Hände und bemerkte nun selber, dass sie zwar blutig, aber trocken waren.

»Nicht meins«, sagte ich. Ich erinnerte mich, dass ich in das Blut hineingefasst hatte. War ich gestolpert?

»Nicht deins?«

»Ich habe eine Blutlache gefunden, oben, beim Arctic Henge«, gestand ich rundheraus und fragte mich, ob Großvater gewollt hätte, dass ich davon erzählte. Vielleicht hätte ich lügen sollen, aber lügen darf man nur, wenn man jemanden beschützen will, zum Beispiel einen Freund oder eine Freundin.

»Blut?«

Ich zuckte mit den Schultern.

»Nur Blut. Sonst nichts. Kein Grund zur Sorge.«

»Hast du dich ganz sicher nicht verletzt?«

»Ganz sicher«, sagte ich.

Wir schauten uns meine Hände genauer an, fanden zwar keine Wunden, aber sie waren etwas geschwollen von der Kälte.

»Blut.« Hafdís war ganz nachdenklich. »Von einem Tier?«

»Möglich«, sagte ich und schob noch ein »bestimmt« nach.

Hafdís legte ihre Stirn in Falten, schüttelte den Kopf und sagte:

»Du bist mir ein Jäger!«

Ich grinste. Ich mochte es, wenn man mich »Jäger« nannte.

Hafdís ließ mich ziehen, und ich ging nach Hause, beschloss, nachdem ich meine Hände gründlich gewaschen hatte, den Rest des Tages mit Fernsehen zu verbringen. Es war erst drei Uhr, aber *Dr. Phil* schaute ich gern, denn dieser Seelenklempner konnte echt Gedanken lesen! Wenn die Leute einen Lügendetektortest machten, war Dr. Phil nie überrascht von dem Resultat, denn er wusste genau, welche Spielchen da gespielt wurden. Da gab es Männer, die in ihre Schwestern verliebt waren oder nicht von zu Hause ausziehen wollten, sogar älter waren als ich, aber noch immer bei ihren Müttern wohnten, die sich dann bei Dr. Phil beschwerten. Und es gab Frauen, die fremdgingen und mit den anderen Männern auch noch Kinder zeugten und es nicht zugaben, obwohl ein DNA-Test das Gegenteil bewies. Einmal war da eine weiße Frau und ein weißer Mann, und die Frau hatte ein schwarzes Baby, bestritt aber, mit einem schwarzen Mann gevögelt zu haben. Und ihr Mann glaubte ihr sogar, sagte, er vertraue ihr und er liebe sie, gehe mit ihr bis ans Ende der Welt. Aber Dr. Phil durchschaute die Frau und schimpfte mit ihr, bis sie alle weinten und das schwarze Kind dann weder einen schwarzen noch einen weißen Vater hatte. Und dann klatschte und jubelte das Publikum, und Dr. Phils Frau begleitete ihren Mann zum Studio raus und lobte ihn, auch wenn man nicht genau hörte, was sie sagte. Aber sie war immer ganz begeistert von seiner Show. So eine Frau hätte ich auch gerne gehabt. Aber jünger.

Ich machte mir eine Tiefkühlpizza in der Mikrowelle und schaute den ganzen Abend fern, bis ich auf der Couch einschlief. Ich war so müde, dass ich sogar vergaß, Nói auf Messenger anzurufen.

Am nächsten Morgen schaute ich aus dem Fenster, alles weiß, das Meer tiefblau, fast schwarz, alles ganz normal, also kein Grund zur Sorge. Es musste schon in der Nacht aufgehört haben zu schneien, denn es sah nicht danach aus, als käme noch mehr vom Himmel runter.

Ich zog mich warm an und ging an den Hafen. Hier unten standen eine ganze Menge alter Lager- und Fischverarbeitungshallen, Gebäude, die in den Fünfzigern und Sechzigern errichtet worden waren und nun einknickten: die Britenbaracken und Arbeiterunterkünfte, die mächtigen Lebertran- und Öltanks. Alles leer. Ich konnte das Miami-Gebäude gratis benutzen, den hinteren Teil zumindest, obwohl der Rest des Gebäudes von niemandem sonst benutzt wurde. Das Gebäude hieß so, weil sein erster Besitzer Baldur ein paar Palmen auf die Fassade hatte malen lassen, die man jetzt aber fast nicht mehr sah, und die Palmen erinnerten die Leute an Miami, weil es da richtige Palmen gab.

Im Innern des Gebäudes war es dunkel und feucht. Ein großes Haus, das über die Abwesenheit der Menschen traurig war. Durchs Dach tropfte an vielen Stellen das Schmelz- und Regenwasser, darum benutzte ich nur die Stelle, die trocken blieb, ganz hinten.

Früher war hier in Raufarhöfn ein Heringsboom. Die Leute kamen sogar aus Reykjavík, denn es gab viel zu tun für Männer und Frauen. Aber der Platz in den Wohnhäusern reichte kaum, obwohl die Kajütenbetten bis an die Decke gestapelt waren. Das Hotel war früher gar kein Hotel, sondern eine Unterkunft für Arbeiter. Der Schuppen schräg gegenüber dem alten Posthaus war eine Unterkunft für Arbeitermädchen. Die Britenbaracken waren auch Unterkünfte. Es brauchte einfach ganz viele Hände hier oben. Damals hatte das Dorf noch ein Kino, einen Theaterverein und Tanz. Hafenmeister Sæmundur erzählte mir manchmal davon. Bei den Veranstaltungen an den Wochenenden hätten gar nicht alle Seeleute und Hafenarbeiter in den Ballraum gepasst, was dazu führte, dass niemand mehr tanzen konnte, weil die Männer und Frauen dort drin so zusammengepfercht waren wie die Schafe im Stall. 1966 kamen sogar Hljómar nach Raufarhöfn, und damit alle sie zu sehen bekamen, machten sie gleich drei Konzerte an einem Tag!

Aber das war einmal. Heute versammeln sich manchmal alle Bewohner von Raufarhöfn im Gemeindesaal, beispielsweise zum Opferfest Þorrablót, und dann ist der Saal noch immer nur halbvoll.

Die Fischer fischten alle Heringe, die in Islands Küstenmeer zu finden waren, und als alle Heringe in Küstennähe weg waren, versuchte man, die Fischschwärme mit dem Flugzeug aufzuspüren, ganz weit draußen. Die Boote waren dann einen Tag lang unterwegs, um zu den Heringsschwärmen zu gelangen, und als die auch weg waren, waren die Fische eben weg, und die Leute zogen wieder nach Reykjavík und machten etwas anderes. Und es wurde ruhig in Raufarhöfn. Es gab dann zwar genug Platz zum Tanzen, aber die Zurückgebliebenen wollten nur noch saufen. Da merkte man, dass man auch andere Fische fangen und essen konnte, nicht nur Heringe, sondern auch Lumpfische, Schellfische, Köhler, Lengfische, Seewölfe und Makrelen. Und darum gab es hier in Raufarhöfn noch eine ordentliche Industrie, bis dann das Fangquotensystem von den Politikern eingeführt und die Quote fast gänzlich aus Raufarhöfn abgezogen wurde. Nun lagen die Hallen brach, jedes dritte Haus stand leer. Es gab inzwischen nur noch einen Mann, der eine ordentliche Fangquote hatte, wenn auch keine große: Róbert McKenzie. Siggi fing gelegentlich für ihn Kabeljau mit der Handwinde, Einar mit dem Langleinenschiff. Auch Júníus und Flóki, die Vater und Sohn waren und von allen nur Jú-Jú genannt wurden – das ist kurz für Júníus und Junior –, fingen die Fische mit Netzen. Sie waren die fleißigsten von allen, waren meistens auf dem Wasser und im Dorf kaum zu sehen. Manchmal landeten sie sieben Tonnen an einem Tag! Aber das konnte mir egal sein. Ich war der Einzige hier, der Haie fing, war also ganz unabhängig von den Fangquoten. Und darum durfte ich das leere Miami-Gebäude benutzen, in dem früher die Abfälle von der Heringsverarbeitung, Fischköpfe und so, ausgeschmolzen und dann zu Fischmehl verarbeitet wurden. Man roch es noch immer. Ich hatte meine Fässer und Wannen hier, in denen ich meine Haie ein paar Tage in Salzwasser liegen ließ, wenn ich sie nicht gleich am Hafen verarbeitete. Hier lagerte ich die Fässer mit meinen Ködern, hier war mein Arbeitstisch, mein Kühlschrank, der mit dem Wellblech im Wind um die Wette surrte, meine Messer und meine Werkzeuge, die ich für Petra brauchte. Mein Boot. Sie war auch nicht mehr die Jüngste. Großvater hatte mir all das vermacht – bis auf den Kühlschrank; den hatte ich von Magga bekommen.

Ich machte mich an Petra zu schaffen. Sie brauchte einen Ölwechsel. Sæmundur kam rüber, schaute mir eine Weile zu, kletterte zu mir ins Boot und half, auch wenn ich das alleine schaffte. Einmal kam er mir so nahe, dass ich versehentlich mit meinem Gesicht in seine Haare geriet. Das kitzelte. Sæmundur hatte so ziemlich überall Haare, keinen richtigen Bart zwar, aber war immer unrasiert, hatte wuschelige Kopfhaare, sperrige Nasenhaare, buschige Augenbrauen, behaarte Unterarme und Handrücken, und er hatte nur wenige weiße Haare, obwohl er schon sehr alt war.

»Jetzt starr mich nicht so an!« Er lachte plötzlich. »Du machst mich ganz verlegen!«

Ich lachte auch. Doch als ich den Trichter auf den Öltank setzte und Sæmundur behutsam Öl in den Tank glucksen ließ, waren wir ganz konzentriert. Und vielleicht wurde Sæmundur deswegen nachdenklich, vielleicht wollte er einfach etwas loswerden, denn er sagte:

»Róbert, Róbert. Einfach so, puff, verschwunden. Unser hauseigener Hotelbesitzer. Unser Quotenkönig, Herrschaften!« Sæmundur stellte den Ölkanister ab und schüttelte den Kopf. »Das wird einen Tumult geben, wirst sehen. Jetzt ist der Friede endgültig draußen!«

Da hörte ich zum ersten Mal davon, dass Róbert McKenzie vermisst wurde. Und ich hätte über diese Neuigkeit auch gar nicht überrascht sein müssen, schließlich hatte ich tags zuvor eine enorme Blutlache gefunden, ganz in der Nähe des Arctic Henge, und den hatte er immerhin bauen lassen. Aber irgendwie war ich so überrumpelt, dass ich Sæmundur gar nicht davon erzählte. Sæmundur rätselte noch, wo sich Róbert möglicherweise befinden könnte, zum Beispiel in einem Puff in Amsterdam oder in einer Entzugsklinik in Florida. Zu alldem sagte ich überhaupt nichts, und als ich mit meiner Arbeit fertig war, ging ich gleich nach Hause, denn ich fühlte mich, als würde ich etwas verschweigen, als hätte ich eine Dummheit begangen, und sobald ich es den Leuten erzählen würde, hätte ich wirklich etwas mit Róberts Verschwinden zu tun. Aber es war ja eigentlich schon zu spät, Hafdís wusste von der Blutlache, und damit fing der ganze Stress an, weshalb ich versuchte, nicht mehr an die Sache zu denken. Wenn man die Person ist, die eine Leiche oder deren Überreste findet, und sei es auch nur eine Pfütze Blut, hat man etwas mit der Sache zu tun. Man gehört dann einfach in die Geschichte und damit in die Geschichtsbücher. Und das wollte ich verhindern, indem ich einfach nichts sagte. Doch als mich eine Frau von der Polizei auf meinem Mobiltelefon anrief und bat, ins Schulhaus zu kommen, damit sie sich ein wenig mit mir unterhalten könne, wurde ich nervös, fühlte mich schuldig, auch wenn ich überhaupt nichts verbrochen und niemanden umgebracht hatte. Trotzdem. Ich machte mich auf richtigen Zoff gefasst.

⌘

3
Birna

Eine knappe Stunde später stand ich also vor dem Schulhaus. In voller Ausrüstung. Nur so fühlte ich mich vollständig. Das war bei mir einfach so. Cowboyhut, Sheriffstern und Mauser. Selbst wenn ich manchmal dafür ausgelacht wurde. Die Ausrüstung gab mir Schutz. Und den brauchte ich ganz besonders, wollte ich das Schulhaus betreten. Ich musste dazu allen Mut zusammennehmen. Nur schon die graue Schulhausfassade und das Polizeiauto davor, ja selbst der Spielplatz und die drei Fahrräder machten mir Angst. Sigfús, der früher Schulrektor gewesen war, hatte einmal zu Schuljahresbeginn vor versammelter Schülerschar gesagt, Wissen sei ein Rucksack, den man das ganze Leben lang mit sich herumtrage. Zwar hatte ich in der Schule nicht viel gelernt, aber meinen Schulrucksack schleppte ich noch immer mit mir rum. Er drückte schwer und wurde sogar noch schwerer, je näher ich dem Schulhaus kam. Dieses Gebäude schluckte mich, bis ich vierzehn war. Danach musste ich zum Glück nicht mehr zur Schule. Aber kein Grund zur Sorge. Alles halb so schlimm. Ich hatte nur keine Freunde, was schade war, denn alle anderen Kinder hatten welche. Ich saß immer in der hintersten Reihe, alleine an einem Zweierpult. Wenn jemand laut war oder die Hausaufgaben nicht gemacht hatte, musste er sich für eine

Lektion zu mir setzen. Und es waren immer nur Jungs. Die hielten sich dann die Nase zu, denn ich hatte meist einige Würfelchen Gammelhai in einem kleinen Plastikbehälter in meiner Hosentasche bei mir. Großvaters Gammelhai. Mein Proviant. Alles in guter Ordnung eigentlich, aber der Deckel fiel manchmal ab, was ich erst bemerkte, wenn ich meine Finger in die klebrige Hosentasche steckte, und das rochen dann einige.

Ich dürfe keinen Gammelhai in die Schule mitnehmen, sagte Schulrektor Sigfús dann, beließ es aber dabei, denn er wollte sich nicht mit Großvater anlegen, weil der bewaffnet war. Großvater wusste nämlich ganz genau, dass Sigfús niemandem verbieten konnte, Mundvorrat in die Schule mitzunehmen, denn Großvater kannte die Gesetze. Und überhaupt, die Kinder der Bauern rochen nach Schaf, wie er sagte, und die Kinder der Schiffseigner nach Geld. Ich fand das einleuchtend, aber ich roch es im Schulzimmer nie, weder Schaf noch Geld. Den Gammelhai aber auch nicht. Man gewöhnt sich vielleicht daran. Wieso also der ganze Stress?

Einmal lagerte ich ein Döschen Gammelhai in meinem Pult. Und am nächsten Tag war es nicht mehr da. Jemand hatte es gestohlen! Ich getraute mich nicht, es dem Lehrer zu sagen, erzählte es aber Großvater, und der sagte nur, ich solle in Zukunft keinen Haifisch mehr in meinem Pult lagern. Das fand ich dann doch ein wenig ungerecht. Ich war eigentlich davon ausgegangen, dass Großvater auf meiner Seite war. Ich war wütend und enttäuscht, machte mir solche Gedanken, zerbrach mir richtig den Kopf, fragte mich, wer den Haifisch gestohlen haben könnte und wie ich mich rächen würde, wenn ich dem Dieb auf die Schliche käme, so dass ich zwei Tage lang dem Unterricht kaum folgte, einfach nur dasaß und versuchte, den Fall zu lösen. Ich malte mir aus, wie ich den Dieb in den Schwitzkasten nehmen und seinen Kopf unter den Pultdeckel klemmen würde, um ein Geständnis zu erzwingen.

Ich war sowieso nicht gut in der Schule. Ich hatte immer schlechte Noten, selbst als Rómeó neben mir saß. Rómeó war mein einziger und darum bester Freund in der Schulzeit. Er zog aus Seyðisfjörður hierher, sein Vater war aus Italien und arbeitete als Koch in der Kantine der Fischverarbeitung, darum hatte Rómeó einen ausländischen Namen und braune Haut. Er war aber nur für etwa drei Monate in Raufarhöfn, denn die Köche in der Kantine wechselten oft, und darum hatte Rómeó auch keine anderen Freunde. Er bekam den Platz neben mir zugewiesen, was mich richtig freute, und ich gab ihm auch gleich die Hand, denn ich wollte, dass er sich willkommen fühlte, und so wurden wir auf Handschlag beste Freunde. Er war der Einzige, der wirklich nett zu mir war. Als er wegzog, schaute er sogar bei mir vorbei, schenkte mir eine Zeichnung mit Batman, der von einem Hochhaus baumelte, sich nur an seiner Pistole festhielt, Seil und Haken damit verbunden. Das ist so eine Wunderwaffe, die Batman hat. Rómeó konnte sehr gut Muskeln zeichnen, obwohl er selber noch keine hatte, und er reichte mir die Hand wie ich ihm am allerersten Tag, und dann sah ich ihn nie wieder, weiß gar nicht, wo er heute ist oder ob er überhaupt noch lebt, und beim Abschied war ich so traurig wie noch nie in meinem ganzen Leben.

Ich hatte immer die schlechtesten Noten, und zwar in

ganz Raufarhöfn, in der Geschichte der Schulnoten, und ich übertreibe nicht, denn ein Wanderlehrer sagte mir einmal, er habe in seiner ganzen Karriere noch nie ein derart schlechtes Zeugnis gesehen. Und er musste es schließlich wissen, wo er doch Lehrer im ganzen Land gewesen war. Er war auch gar nicht wütend, sondern irgendwie positiv überrascht. Meine Mitschüler freuten sich immer auf mein Zeugnis, denn dank mir waren sie nicht die Schlechtesten. Sie lachten dann jedes Mal erleichtert. Ich lachte mit, denn es ist besser, mit anderen zu lachen, als der Einzige zu sein, der nicht lacht. Sonst ist man einsam.

Die Buchstaben purzelten in meinen Heften ständig durcheinander. Rechnen ging gar nicht. Wenigstens war ich in Erdkunde gut, wenn nicht sogar der Beste in ganz Raufarhöfn. Ich kannte alle Namen der Fjorde und der Berge, der Pässe und der Dörfer, ob da nun dreitausend oder zwölf Leute lebten. Ich hatte eine große Landkarte von Island in meinem Zimmer an der Wand hängen, und ich machte manchmal ganze Rundreisen an einem einzigen Nachmittag. Entzifferte alle Namen. Denn lesen konnte ich. Bücher waren mir zu lang, Comic-Hefte zu chaotisch, aber Landkarten waren genau richtig. In den übrigen Fächern hatte ich immer die schlechtesten Noten. Niemand beschwerte sich. Niemand schimpfte mit mir.

»Kein Grund zur Sorge«, befand Großvater. Es gebe Wichtigeres im Leben als Zahlen und Buchstaben.

Meine Mutter war nicht glücklich über meine Schulleistungen, aber sie gab den Lehrern die Schuld. Darum wollte sie mich nach Reykjavík in eine Spezialschule schicken, wo ich hineinpasste, wie sie sagte, aber Großvater wehrte sich, sagte, ich sei viel mehr auf Familie als auf bessere Lehrer angewiesen, und ich stellte mich da ganz hinter Großvater, denn Familie ist das Wichtigste auf der ganzen Welt. Zudem gehörte ich einfach nach Raufarhöfn wie der Eiffelturm nach Paris. Hier war ich aufgewachsen, hier wollte ich mein Leben verbringen. Und hier wollte ich sterben. Meine Mutter sah es schließlich auch ein. Keine zehn Pferde würden mich in die Stadt zerren können. Der Dreck von zweihunderttausend Leuten wird da ungefiltert ins Meer gespült. Am Strand kannst du Frauenbinden, Ohrenstäbchen und Kondome finden. Nein danke! Nicht mit mir! Da würde ich viel eher wieder einen rohen Fisch essen.

Einmal habe ich einen rohen Fisch gegessen. Eigentlich nichts Besonderes, fast wie Sushi, nehme ich mal an, aber damals gab es in Island noch kein Sushi, und die Leute aßen auch keine rohen Fische. Das machten nur die Inuit drüben in Grönland und die Japaner in Japan. Es war eine dumme Mutprobe, und ich bestand sie, nichts weiter, kein Grund zur Sorge. Wir waren da beim Leuchtturm von Hraunhafnartangi, dem nördlichsten Punkt Islands; ich, Palli, Arnór, Kiddi, Steini und Gulli, der schon sechzehn war und das Auto seines Vaters auslieh, wie manchmal, wenn sein Vater auf See war und seine Mutter ein Nickerchen machte. Hraunhafnartangi ist schon über dem Polarkreis. Bis zum Nordpol ist es dann eigentlich nicht mehr so weit, und wenn du auf dem letzten Stein stehst und aufs Wasser schaust, ist nur noch Wasser zwischen dir und dem Nordpol. An dieser Landzunge wird alles Mögliche angespült, viel Treibholz, Seile, Netze, Bojen, eigentlich hauptsächlich Fischereiabfälle, aber manchmal auch Dinge, die nicht ins

Meer gehören und meistens aus Plastik sind. Kiddi suchte in den angeschwemmten Plastikflaschen nach einer Flaschenpost, und Arnór fand einen Liegestuhl, klappte ihn auf und setzte sich darauf, als sonne er sich am Strand von Spanien. In der Hand hielt er eine kaputte Boje, und da hinein hatte er einen Roggenhalm gesteckt, was dann aussah, als schlürfe er einen exotischen Cocktail. Das war wirklich lustig, und ich fiel fast hin, so sehr lachte ich, und Gulli sagte, ich lache so idiotisch wie ein behinderter Esel. Steini hatte sich inzwischen in den zerfallenen Fischerhütten umgeschaut und eine völlig verrostete Pfanne gefunden.

»Kinder, Essen ist fertig!«, rief er.

»Ich hab auch was!«, rief Gulli, der am Wasser zwischen den Steinen einen toten Fisch gefunden hatte, den die Flut da liegengelassen hatte. Der Fisch sah ziemlich frisch aus, aber eben tot, er starrte uns entsetzt an – das machen die immer, die Fische, selbst wenn sie noch leben. Gulli sagte, ich müsse ein Fischauge essen, es sei eine Mutprobe und sie alle hätten diese Mutprobe schon bestanden, alle außer mir. Zum Glück hatte ich mein Klappmesser dabei, das ich eigentlich immer dabeihatte. Und nachdem sich alle mein Messer angeschaut hatten, schnitt ich dem Fisch ein Auge aus der Höhle, wie es mir Großvater einmal vorgemacht hatte. Kinderspiel. Ich wusste auch, wie man ein Fischauge isst: Man schluckt es ganz runter, ohne zu überlegen – das ist der Trick.

Meine Freunde kreischten, vor allem Kiddi und Palli, denn sie waren noch nicht im Stimmbruch, aber ich verzog nicht einmal mein Gesicht, tat, als wäre nichts einfacher auf dieser Welt, als ein Fischauge zu essen. Ich schnitt auch das zweite Auge aus der Höhle und bot es den Jungs an, doch die fielen fast hin vor Ekel. Dann sagte Gulli, dass die Mutprobe nur dann bestanden sei, wenn ich den ganzen Fisch gegessen habe, abgesehen vom Kopf und den Flossen und so. Denn sie alle hätten die Mutprobe gemacht, und wenn ich zu ihnen gehören wolle, müsse ich meinen Mut unter Beweis stellen.

»Kinderspiel«, sagte ich, filetierte den Fisch und entfernte mit der Messerspitze Parasiten, wie man das eben macht, wie ich das schon von Großvater gelernt hatte – und biss ins Fleisch.

Das Fleisch war zäher, als ich erwartet hatte. Und seifig. Ich musste richtig kauen, bis ich den ersten Bissen endlich runterschlucken konnte. Und jetzt fing der Tumult an. Palli, Arnór, Kiddi, Steini und Gulli hüpften und brüllten und hielten sich die Bäuche, krümmten sich angeekelt. Ich nahm ein paar weitere Bisse, bis sie sich alle auf dem Boden kugelten, sich fast übergaben und mir versicherten, dass ich die Mutprobe bestanden habe! Ich war irre stolz, obwohl der Fisch richtig komisch schmeckte und auch einen ganz seltsamen Geschmack in meinem Gaumen hinterließ. Ziemlich eklig eigentlich, nicht wie Gammelhai. Ganz anders. Wir hatten auch nichts zu trinken dabei, womit ich den faulen Geschmack hätte runterspülen können.

Als ich nun das Schulhaus betrat, um die Polizistin zu einem Gespräch zu treffen, musste ich an meine Schulkameraden denken, an Palli und Kiddi, Arnór, Steini und Gulli, die nur meine Kameraden gewesen waren, weil die Erwachsenen es ihnen gesagt hatten, doch richtig dazugehören ließen sie mich nie, und sogleich hatte ich wieder den Geschmack des Fisches im Mund und den Geruch in meiner Nase.

Auf der Rückfahrt nach Raufarhöfn machte sich dann der rohe Fisch in meinem Bauch bemerkbar, rumorte und rumpelte. Man hörte aber nichts, weil wir auf einer löchrigen Schotterstraße fuhren. Es gelang mir darum recht gut, mir nichts anmerken zu lassen. Aber Gulli trat ziemlich fest aufs Gas und bretterte über die Holperstraße, als hätten wir die Polizei auf den Fersen. Und plötzlich wurde mir schwindlig. Alles vor meinen Augen wurde unscharf und verschwamm, ich sah schließlich fast nichts mehr, mein Kopf wurde richtig schwer und baumelte hin und her, mein Hals war Gummi, und ich glaubte erst, Gulli habe einen Unfall gemacht, vielleicht waren wir von der Straße abgekommen, denn alle im Auto begannen aus voller Kehle zu kreischen. Gulli saß am Steuer, Steini neben ihm, Palli, Arnór, Kiddi und ich saßen hinten, dicht aneinandergereiht wie Sardinen in einer Büchse, und ich merkte erst, dass der Fisch wieder hochgekommen war, als ich plötzlich viel mehr Platz hatte. Es war ganz seltsam; als schaute ich mir selber beim Kotzen zu. Ich hatte keine Gewalt über mich. Ich erbrach nicht bloß den Fisch, sondern auch das Frühstück und das Mittagessen, also eigentlich in umgekehrter Reihenfolge, erst den Fisch, dann das Mittagessen und schließlich die Cocoa Puffs, und ich drehte mich zu allen Seiten, denn ich wollte nicht nur nach vorne kotzen, wo Gulli saß, das Steuer herumriss und das Auto am Straßenrand zum Stillstand brachte. Das fand ich richtig nett von ihm. Als das Auto endlich still stand und sich alle ins Freie geworfen hatten, war ich aber schon fertig. Gulli hätte also weiterfahren können, denn wir mussten sowieso zurück ins Dorf, um uns und das Auto zu waschen. Hier draußen ging das nicht. Das Meer war viel zu kalt, und mit Salzwasser sollte man die Sitzpolster nicht putzen, das weiß doch jeder, darum steckte ich den Kopf aus dem Auto und sagte:

»Ich bin fertig, wir können fahren.«

»Hi there, Cowboy!«

Ich erschrak so sehr, dass ich laut fluchte:

»Teufel, Scheißdreck!«

Und darum erschrak auch die Frau, die mich angesprochen hatte, und machte sogar einen Sprung rückwärts. Ich stand im Eingang der Schule und hatte keine Ahnung, wie lange ich da schon war. Die Frau wagte sich schließlich wieder in meine Nähe.

»Habe ich dich erschreckt?«, fragte sie vorsichtig.

Ich, wie so ein Leuchtturm. Sie hatte mich wirklich erschreckt. Und das sagte ich ihr auch. Sie lachte, und ich beruhigte mich allmählich, denn die Frau war eigentlich ganz nett, aber ich war noch immer aufgeregt. Mein Herz pochte, meine Handflächen waren feucht, und ich befürchtete, dass ich nach Haifisch roch. Im Schulhaus wollte man diesen Geruch nicht.

»Du bist also Kalmann, der Haifischfänger, nicht wahr?«

Ich wurde richtig verlegen, nickte und schaute zu Boden. Ich mag es, wenn man mich Haifischfänger nennt. Meistens nennt man mich etwas anderes. Ich schaute mich verstohlen um, aber es war niemand da, der es gehört haben könnte, hier im Schulhaus, wo mir so viele Namen gegeben worden waren. Keine Zeugen. Schade.

Die Frau war etwa so alt und so groß wie meine Mutter, wenn auch etwas dicker, aber nicht wirklich dick, nur voller. Sie hatte schwere Brüste und einen dicken Bauch, aber keinen dicken Hintern, fast keinen Hintern eigentlich, und sogar ziemlich dünne Beine. Sie hatte ein rundes Gesicht und kurzes, lockiges Haar. Bestimmt gefärbt. Alle Frauen in diesem Alter färben ihre Haare. Das weiß ich von Nói. Von ihm habe ich viel mehr gelernt als von den Lehrern. Die Frau musterte mich und streckte mir ihre Hand entgegen.

»Ich bin Birna«, sagte sie. »Wir haben telefoniert. Ich bin von der Polizei.«

Ich ließ ihre Hand in der Luft hängen, obwohl sie mich aufmunternd anlächelte. Ich verstaute meine Hände in den Hosentaschen. Birna war also von der Polizei, auch wenn sie keine Uniform trug. Arbeitete sie verdeckt? Oder war sie eine Kommissarin und musste darum keine Uniform mehr tragen? Sie nahm schließlich ihren Arm wieder runter, musterte meine Utensilien und zeigte auf meinen Sheriffstern, den ich mir an die Brust gesteckt hatte.

»Ist der echt?«, fragte sie.

»Ja«, sagte ich und drehte den Stern ein wenig in den Fingern, damit er nicht mehr schief hing. »Ist aus den Vereinigten Staaten von Amerika.«

»Aus Amerika?«

»Korrektomundo.«

Birna lächelte.

»Bist du in Amerika gewesen?«

»Nein. Mein Vater hat ihn mir vermacht, aber hier hat der Sheriffstern keine Bedeutung. Nur in Los Angeles

County. Das steht auch drauf. Schau, hier. Los Angeles County. Und hier, das Symbol, das sie da haben.«

Ich zeigte ihr alles. Birna trat ganz nahe an mich heran und schaute sich den Sheriffstern aus der Nähe an. Sie roch nach Frauenparfüm, und ihre Augenbrauen waren schwarz geschminkt.

»Du bist der Sheriff von Raufarhöfn!«

Es war eine komische Feststellung. Sie wusste doch ganz genau, dass ich kein richtiger Sheriff war. Sie war schließlich von der Polizei.

»Und die Pistole?« Sie zeigte auf meine Mauser, die im Halfter steckte.

»Die ist auch echt«, sagte ich und war nun nicht mehr verlegen. Ich hatte ihr nämlich etwas voraus, denn Polizisten in Island tragen außer Pfefferspray keine Waffen. Das dürfen sie gar nicht, das ist das Gesetz. Nur die von der Spezialeinheit tragen Waffen. Wenn ein Ernstfall ist. Und Raufarhöfn war kein Ernstfall. Noch nicht zumindest.

Birna versteifte sich etwas, erwiderte aber meinen Blick, bis ich wegschaute.

»Darf ich mal?«

Ich wollte ihr die Pistole überreichen, aber da schwang die Tür eines Schulzimmers auf. Hafdís trat auf den Flur, bemerkte uns und kam schnurstracks auf uns zu, schwenkte dabei ihre Arme, als sei sie total gut gelaunt.

»Ihr habt euch also gefunden!«, stellte sie erfreut fest. Sie gab Birna die Hand und wechselte ein paar freundliche Worte mit ihr, was mir Unbehagen bereitete. Hafdís war einen ganzen Kopf größer als die Polizistin, wahrscheinlich wegen der Stöckelschuhe, und darum schaute sie auf Birna

46

hinunter. Und ich hatte immer gedacht, dass Polizisten größer sind!

»Wir haben uns eben unterhalten«, sagte Birna. Ihr sei sehr wohl bewusst, dass im Nordosten Islands Polizistenmangel herrsche, aber ob es denn wirklich nötig sei, einen bewaffneten Sheriff einzustellen? Hafdís lachte laut, strich mir über den Rücken und sagte, dass ich ein ganz Feiner sei und ihr helfe, die Polarfüchse fernzuhalten, und dass dieses antike Ding – sie zeigte auf meine Pistole im Halfter – nicht geladen sei.

»Stimmt doch, oder Kalmann?«

Ich zuckte mit den Schultern.

»Die habe ich von meinem amerikanischen Großvater geerbt«, sagte ich. »Mein Vater ist auch bei der Armee. Und mein Großvater war sogar im Krieg.«

»In welchem Krieg?«

»Im Koreakrieg.«

Birna schaute mich wieder an, betrachtete mich von Kopf bis Fuß, aber diesmal ernsthafter, und nachdem sich Hafdís wieder verabschiedet hatte, sagte Birna:

»Dann folge mir mal, Sheriff von Raufarhöfn!«

Sie führte mich in eins der leeren Schulzimmer, in dem ich seit bestimmt zweihundert Jahren nicht mehr gewesen war. Es hingen zwar keine Zeichnungen oder Tabellen an den Wänden, und auf den hinteren Tischen standen keine halbfertigen Basteleien und Gruppenprojekte, aber das Zimmer war mir noch immer vertraut. Als das Schulhaus gebaut wurde, gingen hier über einhundert Kinder ein und aus, und als ich dann zur Schule ging, gab es noch etwa siebzig Schulkinder. Jetzt gab es nur noch neun oder zehn, das kam darauf an, ob Óli hier in Raufarhöfn bei seinem Vater übernachtete oder in Egilsstaðir bei seiner Mutter. Es wurden nur zwei Schulzimmer gebraucht, die meisten Zimmer standen also leer, und außer Hafdís, dem Sportlehrer Marteinn und dem Hauswart Halldór gab es nur eine einzige Lehrerin: Dagbjört. Ich kannte sie schon immer. Sie war mit mir in diesem Haus zur Schule gegangen. Eigentlich hätte sie auch hier sein müssen, aber ihr roter Kia Picanto stand nicht vor der Schule. Vielleicht hatte sie sich einen Tag frei genommen, weil ihr Vater verschwunden war. Und darum war wohl Hafdís in der Schule, um die Kinder zu unterrichten.

Der Geruch in dem Schulzimmer war noch immer derselbe. Haargenau. Und der Blick nach draußen war es auch. Diese Einfamilienhäuser kannte ich gut; dieselben flachen Holzhäuser, die zwar nicht mehr frisch gestrichen, aber wenigstens noch immer bewohnt waren. Während der Schulstunden hatte ich oft aus dem Fenster geguckt und drauflos geträumt. Da kann ich mir einfach nicht helfen. Ich blicke wohin, und meine Gedanken fliegen davon wie die Wildgänse im Herbst, wie eine Apollo-Rakete im Überschall, ich lasse Raufarhöfn hinter mir, ein Fenster genügt, und weg bin ich. Manchmal braucht es sogar weniger als ein Fenster, irgendetwas, an dem mein Gehirn hängenbleibt. Das muss mich auch gar nicht interessieren, es kann das Cover einer Zeitschrift sein, ein parkendes Auto, eine Möwe, die am Fenster vorbeifliegt, oder eine Schraube im Pult. Aber Schulrektor Sigfús war manchmal durch die Pultreihen geschlendert und blieb vor mir stehen, ohne dass ich es bemerkte, schlug mit der flachen Hand direkt vor mir auf die Tischplatte oder verpasste mir einen Klaps auf den Hinterkopf, gar nicht fest eigentlich, aber weil ich in Gedanken so weit weg war, erschrak ich heftig und fiel fast vom Stuhl, und meine Mitschüler auch, allerdings vor Lachen, und ich saß auf dem Boden und lachte wie immer mit. Dabei war mir eigentlich richtig schlecht, und auf dem Heimweg verprügelte ich dann jemanden, und zu Hause machte ich etwas kaputt, schmetterte Sachen zu Boden, den Nähkasten, schmutziges Geschirr, eine der Eulenskulpturen, die meine Mutter sammelte, weil sie glaubte, dass uns die Eulen beschützten. Sie hatte auch welche aus Plastik, aber die machte man nicht so einfach kaputt wie die aus Porzellan. Ich verpasste mir Ohrfeigen oder presste mir die Bleistiftspitze in den Handrücken, bis es blutete, die Spitze abbrach und steckenblieb. Der dunkle Punkt auf meinem Handrücken ist noch heute da. Manchmal versuchte meine Mutter, mich davon abzuhalten, und dann warf ich sie zu Boden wie eine ihrer Eulenskulpturen, denn ich war schon zwölf oder dreizehn und kräftiger als meine Mutter, kräftiger als alle meine Mitschüler, die drei oder vier Jahre jünger und einen ganzen Kopf kleiner waren als ich, weil ich drei- oder viermal sitzengeblieben war, und darum hätte ich sie alle verhauen können, wenn ich gewollt hätte, aber Großvater sagte, ich dürfe meine Kraft nicht missbrauchen, sonst schicke man mich nach Reykjavík, und er hatte natürlich recht. Nur darin waren sich er und meine Mutter einig: Ich durfte niemanden verhauen. Meiner Mutter gelang es meistens, das Schlimmste zu verhindern, obwohl sie das ein oder andere Mal ein paar Kratzer oder ein blaues Auge davontrug, aber sie wusste ja, dass ich es nicht so meinte und dass es mir später leidtun würde, und schließlich war sie doch stärker als ich, weil sie einfach stärker sein musste. Ich glaube, Mütter sind manchmal stärker als Männer. Sie hielt mich fest, saß rittlings auf meiner Brust, kniete auf meinen Armen und drückte meinen Kopf auf den Boden. Manchmal gelang es ihr, ein Kissen unter meinen Kopf zu legen, aber nicht immer. Meine Füße traten ins Leere. Das half meistens. So wurde ich müde. Meine Mutter wartete mit rotem Gesicht, bis ich nicht mehr herumzappelte, bis ich mich beruhigt hatte, und dann ließ sie sich neben mir auf den Boden fallen, so dass wir beide an die Decke guckten, und ich hörte sie keuchen und nach Luft schnappen, und dann rappelte sie sich auf, wischte sich die Tränen aus dem Gesicht und sagte, es sei alles in Ordnung, kein Grund zur Sorge, ließ mich einfach auf dem Boden liegen, weil sie keine Zeit hatte, neben mir auf dem Boden zu liegen, sie musste noch Hausarbeiten erledigen, Abendessen kochen, schließlich war sie eben erst aus dem Gefrierhaus heimgekehrt, und bald kam auch Großvater, und dann hatten wir alle Hunger.

»Hallo! Kalmann! Setz dich doch bitte, ja?«

Ich stand noch immer in der Schulzimmertür. Birna schaute auf ihre Armbanduhr und saß schon am Lehrerpult, wies mich auf einen Stuhl, der dem Pult gegenüberstand. Vor ihr lagen Unterlagen, Dokumente, Landschaftsfotografien und ihr Mobiltelefon. Eine halbleere Colaflasche stand auf einem gelben Klebezettel, weshalb man die Notiz nicht lesen konnte.

Ich atmete ganz tief ein und gepresst wieder aus, wie ich es gelernt hatte, schloss auch die Augen, aber nur kurz.

Das ist Meditation, und das ist eigentlich Nachdenken, auch wenn man an nichts denken soll. Birna blickte mich besorgt an, was mich nur noch nervöser machte, denn ich wollte nicht, dass sie glaubte, ich sei ein Freak. Sie kannte mich ja gar nicht, wusste nicht, dass sie vor mir keine Angst zu haben brauchte. Also setzte ich mich brav auf den Stuhl.

»Nun denn, Kalmann«, sagte sie. »Ich bin von der Kriminalpolizei der Stadt Reykjavík. Ich bin also eine Polizistin, auch wenn ich keine Uniform trage –«

»Wie in CSI: Miami«, unterbrach ich sie.

»Ja, das könnte man so sagen«, sagte Birna. »Ich kümmere mich um den Vermisstenfall Róbert McKenzie.«

»Ich bin Kalmann Óðinsson«, sagte ich. »Haifischjäger ist mein Beruf, und ich bin bald vierunddreißig Jahre alt. Und zwar am vierundzwanzigsten Mai, um genau zu sein. Das ist in etwa zwei Monaten und ein paar Tagen, also schon sehr bald.«

»Danke für die Information«, sagte Birna und lächelte. »Hör mal, du brauchst nicht nervös zu sein, in Ordnung? Hafdís hat mir erzählt, dass du gestern auf Fuchsjagd warst und da oben beim Arctic Henge eine Blutlache im Schnee entdeckt hast, und ich möchte dich bitten, mir davon zu erzählen. Mehr nicht. Dauert nicht lange.«

Ich fühlte mich ertappt. Hafdís hatte also wirklich bei der Polizei gepetzt. Das hätte ich ihr nicht gegeben. Ich sagte nichts, muss aber auf die Colaflasche gestarrt haben, denn Birna fragte mich, ob sie mir etwas zu trinken anbieten könne, eine Tasse Kaffee oder ein Glas Wasser vielleicht? Cola stand wohl nicht zur Auswahl. Also zuckte ich mit den Schultern. Aber sie las meine Gedanken und sagte:

»Cola vielleicht?« Ich staunte. »Warte einen Augenblick.« Sie lächelte müde und verließ das Zimmer.

Zum allerersten Mal in meinem Leben war ich ganz alleine in einem dieser Schulzimmer. Es war immer umgekehrt gewesen: Der Lehrer und die Kinder im Schulzimmer, ich alleine draußen auf dem Flur. Manchmal wurden wir während dem Unterricht nach vorne gerufen, um ein Wort an die Tafel zu schreiben oder eine Rechenaufgabe zu lösen – alle außer mir. Ich konnte mich nicht daran erinnern, jemals ein Stück Kreide in den Händen gehalten zu haben.

Also stand ich auf, ging zur Wandtafel und machte eine Zeichnung. Die Kreide fühlte sich seltsam in meinen Fingern an. Wie ich sie über die Tafel streichen ließ, nieselte weißer Kreidestaub zu Boden, fast wie Schnee, aber viel feiner, also nicht wie Schnee.

Ich zeichnete ganz Island. Ich fuhr die Umrisse der Küstenlinie ab, zeichnete die Ost- und die Westfjorde, den tiefen Eyjafjörður, die Südküste, die Halbinseln Reykjanes und Snæfellsnes – alles dabei. Und es gelang mir recht gut. Ganz oben im Nordosten machte ich einen Punkt, da, wo Raufarhöfn war. Dann zeichnete ich die fünf größten Gletscher und malte sie weiß aus. Dazu hielt ich das Kreidestück flach. Der Kreidestummel wurde schließlich so klein, dass meine Fingerspitzen die Tafel berührten und die Kreide verschmierten. Als ich mich nach einem neuen Stück Kreide umschaute, bemerkte ich Birna, die in der Tür stand. Sie war beeindruckt.

»Wow!«, sagte sie und schaute sich dann die Zeichnung aus der Nähe an. »Wow!«, sagte sie wieder. »Du hast Talent.«

Ich nickte.

»Ich weiß. Ich habe eine Landkarte zu Hause«, sagte ich.

»Das sieht man«, sagte Birna. »So was können die wenigsten.«

Wir standen noch ein paar Sekunden da und bewunderten mein Werk, dann setzten wir uns wieder ans Lehrerpult. Birna schob mir eine Colaflasche zu. Ich hatte Durst und stürzte die Flasche.

Ich liebe Cola. Es ist neben Malt und Appelsín, das aber nur zu Weihnachten getrunken wird, mein Lieblingsgetränk. Ich stellte die leere Flasche vor mir auf den Tisch und bemühte mich, nicht zu rülpsen, blies die aufstoßende Luft einfach seitlich aus dem Mund. Birna bemerkte es nicht.

»Ist es in Ordnung, wenn ich das Gespräch aufzeichne?« Birna wartete keine Antwort ab, öffnete die Rekorder-App ihres Mobiltelefons und drückte auf den roten Aufnahmeknopf. »Es ist fünfzehn Uhr sechsunddreißig, der zwanzigste März, Raufarhöfn, Vermisstenfall Róbert McKenzie, mir gegenüber sitzt der im Moment einzige Augenzeuge Kalmann, Kalmann äh …« Sie blätterte in ihren Unterlagen, denn sie hatte meinen Namen schon wieder vergessen, aber dann erinnerte sie sich plötzlich »… Óðinsson! Kalmann Óðinsson.« Dann wandte sie sich mir zu. »Kalmann«, sagte sie. »Erzähl mir, wo, wie und wann du die Stelle mit dem Blut gefunden hast.«

Es waren viele Fragen. Womit sollte ich anfangen? Wo?

Sie wusste doch wo. Hatte es ja selber gesagt. Beim Arctic Henge. Wie? Ja wie findet man denn etwas? Indem man die Augen offen hält! Mir schien, Birna war nicht die beste Polizistin der Welt. Und wieso war sie alleine? Wieso zeichnete sie dieses Gespräch auf, als wäre ich ein Verdächtiger? War ich ein Verdächtiger? Und wieso gab sie mir eine Cola, obwohl sie mir nur Kaffee oder Wasser angeboten hatte? Wollte sie mich um den Finger wickeln? Ich fand Birna zwar ganz nett, etwas zu mütterlich für meinen Geschmack, doch mir wurde trotzdem heiß unterm Hintern.

»Wieso bist du allein?«, fragte ich sie.

Birna schien überrascht, öffnete den Mund, sagte aber trotzdem nichts. Dann lehnte sie sich mit einem Seufzer auf dem Stuhl zurück.

»Das ist eine gute Frage, Kalmann«, gestand sie schließlich, was mich erleichterte, denn ich war mir jäh bewusst geworden, dass ich keine ihrer vielen Fragen beantwortet hatte, was mich vielleicht endgültig verdächtig aussehen ließ oder gegen das Gesetz war. Ich nahm mir vor, keine weiteren Fragen zu stellen.

»Na gut«, sagte sie schließlich. »Dann machen wir das in deinem Tempo. Hier oben läuft uns ja niemand davon. Weißt du, in Reykjavík ist wegen des hohen Staatsbesuchs der Teufel los. Wie damals bei Reagan und Gorbatschow. Und darum brauchen wir dort jeden verfügbaren Beamten. Also fast jeden, denn jemand muss sich schließlich um die Angelegenheiten auf dem Lande kümmern.« Birna schnalzte mit der Zunge, als sei sie irgendwie sauer. »Ich bin aber nicht ganz alleine. Ein paar Kollegen sind in Húsavík, die können in neunzig Minuten hier sein, wenn ich sie anrufe, einer ist noch in Þórshöfn, und es sind fast siebzig Männer und Frauen der Rettungswache auf dem Weg hierher.«

»Wie, jetzt gerade?«

»Und ob! Jetzt gerade.«

»Und die Küstenwache?«

»Aber sicher, dasselbe gilt für die Küstenwache. Boote, Taucher. Schon unterwegs. Ein Anruf genügt, und der Hubschrauber kommt angeflattert. Nur ein Knopfdruck sozusagen. Zumindest wenn in Reykjavík alles glattläuft. Der Staatsbesuch hat natürlich Priorität.« Ich war beeindruckt. Die Frau hatte Macht. »Und ich habe dich«, sagte sie, und jetzt war ich platt. »Aber ja, wirklich«, beteuerte sie. »Du kennst dich hier gut aus, du hast ein richtig kartographisches Gedächtnis, das hast du ja eben bewiesen.« Sie zeigte mit dem Daumen über die Schulter auf die Wandtafel. »Du weißt, wo die Stelle mit dem Blut ist, und du kannst mir bestimmt ein paar ganz wichtige Fragen beantworten, nicht wahr?«

Ich schaute auf meine Hände. Ich wollte nicht, dass sie mein stolzes Grinsen bemerkte. Ich griff nach der leeren Colaflasche und drehte sie in meinen Fingern, bis sie mir aus den Händen fiel, eine Weile auf dem Boden tanzte und schließlich unterm Pult verschwand. Ich bückte mich, kroch unters Pult und fand die Flasche zwischen Birnas Füßen. Birna hatte schwarze Frauenschuhe an, die irgendwie zu klein waren und unbequem aussahen. Ich hob die Flasche auf, machte dabei eine rasche Bewegung und schlug mit dem Hinterkopf an die Tischplatte. Das hat bestimmt ordentlich gewackelt oben. Ich kroch unterm Tisch hervor, rieb mir den Kopf und stellte die Flasche wieder zurück an ihren Platz.

Birna sortierte ihre Unterlagen, schaute nach unten, so dass ich nicht sehen konnte, ob sie wütend auf mich war.

»Also, Kalmann«, sagte sie nach ein paar Sekunden. Lächelte sie? »Was hast du da oben denn überhaupt gemacht, als du die Blutlache gefunden hast?«

Mein Kopf surrte. Ich tastete meinen Schädel ab und untersuchte meine Finger in der Befürchtung, Blut zu sehen. Aber da war kein Blut. Ich hatte bloß eine Beule am Kopf.

»Ich war auf der Jagd«, sagte ich. Männer lassen sich Schmerz nicht anmerken. »Ich bin auch Jäger.«

»Ich weiß. Was wolltest du denn da oben jagen?«

»Schwarzkopf.«

»Wer ist Schwarzkopf?«

»Verdammt!«, entfuhr es mir.

»Ist schon gut«, sagte Birna zuvorkommend. »Es gibt keine falschen Antworten hier. Jedes Detail zählt. Also. Wer ist Schwarzkopf? Ich nehme nicht an, dass du eine Shampooflasche gesucht hast.«

»Nein! Einen Polarfuchs.«

»Einen Polarfuchs. Aha. Mit einem schwarzen Kopf?«

Ich nickte.

»Einer mit blauem Fell?«

Ich schaute sie überrascht an. Diese Frau war gar nicht so blöd.

»Korrektomundo!«

»Und warst du erfolgreich?«

56

Weil ich den Kopf schüttelte, sagte Birna, ich müsse ja oder nein sagen, denn ein Nicken oder Kopfschütteln höre man auf der Audioaufnahme nicht. Also nickte ich sofort, sagte aber:

»Ja! Also, nein! Ich habe ihn nicht gesehen, den Fuchs, meine ich.« Ich schaute verlegen auf meine Hände. »Man kommt nicht immer mit einer Beute zurück, wenn man jagen geht.«

»Man braucht Geduld, nicht wahr?«

»Ganz viel«, bestätigte ich.

»Und du gehst mit deiner Pistole jagen?«

»Keine Chance«, sagte ich. »Ich habe eine Schrotflinte für die Jagd, aber ich war nur mit meiner Pistole unterwegs. Eigentlich wollte ich gar nicht –«

Ich rutschte auf meinen Stuhl herum und schaute aufs Schülerpult hinter mir, zählte Schrauben.

»Du gehst also mit deiner Pistole Polarfüchse jagen?«

»Nein. Mit der Pistole kann man nicht jagen. Die habe ich einfach bekommen. Und mit dem Gewehr darf ich eigentlich nicht, darum –«

Ich wurde sauer. Wollte sie mich bloßstellen?

»Kalmann, du machst das wirklich sehr gut.« Birna suchte den Blickkontakt zu mir. Aber ich schaute weg. »Jetzt erzähl mir mal, wie du die Stelle mit dem Blut im Schnee gefunden hast.«

Ich atmete resigniert aus. Das würde ja ewig dauern!

»Ich bin eine ganze Weile durch den Schnee gegangen, und dann habe ich oben beim Arctic Henge eine dunkelrote Stelle gefunden, und es hat ausgesehen, als hätte jemand einen ganzen Eimer voll Blut ausgeschüttet, und weil ich wissen wollte, ob es wirklich Blut war und ob es frisch war, hielt ich meine Hände hinein. Darum hatte ich wohl blutverschmierte Hände.«

»Sehr gut, Kalmann, das ist wirklich hilfreich. Und? War das Blut frisch?«

Ich zuckte mit den Schultern.

»Es war nicht mehr warm, aber es war auch nicht richtig kalt. Die Schneeflocken schmolzen im Blut.«

Birna machte eine Notiz.

»Wie groß war die Blutlache?«

»Etwa so«, sagte ich, streckte die Arme weit aus und zeigte ihr die geschätzte Größe der Blutlache.

»Also etwa so groß wie dieses Schülerpult hinter dir?«

Ich nickte.

»Du nickst«, sagt Birna und schmunzelte.

»Ja!«, sagte ich und musste nun auch lachen. Offenbar machte ich doch ein paar Sachen richtig.

»Hast du sonst noch etwas bemerkt, da oben?« Ich zuckte mit den Schultern. »Bist du jemandem begegnet, oder hast du ein Auto gesehen, oder waren da Spuren im Schnee?«

»Fußspuren«, sagte ich schnell.

»Fußspuren!« Birna war zufrieden mit mir. »Und hast du dir die Spuren genauer angeschaut?«

Ich zuckte wieder mit den Schultern.

»Ich bin nicht ganz sicher, ob es Fußspuren waren. Es hat so sehr geschneit. Vielleicht waren es gar keine Fußspuren, sondern Vertiefungen unter dem Schnee.«

»Die Fußspuren waren also schon sehr zugeschneit, ja?«

Ich nickte.

»Sag ja oder nein.«

»Ja!«

»Wie lange bist du denn da oben geblieben?«

Ich schaute schräg an die Decke und dachte nach. Nur jede zweite Glühbirne funktionierte. Das war aber nicht so schlimm, denn draußen war es hell, und das Schulzimmer wurde ja eigentlich nicht mehr benutzt.

»Keine Ahnung«, sagte ich und meinte es ganz ehrlich.

»Ein paar Minuten?«

»Nein, länger.«

»Eine halbe Stunde?«

»Vielleicht.«

»Eine Stunde?«

»Mhm.«

»Zwei Stunden?«

»Nein, so lange nicht.«

»Was hast du denn während der ganzen Zeit gemacht?«

»Keine Ahnung. Ich habe nur rumgestanden und wusste nicht wohin.«

»Verstehe«, sagte Birna. »Alles wunderbar. Aber kommen wir zurück zu den Fußspuren, wenn es denn welche waren. Wohin führten sie?«

»Hinunter ins Dorf.«

»In den südlichen oder nördlichen Teil?«

»Zum Hafen.«

»Zum Hafen?«

Ich nickte.

»Ich glaube schon.«

»Bist du ihnen gefolgt?«

»Nein.«

»Und wenn es wirklich Fußspuren gewesen waren, stammten sie von einer oder von mehreren Personen?«

»Von mehreren«, sagte ich. »Vielleicht.«

»Verstehe«, sagte Birna und machte wieder Notizen.

»Möglicherweise –«, sagte ich, zögerte aber.

Birna schaute von ihren Notizen auf.

»Möglicherweise was?«, fragte sie.

»Ach.«

»Doch«, beharrte Birna. »Hier gibt es keine falschen Antworten.«

Ich holte Luft.

»Möglicherweise waren die Spuren von einem Eisbären.«

»Einem Eisbären?«

Birnas Stimme klang plötzlich nicht mehr freundlich.

»Ja, von einem Eisbären. Der hat vier Beine. Das sieht dann aus wie zwei Leute.«

»Ein Eisbär!«

»Könnte ja sein. Manchmal kommen Eisbären aus Grönland nach Island. Die können dreihundert Kilometer weit schwimmen. Mindestens … Vermutlich.«

»Da hast du recht«, sagte Birna und wiegte den Kopf hin und her. »Aber weißt du noch, was im Sommer passiert ist? Zwei Franzosen sichteten einen Eisbären, weiter oben am Hraunhafnarfluss, da waren sie angeln, rannten zurück zu ihrem Auto, so schnell ihre Beine sie trugen. Vier Kilometer! Riefen auf Einseinszwei an: Eisbär! Und dann suchten wir bis spät in die Nacht hinein, mit dem Hubschrauber der Küstenwache und Freiwilligen der Rettungswache und allem. Nichts. Weißt du, was die Franzosen wohl gesehen

haben?« Ich sagte nichts. »Ein Schaf«, klärte mich Birna
auf, obwohl ich die Geschichte kannte.

»Es gibt keine Schafe jetzt«, murmelte ich.

»Aber du hast *nichts* gesehen! Nicht mal ein Schaf.«

»Aber es gab auch schon Eisbären in dieser Gegend.«
Birna legte den Stift auf ihr Notizblatt und seufzte tief.

»Du vermutest also wirklich, dass die Spuren im Schnee
von einem Eisbären hätten stammen können.« Ich nickte.
»Du nickst!« Ich schaute sie erschrocken an. »Es ist so«,
sagte Birna und beugte sich etwas vor. »Wenn der Verdacht
besteht, dass sich ein Eisbär auf der Melrakkaslétta rumtreibt, haben wir ein Problem, verstehst du? Dann kann ich
nicht einfach Dutzende Freiwillige ins Gelände schicken.«

Ich verstand und schaute bekümmert auf meine Hände.

»Tut mir leid«, sagte ich.

»Aber nein!«, sagte Birna und war nun plötzlich wieder
freundlicher. »Es ist nur … Wir müssen einfach ganz sicher
sein, dass kein Verdacht besteht, verstehst du?«

Ich nickte.

»Wie sicher bist du dir, dass es ein Eisbär hätte sein können, der hier sein Unwesen treibt oder gar Róbert gefressen
haben könnte?«

»Ich bin mir nicht so sicher«, gab ich zu. »Gar nicht,
eigentlich.«

Birna seufzte und ließ ein paar Sekunden verstreichen.
Das Surren ihres Telefons riss uns aus dem Moment.

»Ja? … Siebzehn Uhr? … Um neunzehn Uhr ist das
Licht weg … Gut … Bis dann.« Sie tippte eine Weile auf
dem Telefon rum, schrieb wohl eine wichtige Nachricht,
dann legte sie es wieder vor mir aufs Pult und sagte: »Gibt

es noch etwas, das du mir erzählen möchtest?« Ich schüttelte den Kopf. Birna nahm das Telefon wieder in die Hand, guckte auf die Uhrzeit und sagte: »Um siebzehn Uhr kommen die Kollegen aus Húsavík und Akureyri und einige Männer und Frauen der Rettungswache. Kannst du uns dann die Stelle zeigen?«

Ich nickte.

»Gut. Wir kommen dich abholen. Und deine Waffensammlung zeigst du mir bei Gelegenheit auch.«

4
Nadja

Draußen schnappte ich nach Luft und jauchzte erleichtert. Es kam mir wie zwei Jahre vor, die ich mit Birna im Schulzimmer verbracht hatte.

Es hatte wieder zu schneien begonnen. Bis hoch zum Schienbein lag der Neuschnee, und nun war da oben beim Arctic Henge ganz sicher nichts mehr zu sehen. Hauswart Halldór hatte den Pflug an seinen Pick-up gehängt und pflügte die Straßen frei. Und zwar in ganz Raufarhöfn. Es war sein Job, den Schnee zu räumen. Wenn es sein musste, fuhr er auch die Ambulanz, und er war für das Schulhaus und das Gemeindehaus zuständig, wenn etwas kaputtging oder so. Ich stellte mir das spaßig vor: Schneeräumen. Aber ich durfte nicht. Denn dazu braucht man einen Führerschein, auch in Raufarhöfn. Das ist einfach das Gesetz.

Um die Gehsteige kümmert sich Halldór nie, also ging ich mitten auf der Straße, das darf man in Raufarhöfn, schließlich gibt es hier kaum Verkehr. Nur Kata, die seit der Scheidung die Pferdezucht alleine weiterführt, tuckerte in ihrem alten Mitsubishi ganz langsam an mir vorbei. Wie so oft fuhr sie ihr Hündchen spazieren, das auf ihrem Schoß hockte und zufrieden übers Steuerrad in die Fahrtrichtung schaute. Kata guckte längst nicht so zufrieden in die Welt

wie ihr Schoßhündchen, das Al Capone hieß und nicht ge-
streichelt werden wollte, sondern nur geknuddelt.

Dann kam ich am Dichterhaus vorbei. Es steht zwischen
zwei leerstehenden Häusern, ist ebenso schäbig wie sie,
aber vollgestopft mit Kram und etwa eintausend Büchern.
Es ist das einzige Haus in ganz Raufarhöfn, das einen kleinen Tannenbaum daneben stehen hat. Der Bewohner des
Hauses, Bragi, führt die Dorfbibliothek, lebt aber von der
Sozialhilfe. Die Bibliothek ist nur mittwochs offen, von
vier bis fünf. Das ist schon so, seit ich ein Kind war. Früher
schrieb Bragi Gedichte, aber ich habe noch nie in meinem
Leben eins gelesen. Als ich an seinem Haus vorbeiging,
bemerkte ich ihn, Bragi, den Dichter, aber er bemerkte
mich nicht. Er stand am Fenster, hielt eine Kaffeetasse in
der Hand und dachte nach, meditierte vielleicht. Oder er
machte ein Gedicht in seinem Kopf. Seine Fingernägel waren heute rot lackiert. Erst als ich ihm zuwinkte, blickte er
auf, hob seine Kaffeetasse, als prostete er mir zu, doch dann
drehte er sich um und verschwand hinter einem Bücherstapel, aber so genau konnte ich das auch nicht sehen, denn
in seinem Haus brannte kein Licht, und darum spiegelte
das Stubenfenster die verschneite Straße. Und mich. Ich
schaute mich in der Spiegelung kurz an, zog den Pistolengürtel hoch und den Bauch ein und ging weiter.

Bei der Tankstelle standen zwei Hochlandjeeps der Rettungswache, der Neunzehnplätzer eines Busunternehmens
und einige Privatautos, die ganz sicher nicht nach Raufarhöfn gehörten. Hatte Jens den Laden zur Feier des Tages
geöffnet? Das Tankstellengebäude war doch zu, seit Jens
in Pension gegangen war. Die Zapfsäule war aber immer

in Betrieb gewesen, denn ein Auto konnte man auch ohne Jens tanken, dazu brauchte man bloß eine Bankkarte und einen leeren Tank. Nur Scheibenwaschflüssigkeit, Maschinenöl, Lottokarten, Softeis und Dörrfisch musste man sich anderswo besorgen. Aber heute schien jemand das Tankstellengebäude geöffnet und den Hot-Dog-Grill angeschmissen zu haben, denn das Gebäude war rappelvoll mit Hotdogs mampfenden und Kaffee schlürfenden Rettungskräften, und eigentlich hätte ich gerne einen Blick hineingeworfen, aber es waren mir zu viele Fremde, und Jens war nirgendwo zu sehen. Die Leute mussten eben erst eingetroffen sein, sie unterhielten sich eifrig, und hin und wieder lachte jemand. Als sie mich draußen stehen sahen, hörten sie auf zu reden und guckten mich fragend an. Ich ging dann weiter.

Beim Hotel Arctica stand Nadja vor dem Nebeneingang und rauchte eine Zigarette. Einen Arm zitternd an ihren Bauch gedrückt, trat sie von einem Bein aufs andere. Bestimmt wollte sie nicht lange da draußen stehen bleiben, eine Zigarettenlänge nur, denn sie trug weder eine Winterjacke noch eine Wollmütze oder Handschuhe. Sie trug bloß ihre Arbeitskluft: schwarze Leggings und ein schwarzes T-Shirt mit den Umrissen und dem Namen des Hotels. Raucher sind meistens nicht gut angezogen, wenn sie rauchen. Das muss wohl so sein. Ich weiß es aber nicht. Ich habe noch nie geraucht.

Nadja war eine schöne Frau. Ich würde sogar behaupten, sie war die schönste Frau in ganz Raufarhöfn. Sie war aber keine Isländerin, und darum war die schönste Isländerin in Raufarhöfn vielleicht Hafdís, auch wenn sie schon fast alt war. Seitdem ich Nadja auf dem Meer begegnet war, war sie immer nett zu mir gewesen. Vorher hatte sie mich kaum beachtet. Jetzt war das anders, und darum winkte sie mich zu sich.

»Kalmann!«, rief sie. »So viel Schnee! Warum nur? Wo ist Frühling?« Sie lachte, zitterte und zog an ihrer Zigarette.

Ich lachte auch.

»Das ist Island«, sagte ich.

»Komm her!«, rief sie und blies den Rauch seitlich in die Luft. Ich gehorchte. Wenn dich eine schöne Frau zu sich ruft, gehst du nicht einfach weiter. Dann gehst du hin. »Wie geht's?«, fragte sie mich.

»Prima!«, sagte ich. Frauen mögen Männer, die gut drauf sind. Das weiß ich von Nói.

»Hier ist Teufel los«, sagte Nadja. »Arbeit, Arbeit, immer putzen, immer kochen. Und wo ist Boss? Einfach verschwunden? Bestimmt betrunken in Meer gefallen.« Nadja musterte mich und zog an ihrer Zigarette. »Du nicht kalt?«

»Keine Chance«, entgegnete ich. »Aber du kalt!«

»Ja, ich nur kurz draußen. In Island ich darf nicht rauchen in Haus. Sonst kommt Polizei.«

»Aufgepasst, die Polizei ist hier im Dorf!«, sagte ich, konnte sie aber gleich beruhigen: »Keine Sorge, Birna hat Wichtigeres zu tun.« Ich versuchte, einfache Worte zu wählen, damit sie mich auch verstand.

»Du mit Polizei gesprochen?«, fragte sie mich.

Ich nickte und zeigte zum Schulhaus.

»Da. Eine Polizistin aus Reykjavík ist in Schule. Weil Róbert verschwunden.«

»Hast du erzählt von Blut im Schnee?«

Ich staunte. Wusste Nadja von dem Blut? Na ja, ich hatte es schließlich Hafdís erzählt, und Hafdís hatte es Birna erzählt, aber vielleicht nicht nur ihr, und darum wussten nun alle in Raufarhöfn davon.

»Ja«, sagte ich, als wäre ich gar nicht überrascht. »Ich helfe der Polizei mit dem Vermisstenfall.«

»Du Sheriff, was?« Nadja lachte mich an, und ich wurde rot, weil sie doch so schön war. »Hast du Spuren gesehen beim Blut?«

»Korrektomundo«, bestätigte ich. »Von Leuten oder von einem Eisbären.«

»Ein Eisbär? Du bist verrückt? Willst du mir Angst machen?« Sie lachte nicht mehr.

»Ich bin nicht verrückt«, sagte ich.

»Ist Eisbär hier?« Nadja schaute sich ängstlich um.

Ich lachte, denn ich hatte keine Angst vor Eisbären.

»Man kann nie sicher sein!« Ich schaute sie schelmisch an, lachte dann aber prustend los.

»Du nimmst mich auf Arm!«, sagte sie und klapste mir mit der flachen Hand auf die Brust. Sie lachte auch. Die Welt war in Ordnung. Nadja hatte mich bisher noch nie berührt. Vielleicht war die ganze Sache doch nicht so schlecht. Nadja zog ein letztes Mal an ihrer Zigarette, warf den Stummel in den Schnee und machte ihn mit der Fußspitze alle.

»Schlimm, was passiert«, sagte sie und schlotterte nun am ganzen Körper. »Róbert vielleicht von Eisbär gefressen. Vielleicht betrunken in Meer gefallen.« Ihr schauderte richtiggehend. Ich hätte sie umarmt und an mich gedrückt, wenn sie meine Frau gewesen wäre.

»Du musst in die Wärme«, sagte ich, »sonst wirst du noch ein Schneemann! Oder eine schöne Schneefrau!«

Sie lachte.

»Du bist lustig, Kalmann.« Und bevor sie ins Hotel ging, sagte sie noch: »Du sagst mir, wenn im Fall etwas Neues am Blut, ja?«

Ich nickte, obwohl ich nicht ganz verstanden hatte, was sie meinte. Aber ich wollte sie nicht verunsichern, vielleicht hatte sie die Worte verwechselt, kommt ja vor. Wenigstens beherrschte sie unsere Sprache besser als alle anderen drei Litauer, die in Raufarhöfn lebten. Leider war einer dieser Litauer ihr Freund, und er hatte einen unglaublich durchtrainierten Körper, mit ihm war also nicht zu spaßen. Er arbeitete mit ihr im Hotel, die zwei anderen Litauer auch, auch ein Paar. Aber ich kannte nur Nadja gut, denn sie war die Einzige, mit der man sich unterhalten konnte. Wenn sie meine Frau gewesen wäre, hätte ich alles darangesetzt, Litauisch zu lernen. Und vielleicht hätte ich sogar ihr Heimatland einmal besucht. Mit ihr natürlich. Sie hätte genau gewusst, welchen Flug und welchen Bus man nehmen muss. Sie hätte mich nach Hause mitgenommen und mich ihren Eltern vorgestellt. Sie wäre nämlich auf einem typisch osteuropäischen Bauernhof aufgewachsen, mit Hühnern und Schweinen, die da frei rumliefen, so stellte ich mir das vor. Und ihre runzlige Großmutter hätte den ganzen Tag auf einer schiefen Sitzbank vor dem Haus gesessen. Und ihr Vater hätte mich darum gebeten, ihm zu helfen. Denn zur Feier des Tages – also wegen mir – hätte eine Ziege geschlachtet werden müssen, und Nadjas Vater hätte wohl sehen wollen, ob ich ein richtiger Mann war. Und das wäre ich gewesen, denn ich kann so was gut, obwohl ich noch nie eine Ziege geschlachtet habe, dafür viele andere Tiere, also kein Grund zur Sorge. Im Grunde bestehen wir alle aus Fleisch, Knochen, Innereien und viel Blut. Ich kann Blut sehen und mit einem Messer umgehen, und darum wäre ich in Litauen sicherlich willkommen gewesen.

Ich setzte meinen Weg fort, der Schneepflug kam zurück, weshalb ich die Straßenseite wechselte. Halldór winkte mir fast unmerklich zu, hob eigentlich nur den Zeigefinger. Er blickte wie immer düster, als ärgerte ihn der Schnee. Er war einer, der sich über alles ärgerte, er hatte an jedem etwas auszusetzen, aber er konnte es immer gut auf den Punkt bringen, so dass man sich schließlich auch ärgerte.

Ich winkte zurück.

Meine Nachbarin Elínborg schippte Schnee vor ihrer Einfahrt. Der Motor ihres Autos brummte, aus dem Auspuff qualmten kleine Abgaswölkchen, doch das Auto war noch immer mit einer dicken Schneeschicht bedeckt. Elínborg bemerkte mich – sie bemerkte jeden, der vor ihrem Haus vorbeiging – und hielt inne. Ich fragte mich, wo sie bei diesem Wetter hinwollte, die Straße nach Kópasker über die Melrakkaslétta war bestimmt schwer befahrbar.

»Musst du wo hin?«, fragte ich sie.

»Um Gottes willen«, antwortete Elínborg und keuchte. »Bei diesem Wetter? Das wäre unvernünftig.«

»Aber wieso läuft der Motor?«

»Siehst du nicht? Ich mache den Schnee vom Auto, und das geht besser, wenn das Auto warm ist.«

Ich hatte kein Auto. Ich kannte solche Tricks nicht, aber ich merkte es mir für den Fall, dass ich einmal ein Auto haben würde. Es wäre ein Volkswagen. Auf die Deutschen ist Verlass. Aber ganz sicher kein Elektroauto. Das sagt auch Nói. Er sagt, zwischen den Deutschen, den Japanern, den Franzosen und den Amis schnitten die Deutschen am besten ab. Was Autos anbelange. Bei Frauen sei es anders. Asiatinnen seien unterm Strich die besten Lover. Aber da kannte ich mich so wenig aus wie Elínborg mit Autos. Unter der dicken Schneeschicht verbarg sich nämlich ein Nissan Pixo, und Nói sagte, dieses Auto sei ein schlechter Witz.

»Wo warst du denn?«, fragte Elínborg. Früher arbeitete sie bei der Íslandsbanki, bis die zumachte, und weil ihr Mann an Krebs erkrankt war, ließ sie sich frühpensionieren.

»Ich war im Schulhaus«, antwortete ich wahrheitsgetreu.

»Bei der Polizei?«

Ich nickte. »Ich helfe Birna mit dem Vermisstenfall.«

»Birna heißt die Kommissarin? Was du nicht sagst. Hast du ihr die Blutlache schon gezeigt?«

Ich verneinte.

»Hast du sonst etwas bemerkt, da oben? Vielleicht ein Messer oder ein Kleidungsstück? Patronenhülsen?«

»Der Schnee hat alles zugedeckt«, sagte ich.

»Der Mörder hat mal wieder Glück gehabt«, sagte Elínborg.

»Ich glaube nicht, dass Róbert da oben ermordet wurde«, sagte ich.

»Aha? Wieso denn nicht?«

»Das Blut ist vielleicht von einem Tier.«

»Welches Tier soll das denn sein, Kalli minn?«

Ich zuckte mit den Schultern.

»Vielleicht hat jemand ein Rentier erlegt.«

»Quatsch! Es wäre das erste Mal, dass sich hier oben ein Rentier herumtreibt.«

»Vielleicht ein Schaf. Oder ein Eisbär.«

»Ein Eisbär? Ist das dein Ernst? Meinst du etwa, Róbert wurde von einem Eisbären gefressen?«

Ich zuckte mit den Schultern, und Elínborg starrte eine Weile in den Schnee. Sie malte sich vielleicht aus, wie Róbert von einem Eisbären zerfleischt wurde. Lächelte sie? Schließlich sagte sie:

»Es wäre die Gerechtigkeit der Natur.« Sie schippte Schnee, hielt wieder inne und sagte kopfschüttelnd: »Dabei wäre ein Eisbär das Letzte, wovor sich der Gauner hätte fürchten müssen.«

Ich sagte nichts. Ich wollte heim, denn schon bald würde ich von der Suchmannschaft abgeholt werden. Ich wollte etwas essen, und ich musste aufs Klo. Eigentlich dringend.

»Eins ist sicher«, sagte Elínborg und schaute mich an. »Etwas geht hier nicht mit rechten Dingen zu. Ich meine, wie hat Róbert das Hotel so lange in Gang halten können? Das war doch ein Verlustgeschäft ab Tag eins. Es kommen ja fast keine Touristen hier hoch! Und dazu vier Angestellte?«

»Fünf«, sagte ich. »Die Litauer und Óttar.«

»Óttar Dampftopf! Natürlich. Den habe ich jetzt fast vergessen. Alleine von seiner Fangquote kann er den Laden nicht am Laufen halten. Wenigstens trinkt ihm Óttar nicht mehr die Bar leer. Aber das Geld ist ihm doch schon beim Arctic Henge ausgegangen. Und dabei haben wir alle das Projekt mitfinanziert!«

»Ich nicht«, sagte ich.

»Ich schon!«, sagte Elínborg. »Zwanzigtausend Kronen, bitteschön!«

Ich machte große Augen.

»Das ist viel Geld«, sagte ich.

Elínborg winkte ab.

»Nein, das ist nicht viel Geld. So ein Projekt kostet das Hundertfache oder das Tausendfache.«

»Aber es ist trotzdem viel Geld.«

»Na, wenn man es da oben im Dreck versenkt, schon!« Elínborg lud Schnee auf die Schaufel. Sie war recht stark. »Ich will gar nicht wissen, wie viel Geld andere verloren haben. Und jetzt ist der Steinhaufen noch immer nicht fertig. Und dann findet man sein Blut ganz in der Nähe davon. Das hat doch einen –«

»Du, Elínborg«, unterbrach ich sie. »Ich muss mal aufs Klo.«

»Ach!«, rief Elínborg.

»Bless, bless«, sagte ich und lief davon. Zwischen unseren Häusern gab es viel Platz, weil hier früher eine Britenbaracke gestanden hatte.

»Wie geht's denn deinem Großvater?«, rief mir Elínborg hinterher, doch ich drehte mich nicht um, versteckte mich in meinem kleinen Häuschen, machte die Tür zu und lauschte. Elínborg verfolgte mich nicht. Ich hängte meine Jacke, meinen Cowboyhut und meinen Pistolengürtel an den Kleiderhaken. Ganz viel Schnee fiel von der Hutkrempe auf den Boden. Ich presste den Schnee zusammen und warf ihn in die Kloschüssel. Großvater wollte nicht, dass der Eingangsboden nass wurde und die Dielen kaputtgingen.

Es war schon bald April, doch hier oben herrschte noch immer tiefer Winter. Mir macht das nichts aus. Ich mag Schnee, selbst Winterstürme. Ich fühle mich schon seit ich denken kann wohl im Schnee. Mir ist eigentlich nie kalt. Ich bin ein Heißblüter. Mir war auch als Kind nie kalt gewesen. Ganz im Gegenteil. Mir war immer zu warm. Ich lief zur Empörung der Erwachsenen meistens im T-Shirt rum. Sie wollten nicht, dass ich krank wurde, aber mir war das egal. Ich fragte mich immer, was am Kranksein so schlimm war, wenn man nicht in die Schule musste, den ganzen Tag fernsehen konnte und abends von der Mutter gepflegt wurde. Manchmal vergaß ich sogar, dass es draußen kalt war, etwa wenn wir eine Schneeballschlacht machten – bis ich meine Hände nicht mehr spürte. In Schneeballschlachten war ich richtig gut. Ich hatte starke Arme. Ich konnte kraftvoll und weit werfen, und es machte mir auch nichts aus, wenn der Schnee vom Nacken den Rücken hinunterrieselte. Es machte mich nur noch wilder, heißblütiger, und ich brüllte wie ein Wikinger und fühlte mich auch wie einer, weshalb ich manchmal nicht mehr mitmachen durfte, weil wir nicht mehr zu Wikingerzeiten leben. Ich dürfe meine Klassenkameraden nicht verhauen, sagten die Lehrer. Dann stand ich einfach daneben und warf die Schneebälle so hoch und gerade in die Luft, wie ich nur konnte, damit sie auf mein Gesicht zurückfielen, das ich gen Himmel reckte. Ich jubelte so laut, dass meine Klassenkameraden Angst bekamen. Diese Feiglinge. Bis auf Dagbjört wohnte keiner von ihnen mehr in Raufarhöfn. Ich wünschte, ich hätte eine Lehrerin wie Dagbjört gehabt. Sie machte das sicher viel besser als die Lehrer, die mich unterrichtet hatten. Und wenn es früher so wenige Schüler gegeben hätte, hätte ich vielleicht eher Freunde gehabt, denn wenn es nur wenige Kinder gibt wie jetzt, dürfen alle mitspielen.

Ich pinkelte auf den Schnee in der Kloschüssel und dachte an Schneeballschlachten. Dann strich ich mir in der Küche ein paar Nutellabrote. Mein Haus ist ein kleines, altes Häuschen, weiß gestrichen mit rotem Wellblechdach, über einhundertjährig, eins der ältesten Häuser in Raufarhöfn überhaupt; ein kleiner, niedriger Eingangsbereich, eine winzige Küche gleich daneben, ein Wohnzimmer mit einem Stützpfosten mittendrin, der mit Schnitzereien verziert ist, ein winziges Badezimmer, eine steile Treppe, die in den Dachstock führt, wo es zwei Schlafzimmer gibt. Meine Großmutter starb, als ich im Bauch meiner Mutter war und mit ihr in Keflavík lebte, starb vor dem Fernseher, mitten in einer Abendsendung. Blieb da einfach sitzen, auch wenn sie nicht mehr schaute. Es dauerte eine Weile, bis es Großvater merkte, denn wenn jemand vor dem Fernseher sitzt, ist es schwer zu sagen, ob er noch lebt oder schon tot ist. Ich hatte meine Großmutter also nie kennengelernt, aber ich habe gehört, dass sie gerne arbeitete und immer nur dieselben drei Gerichte kochte: gesottener Fisch zu Kartoffeln, Fleischbällchen zu Kartoffeln oder Lammfleischsuppe mit Karotten, Rüben und Kartoffeln. Aber vielleicht zogen wir gerade deshalb zu Großvater in den Norden, damit er nicht so alleine war und damit meine Mutter nicht so alleine war und damit ich nicht so alleine mit meiner Mutter war. Mit ihr teilte ich das größere Zimmer im Dachstock, bis ich vierzehn war. Sie arbeitete im Gefrierhaus, bis es wegen der Quotenverteilung zumachte, aber da war ich schon groß genug, und darum zog meine Mutter nach Akureyri und ging studieren, wurde Krankenpflegerin und musste darum nicht mehr im Fisch arbeiten. Ich lebte hier also eine ganze Weile alleine mit Großvater, bis er ins Pflegeheim in Húsavík gesteckt wurde, wo solche wie er hinmüssen, obwohl er gar nicht wusste, wieso er da hinmusste, und darum auch überhaupt keine Lust hatte wegzugehen, sogar ziemlich laut wurde, als er abgeholt wurde, fluchte und spuckte, sogar versuchte, die Männer zu beißen, bis man bemerkte, dass ich mir oben im Zimmer mein Gesicht grün und blau schlug. Was aber nichts änderte. Sie nahmen Großvater mit. Seither lebte ich ziemlich alleine hier. Und hier sterben wollte ich eigentlich auch.

Meistens schlief ich vor dem Fernseher ein. Wenn man niemanden hat, stört das auch niemanden. Wenn ich aber eine Frau gehabt hätte, hätten wir gemeinsam Filme geguckt, gemeinsam die Zähne geputzt und uns oben im Zimmer schlafen gelegt. Paare machen das so.

Das Haus knarrte, wenn man sich im Dachzimmer bewegte. Manchmal wachte ich deswegen auf, zum Beispiel, wenn ich mich im Schlaf drehte. Früher, als wir noch zu dritt waren, knarrte es oft, aber jetzt, da ich ganz alleine war, bekam ich bei jedem Knarren einen Schreck. Vielleicht schlief ich deswegen lieber auf der Couch, legte mich quer, legte meinen Kopf aufs Pamela-Anderson-Kissen, breitete die gehäkelte Decke meiner Großmutter über mir aus und guckte meine Lieblingsshows: *The Biggest Loser* und *The Bachelor*. Manchmal stellte ich mir vor, ich wäre der Bachelor und könnte von den fünfundzwanzig Kandidatinnen die schönste wählen. Dann würde ich ihr in jeder einzelnen Zeremonie die Rose immer gleich zuerst geben, und ich wüsste auch sofort, welche Frau mir am besten gefallen würde, ich weiß es immer gleich. (Aber in meiner Vorstellung sah sie genauso hübsch aus wie Nadja.) Ganz am Schluss der Show, während des Interviews, würde ich dann sagen, dass ich gleich zu Beginn gewusst hätte, dass nur sie für mich in Frage gekommen sei und dass wir die Show darum viel kürzer hätten machen können, worauf bestimmt alle lachen würden, und nachdem wir geheiratet hätten und endlich hier im Häuschen wären, würde ich vorschlagen, dass wir uns die ganze Serie anschauten, und es wäre der Beweis, dass ich nur mit ihr geknutscht und im Hot Pot rumgemacht hatte, der schönste Liebesbeweis also, den ein Mann einer Frau machen kann. Unsere Beziehung würde halten, denn sie stünde auf dem Fundament der Serie. Alle anderen Bachelor-Paare lassen sich früher oder später scheiden, weil der Bachelor mit allen gleichzeitig rumgemacht hat. Wer will denn so einen! Ich nicht. Wenn ich so eine tolle Frau hätte, die mich auch wollte, würde ich sie nicht so behandeln. Und wir hätten es gemütlich gehabt, hier im Häuschen, und wir hätten uns die *Tonight Show* mit den berühmten Hollywoodschauspielern angeschaut oder die Wiederholung von *CSI: Miami* und *CSI: Vegas* und wären dann vielleicht sogar auf der Couch eingeschlafen. Das ist Romantik.

Manchmal wachte ich nach Mitternacht wieder auf, weil ich pinkeln musste, und dann machte ich auch den Fernseher aus und legte mich im Dachzimmer aufs Bett. Und das Bett war dann immer kalt.

⌘

5

Arnór

Ich wartete auf ein Klopfen an der Tür, wartete am Fenster, schaute zum Hafen hinunter, wo Siggi mit seinem Kutter anlegte. Ich schaute zu, wie er sich mit Hafenmeister Sæmundur unterhielt, wusste aber nicht, worüber sie sich unterhielten. Dann räumte ich ein paar Pizzakartons weg, machte Cola-Dosen platt und steckte sie in eine Plastiktüte. Für Dosen und PET-Flaschen kriegte ich im Laden Pfand. Mit dem Pfand kaufte ich mir meistens etwas Süßes. Das hatte ich mir dann verdient. Ich faltete die Decke auf der Couch zusammen, klopfte die Chipsreste von der Couch, positionierte die Kissen, kam so richtig in Fahrt. Meine Mutter wäre zufrieden mit mir gewesen.

Dann machte ich eine Pause. Siggi entlud seinen Kutter. Zwei ganze Schüttgutcontainer voller Lumpfische. Diese Fische kann man nur im Frühjahr fangen, ab dem zwanzigsten März, und nur für zwei Monate. Das ist dann ganz einfach, denn die Lumpfische kommen zum Ablaichen in die Küstengewässer der Fjorde und Buchten. Man muss die Netze aber auf dem Meeresboden spannen, weil die Fische am Boden entlang schwimmen. Jetzt war Siggi bestimmt zufrieden, auch wenn er es sich nicht anmerken lassen würde. Den Lumpfisch-Kaviar salzte er selber, füllte ihn in kleine Gläser und nannte ihn Viking-Caviar. Er verkaufte alles nach China, und dafür bekam er recht viel Geld. Ich wusste nicht, wie viel. Aber sicher viel.

Ich setzte mich an meinen Laptop und rief Nói auf Messenger an. Er meldete sich sofort, denn er verbrachte die Tage wegen seines gesundheitlichen Zustandes meistens zu Hause am Computer. Die Nächte auch. Er war eigentlich ziemlich eigenartig. Er wollte nicht gesehen werden. Es ist wirklich wahr: Ich hatte noch nie sein Gesicht gesehen! Ich wusste nicht, wie er aussah. Die Kamera war immer auf seinen Pullover gerichtet, und es war meistens derselbe braune Gandalf-Pullover mit demselben Spruch: You Shall Not Pass! Sein Profilbild war ein total gut gelaunter Pferdekopf, der eine Sonnenbrille trug und eine Zigarette rauchte. Auf Facebook war er ein junger Arnold Schwarzenegger. Fotos von ihm gab es keine. Nói war ein Computergenie und Computerspielprofi. Er sagte, er verdiene mehr Geld als seine Eltern, aber er verschleudere das Geld für Whiskey, Frauen und Autos. Ich vermutete aber, dass er nicht immer die Wahrheit sagte, denn er war ja nur zu Hause, und er hatte mich auch noch nie besucht, obwohl er doch angeblich mehrere Autos besaß. Er hätte ja ganz einfach in den Norden fahren können. Er sagte nämlich, er würde die sechshundertneun Kilometer nach Raufarhöfn unter sieben Stunden schaffen, aber die Straßen hier oben seien schlecht, und das wolle er keinem Auto antun. Nói war erst neunzehn Jahre alt, also vierzehn Jahre jünger als ich, aber er war viel gescheiter, wusste eine Menge, und wenn er etwas nicht wusste, fragte er das Internet. Das weiß sogar, wie deine Kinder aussehen würden, wenn du mit Lady Gaga oder Elsa aus *Frozen* welche machen würdest. Nói sagte, wenn künstliche Intelligenz ans Internet angeschlossen werde, sei Feierabend für die Menschheit. Dann brauche es uns nicht mehr. Er sagte, in ein paar Jahren brauche es keine Männer mehr. Wir werden von Maschinen ersetzt, und die Frauen befruchten sich selber oder vielleicht auch mit Sexmaschinen.

Nói sagte nie Hallo. Sein You-Shall-Not-Pass!-Pullover erschien einfach auf meinem Bildschirm, und dann war er da. Er war meistens in ein Computerspiel vertieft, hielt manchmal mitten im Gespräch inne, weil er jemanden abknallen musste, aber für mich hatte er immer Zeit. Er war mein bester Freund.

»Mr. N.!«, sagte ich wie gewöhnlich.

»The sheriff is back in town!«, erwiderte er.

»You motherfucker!«, sagte ich.

»Und? Wer war's?«

»War was?«, fragte ich.

»Hast du den Mörder erwischt?«

»Den Mörder?«

»Sag schon, wer hat den Hoteldirektor beseitigt?«

»Wieso weißt du, dass –«

»The internet, baby! Gibt es Verdächtige?«

»Was?«

Nói nahm mich wohl auf den Arm! Aber er löcherte mich weiter mit Fragen. Ließ gar nicht locker.

»Habt ihr einen Gärtner in Raufarhöfn?«

»Hier? Ich weiß es nicht, vielleicht im Sommer …«

»Es ist immer der Gärtner.«

»Ach so. Ich glaube, wir haben keinen Gärtner. Es wächst ja nichts.«

»Habt ihr einen Hauswart?«

»Vom Schulhaus, ja.«

»Verdächtiger Nummer eins.«

»Halldór? Aber –«

»Gibt es einen Koch?«

Ich stockte.

»Óttar«, sagte ich. »Er ist der Koch vom Hotel, aber weil er früher Schiffskoch war und da ein paar Leute verprügelte, nennen ihn alle Óttar Dampftopf.«

»Now we're getting somewhere!«

»Was?«

»An dem musst du dranbleiben.«

»Wieso denn ich?«

»Das ist deine Chance, Junge! Du jammerst doch immer, dass es in Raufarhöfn keine Bräute gebe. Wenn du den Fall löst, bist du der Held! Eine nationale Berühmtheit. Dann liegen dir die Frauen zu Füßen!«

»Denkst du?«

»Ich weiß es!«

Mein Herz klopfte schneller. Fast ein bisschen zu schnell, denn der Gedanke an nationale Berühmtheit und Frauen, die sich mir an den Hals werfen würden, war mir dann doch etwas zu viel. *Eine* Frau hätte mir eigentlich genügt.

»Keine Sorge, Junge. Ich kann dir helfen. Ich kann die möglichen Verdächtigen googeln, wenn du willst. Aber ich kann leider keine Informationen auf illegalem Weg beschaffen. The dark web is off limits, my friend! Wenn sie mich wieder beim Hacken erwischen, bin ich erledigt. Dann wird der Stecker gezogen.«

»Ach so.«

»Licht aus, verstehst du?«

»Nein.«

»Also. Gib mir seinen vollen Namen.«

»Vom Dampftopf? Ich weiß nur, dass er Óttar heißt und fast zwei Meter groß ist.«

»Kein Problem. Wo wohnt er?«

»Mýrarbraut.«

»Hausnummer?«

»Hm. Ich bin mir nicht ganz sicher. Sieben oder elf.«

»Die Farbe des Daches?«

»Blau.«

»Óttar Ólason. Mýrarbraut vier.«

»Stimmt genau!« Ich staunte nicht schlecht. Nói war ein Genie.

»Wieso hast du es dann nicht gleich gesagt?«

»Ich weiß es auch nicht, ich … Es ist mir einfach nicht –«

Nói seufzte laut.

»Was weißt du noch über ihn?«

»Du meinst, wie er aussieht?«

»Korrektomundo.«

Ich dachte nach.

»Er ist groß und ziemlich schwer, aber nicht dick. Er war früher Alkoholiker, jetzt trinkt er aber nur noch viel Kaffee. Er ist jetzt auch nicht mehr so wütend auf alle. Doch er raucht immer noch. Und das hört man auch, wenn er redet.«

»Sehr gut. Vielleicht finden wir Zigarettenstummel am Tatort.«

»Zigarettenstummel?«

»Mach weiter.«

Ich dachte nach. Es fühlte sich verdammt spannend an!

»Er hat eine Freundin aus Thailand, und sie reicht ihm nur knapp bis zur Brust.«

»Die ist sicher gut im Blasen.«

»Ich weiß nicht. Vielleicht sind sie verheiratet.«

»Glaub mir, Kalli. Die sind verheiratet.«

»Wieso?«

»Weil die Puppe sonst nicht in Island bleiben dürfte!«

»Ach so.«

»Wie alt ist er?«

»Etwa fünfzig.«

»Fährt er ein Auto?«

»Ja, einen Toyota Cruiser. Und er hat einen winzigen Kutter, mit dem geht er manchmal angeln und verarbeitet den Fang dann im Hotel, obwohl man das eigentlich gar nicht darf.«

»Er weiß also, wie man das Gesetz bricht und jemandem die Kehle durchschneidet«, bemerkte Nói. »Könnte unser Mann sein. Hat er Kinder?«

»Nein.«

»Impotent.«

»Was?«

»Er kann keine Kinder zeugen.«

»Oder seine Frau«, vermutete ich.

»Das glaube ich nicht. Er hätte längst mit einer anderen Bitch Kinder gezeugt. Seeleute vögeln die ganze Zeit, wenn sie an Land sind. Und jetzt hält er sich eine asiatische Sexsklavin. But he is shooting blanks, Mister!«

»Sie ist eigentlich ganz nett. Sie heißt Ling.«

»Dieser Dampftopf ist ein manipulatives Schwein.«

»Was? Ich glaube, Ling ist ziemlich glücklich in Raufar-höfn, arbeitet im Kindergarten und kocht für die Schüler Mittagessen. Manchmal Thailändisch, ganz lecker. Und sie kann auch gut Isländisch.«

»Kalmann! Langsam! Wieso weißt du, dass ihr Essen lecker ist?«

»Ich darf manchmal in der Schule essen.«

»Na gut. Weird, aber na gut. Was weißt du sonst noch?«

Ich fragte mich, ob es klug war, weitere Details preiszugeben, schließlich sah ich keinen Grund, den Dampftopf anzuschwärzen. Wieso hätte er seinen Arbeitgeber umbringen und verschwinden lassen wollen?

»Du, Nói«, sagte ich vorsichtig. »Ich glaube nicht, dass Óttar der Mörder ist.«

»Glaube hat mit Polizeiarbeit nichts zu tun. Wir erstellen hier ein Profil, so nennt man das. Wir *zeichnen* ein Profil, wir kommen mit einer Theorie, versuchen herauszufinden, wo sich der Dampftopf während der Zeit herumgetrieben hat, als der Hotelbesitzer verschwand. Und wenn er tatsächlich schuldig sein könnte, versuchen wir, seine Unschuld zu beweisen, und wenn uns das nicht gelingt, ist der Dampftopf definitiv schuldig.«

Das klang vernünftig, aber anstrengend, und obwohl ich Nói nicht ganz folgte, sagte ich:

»Verstehe.«

»Aber wir machen das nicht nur mit ihm, sondern mit allen, die verdächtig sind, alle, die den Hotelbesitzer tot sehen wollten.«

»Das wird ein Haufen Arbeit«, seufzte ich. Ich erinnerte

mich an Elínborgs Worte: Ein Eisbär sei das Letzte, wovor sich Róbert zu fürchten brauche.

Es klopfte.

»Ich muss gehen!«, rief ich noch und klappte Nói zu.

Ich horchte angespannt, schaute auf die Uhr. Viertel nach fünf. Ich wusste genau, wer da an meine Tür klopfte. Birna wahrscheinlich. Oder die Rettungswache. Oder andere Polizisten vielleicht. Ich wusste es also doch nicht, und darum wurde ich nervös.

Es klopfte wieder. Ich stöhnte so laut, dass man es draußen bestimmt hören konnte. Dann schlurfte ich zur Tür und machte auf, guckte ganz unwirsch. Es war nicht Birna, die an die Tür geklopft hatte, sondern Arnór, der in einem rotblauen Overall der Rettungswache steckte und schon die Hand zum erneuten Klopfen erhoben hatte, sie jetzt aber sinken ließ. Wir kannten uns von früher aus der Schulzeit, aber er wohnte mittlerweile in Húsavík und hatte eine hübsche Frau und drei kleine Kinder. Das perfekte Leben. Ich war ihm und seiner Familie am letzten Nationalfeiertag in Húsavík begegnet. Er hatte Hallo gesagt, und ich hatte seine Frau angestarrt, weil sie wirklich schön war. Dieser Glückspilz. Er hatte einen gepflegten roten Bart, und er fuhr mit Touristen aufs Meer, um Wale zu beobachten.

»Hallo, Kalmann, wie geht's? Lange her! Kommst du nicht mit?«

Ich seufzte.

»Doch«, sagte ich. »Aber ich muss erst aufs Klo.« Dabei musste ich gar nicht. Ich ließ Arnór im Eingang stehen, hörte aber, wie er sich mit jemandem am Telefon unterhielt: Ja, ich sei zu Hause, hörte ich ihn sagen, und wo mein Haus zu finden sei. Ich wurde noch nervöser und musste dann doch ein wenig pinkeln.

Arnór stand noch immer vor der Tür, als ich zum Badezimmer heraustrat und den Hosenschlitz zumachte. Er schaute mir zu, wie ich mich bereitmachte, und gab seine Kommentare ab. Als ich zum Beispiel den Cowboyhut aufsetzte, meinte er, eine Wollmütze wäre angebrachter, denn es sei verdammt kalt da oben. Ich ignorierte ihn und band mir den Pistolengürtel um, und Arnór sagte, dass wir uns nicht auf Menschenjagd begäben, sondern auf Vermisstensuche, aber ich tat, als hätte ich ihn nicht gehört. Ich zog meine Jacke an, der Sheriffstern steckte noch immer an meiner Brust. Arnór musterte mich, als wäre er irgendwie nicht ganz sicher, ob er mich wirklich mitnehmen sollte, doch er nickte schließlich, reichte mir eine gelbe Signalweste und sagte:

»Zieh die an! Wir wollen dich nicht aus den Augen verlieren.«

Draußen kam ein mordsmäßiger Jeep mit Reifen so groß wie Erstklässler angebraust und hielt schaukelnd neben uns an. Die Schneeflocken schmolzen auf der Windschutzscheibe dahin, es war also schön warm im Jeep, viel zu warm, wie ich sofort feststellte, als ich auf den Rücksitz kletterte, und ich war froh, keine Wollmütze aufgesetzt zu haben. Man muss immer auf seine innere Stimme hören. Und nicht auf Arnór.

Am Steuer saß einer, den ich nicht kannte. Ich mag Leute, die ich nicht kenne, grundsätzlich nicht. Außer Frauen. Aber das ist etwas anderes. Die muss man nämlich mögen, denn das ist die Natur. Fortpflanzung. Der Fremde warf Arnór einen Blick zu, als ich mich auf dem Rücksitz anschnallte.

Ich habe eine Superpower. Ich merke, wenn sich die Leute Blicke zuwerfen, und ich kann die Blicke lesen. Wenn ich jemandem begegne, dem ich noch nie begegnet bin, werden ganz sicher solche Blicke ausgetauscht. Aber ich habe gelernt, sie zu ignorieren. Manchmal guckt man mich einfach nur an, die Leute starren geradezu, völlig behindert, und dann muss ich grinsen, auch wenn ich gar nicht grinsen will, aber ich grinse einfach, und es hat auch schon der eine oder andere gesagt: »Wieso grinst der so blöd?« Und dann sagt ein anderer, ich sei einfach so, oder man verteidigt mich, sagt, ich sei schon recht, und es sind immer die Leute aus Raufarhöfn, die mich verteidigen, denn hier kennt man mich, hier bin ich wer.

»Die Knarre ist nicht geladen«, murmelte Arnór in seinen roten Bart, und der Fremde verzog das Gesicht, schüttelte den Kopf und sagte wie zu sich selber:

»Willkommen in Raufarhöfn!« Dabei war er gar nicht aus Raufarhöfn. Man kann sich nicht selber irgendwo willkommen heißen, das geht gar nicht. Das ist einfach so.

Der Fremde hatte sehr große Muskeln und einen breiten Hals. Er war, was man einen Muskelberg nennt. Das Gegenteil von Nói, meinem besten Freund. Bestimmt hätte der Muskelberg den Jeep hochheben und über seinem Kopf balancieren können, doch jetzt hatte er Mühe, den Viermalvier in Position zu hebeln. Er fluchte. Aber es gelang ihm schließlich, und der Jeep machte einen kleinen Ruck, der Viermalvier war drin, und jetzt erst drehte sich der Muskelberg zu mir um und streckte mir seine Hand entgegen, ohne seinen Namen zu nennen. Er hatte ein Tattoo am Unterarm, aber ich sah es nur bis zu den Ärmeln.

Ich reagierte nicht, starrte aber seine Hand und sein Tattoo an.

»Lass mal«, sagte Arnór.

Der Muskelberg machte das Daumen-hoch-Zeichen und fragte ganz beiläufig:

»Du hast also die Blutlache gefunden?«

Ich nickte und schaute aus dem Fenster.

»So ein Zufall! Kannst du uns da hinbringen?«

»Kinderspiel«, sagte ich. »Ist gar nicht so weit weg.«

»Sehr gut. Wo denn, Kapitän?«

»Einfach hier den Hügel hoch, aber erst musst du zum Dorf raus und bei der Tafel links abbiegen.«

Der Muskelberg nickte, legte den ersten Gang ein und fuhr los, meinem Finger nach. Vielleicht war er gar nicht so arrogant, wie ich zuerst geglaubt hatte. Fast wünschte ich mir, die Stelle wäre weiter weg gewesen, nicht bloß einen Kilometer, sondern zehn Kilometer, damit wir länger gefahren wären und ich die ganze Rettungswache über die Hochebene hätte führen müssen. Aber es dauerte nicht lange, bis wir da waren, keine fünf Minuten eigentlich, und da waren auch schon eine ganze Menge Leute, die im Schnee herumstanden und sich das Steingebilde anschauten, einige von der Rettungswache, einige in Polizeiuniform, und mir wurde fast ein wenig schwindlig, denn ich kannte praktisch niemanden, aber als ich Birna unter den Leuten entdeckte, war ich erleichtert, denn erstens kannte ich sie, und zweitens war sie eine Frau.

Aber die Leute hatten offenbar die Blutlache auch ohne

mich gefunden, hatten die Stelle sogar mit einem gelben Plastikband weiträumig abgesperrt. Es flatterte im Wind und hielt sich kämpferisch an den Pföstchen fest. Zwei Leute in weißen Anzügen saßen in der Hocke und stocherten im Schnee rum, entnahmen Proben oder so. Gleich daneben stand ein fensterloser weißer Lieferwagen.

»Hallo, alle!«, rief Arnór, worauf sich fast alle um ihn scharten. »Kommt mal her!« Er zog mich neben sich.

Der Wind blies wirklich kalt, und ich hielt meinen Cowboyhut fest.

»Darf ich vorstellen: Kalmann. Der Sheriff von Raufarhöfn.« Er klopfte mir hart auf die Schulter. Arnór war größer als ich. Und er war hübscher. Er wurde bestimmt von allen gemocht. Wenn du so aussiehst wie Arnór, mögen dich alle. »Niemand kennt die Ebene so gut wie unser Kalmann. Er ist hier aufgewachsen. Er kennt jeden Fuchsbau und jeden Höcker. Vielleicht kennt man noch seinen Großvater, Óðinn.« Einige nickten. »Kalmann ist Jäger und Haifischfänger wie Óðinn damals. Wer ein gutes Stück Gammelhai braucht, kann sich bei Kalmann melden. Nicht wahr, Kalmann?« Arnór schaute mich an und wartete eine Antwort ab, doch ich blieb wie versteinert. Sollte ich die etwa alle mit Gammelhai versorgen? Ich würde weitere Langleinen einrichten müssen! Mein Blut rauschte so laut in meinen Ohren, dass ich schließlich nicht mehr hören konnte, was Arnór sonst noch über mich erzählte, und darum stellte ich mich hinter ihn, machte es ganz unauffällig, als suchte ich ein wenig Windschatten, und da war tatsächlich Windschatten, da musste ich auch meinen Hut nicht mehr festhalten. Aber die Leute lachten, und Arnór ließ es nicht zu, drehte sich zu mir um und sagte: »Nur keine falsche Scheu, die beißen dich nicht, auch wenn sie so aussehen!« Er legte seinen Arm um meine Schultern und schob mich wieder neben sich. Die Berührung war unangenehm. Wie eine Anakonda-Schlange. Dabei sprach er nun gar nicht mehr über mich, sondern darüber, wie wir die Suche organisieren würden, und Birna übernahm das Wort, stellte sich nun auch neben mich, so dass ich komplett eingeklemmt war und wahrscheinlich wie der hinterletzte Dorftrottel grinste. Birna sagte etwas von Kreisen, einem Radius, einem Raster, dem Arctic Henge Monument, Küstenabschnitt, bis zur Dunkelheit, Schneefall und so weiter. Doch dann wandte sich Arnór unverhofft an mich und fragte mich laut, damit es alle hören konnten, ob ich noch einen weiteren Vorschlag hätte, aber ich hatte keinen weiteren Vorschlag, wusste in dem Moment auch gar nicht, was bisher vorgeschlagen worden war, aber Arnór sagte, ich solle mir ruhig Zeit nehmen mit dem Denken, also glaubte ich, irgendetwas sagen zu müssen, um mich aus dem Würgegriff zu befreien, und plötzlich wusste ich, was ich zu sagen hatte:

»Achtung, Eisbären«, murmelte ich.

»Was?«, fragte Arnór.

»Achtung, Eisbären!«, sagte ich.

»Shit«, knirschte Birna.

Bis auf sie lachten eigentlich alle, dabei hatte ich gar keinen Witz gemacht. Aber ich kannte das. Manchmal lachen die Leute, auch wenn ich gar nichts Lustiges gesagt habe. Ich lachte auch, aber dann fragte einer, den ich nicht kannte:

»Gab es hier schon mal Eisbären?«

»Und ob!«, rief ich.

Das Lachen verebbte jäh. Alle hörten hin.

»Wirklich?«, fragte Arnór und schaute mich stirnrunzelnd an. »Wann denn?«

»Ich weiß es nicht mehr«, sagte ich, und jetzt lachte wieder jemand, und ich versuchte mich daran zu erinnern, wann das letzte Mal ein Eisbär die Melrakkaslétta heimgesucht hatte.

»Das ist doch im letzten Sommer gewesen«, sagte der Muskelberg. Er amüsierte sich so, dass sein Hals noch dicker wurde. »Als zwei Franzosen zum ersten Mal ein Schaf gesehen haben!«

Alle lachten. Und zwar lauthals, selbst Birna. Aber ich dachte noch immer angestrengt nach, denn ich war fast ganz sicher, dass auf der Melrakkaslétta schon einmal Eisbären gesichtet worden waren.

»Kalmann«, sagte Arnór. »Du hast einen Witz gemacht, nicht wahr?«

Ich schaute ihn an, dann Birna, dann wieder Arnór und zuckte schließlich mit den Schultern.

»Kein Grund zur Sorge«, murmelte ich.

Birna kam mir zu Hilfe.

»Ich denke, die Chance, dass sich hier oben ein Eisbär rumtreibt, ist eine Million zu eins, also …« Sie klatschte abschließend in die Hände. Aber Arnór blieb neugierig.

»Wie kommst du überhaupt auf die Idee?«

Ich zuckte wieder mit den Schultern.

»Die Spuren, die ich gesehen habe, könnten vielleicht von einem Eisbären sein. Und Róbert ist verschwunden, darum.«

»Wir wissen ja noch nicht einmal, ob das Blut im Schnee von Róbert ist«, warf Birna ein und war jetzt wirklich etwas ungeduldig.

Es war, als hielten alle den Atem an.

»Verdammter Quark«, entfuhr es dem Muskelberg, und er stapfte zurück zu seinem Jeep. Birna und Arnór tauschten Blicke aus. Arnór strich sich durch den Bart, weil er überlegte.

»Der Entscheid liegt bei dir.«

»Wir suchen!«, sagte Birna, und Arnór nickte und rief:

»Also dann, los geht's!«

Jetzt kam Bewegung in den Suchtrupp, jeder wusste, was zu tun war. Ich hörte jemanden sagen, dass wir uns noch wünschen würden, meine Spielzeugpistole wäre geladen.

Birna setzte sich auf den Beifahrersitz des Jeeps, und ich schaute ihr hinterher, bis sie im Schneegestöber verschwunden war. Arnór war indes bei mir stehen geblieben, und allmählich wurde es still.

»Kalmann, das ist jetzt eine komische Frage, aber wo würdest du hier oben eine Leiche verschwinden lassen?«

Ich fand die Frage nicht komisch. Eigentlich ganz logisch. Man muss sich in den Kopf eines Mörders versetzen, um ihm auf die Schliche zu kommen.

»Fischfutter«, antwortete ich und zeigte Richtung Meer.

Arnór nickte, als hätte ich seine Frage richtig beantwortet.

»Fischfutter«, echote er.

Wir stapften auf direktem Weg hinunter ans Meer, also schräg am Hafen und an der Kirche vorbei, gingen der Küste der Halbinsel entlang vom Friedhof bis zum Leuchtturm, guckten alle paar Meter über die Klippe, die immer weiter aus dem Meer ragte, je näher wir dem Leuchtturm kamen. Unter uns schäumten die Wellen auf den schwarzen Steinen. Wenn Róbert über die Klippe gefallen wäre, hätten ihn die Wellen mit kommender Flut von den Steinen gespült und ins Meer hinausgetragen. Die Eissturmvögel flogen irgendwie gelangweilt den Klippen entlang, nutzten den Aufwind, ließen sich mühelos tragen, drehten Runde und um Runde. Sie hätten uns sagen können, ob sie Róbert gesehen hatten. Wie einfach das Leben wäre, wenn wir uns mit Tieren unterhalten könnten. Aber vielleicht wäre das Leben dann komplizierter, weil sich die Tiere über uns Menschen beschweren würden.

Wir schauten uns auch beim Leuchtturm um, spähten zum Holm rüber, der aus der schäumenden Gischt ragte, und sahen auch da keinen Róbert.

»Schön, die Kormorane«, sagte Arnór, aber ich nickte nur. Die sitzen nämlich immer da.

Wir gingen weiter der Klippe entlang, doch ich war jetzt irgendwie müde und schaute gar nicht mehr richtig, sondern ging einfach hinter Arnór her, und als er mich fragte, ob wir uns noch auf dem Friedhof umschauen sollten, zuckte ich nur mit den Schultern. Wir schauten uns den Friedhof dann doch etwas genauer an, aber da war alles unberührt, und nun verstand ich auch, warum sich Arnór den Friedhof hatte anschauen wollen, denn es hätte ja jemand Róbert verbuddelt haben können, und das hätte man dann vielleicht gesehen. Eigentlich eine ziemlich gute Idee, auf die ich nicht gekommen wäre; den Ermordeten auf dem Friedhof zu begraben. Da fällt eine Leiche nämlich am wenigsten auf. Aber zu dieser Jahreszeit wäre es ein schwieriges Unternehmen gewesen, denn der Boden war noch immer hartgefroren, und man hätte einen kleinen Bagger gebraucht. Also doch keine gute Idee.

Als wir hinunter in den Hafen kamen, war ich dann schon ziemlich müde. Aber wir mussten uns den Hafen zum Glück gar nicht genauer anschauen, denn ein gutes Dutzend Frauen und Männer der Rettungswache waren dabei, unter jeden Steg und in jede alte Fischverarbeitungshalle zu gucken. Auch Hafdís und Sæmundur waren da und bemühten sich, die Besitzer der Gebäude ausfindig zu machen und die verschlossenen Türen zu öffnen. Sæmundur kämpfte mit einem Schlüsselbund. Meine Halle war nie abgeschlossen, weil ich sie ja brauchte, und sie war bis auf meinen Kram leer. Nun drehte der Wind, und eine steife Brise blies vom Meer direkt in den Hafen, so dass ich meinen Cowboyhut wieder festhalten musste und meine Ohren dann doch ziemlich kalt wurden. Der Wind wirbelte den Schnee zwischen den rostigen Hallen umher, türmte Verwehungen auf, die Schneeflocken tanzten in alle Richtungen.

»Mir ist kalt«, sagte ich zu Arnór, worauf er mich eine Weile anguckte, dann aber sagte, dass er mit mir noch am Meer entlang bis zur Schule gehen wolle.

Als wir endlich da angekommen waren, machte er noch ein paar Telefonate, und weil es schon fast dunkel geworden war, brach er die Suchaktion endlich ab.

»Melde dich!«, rief er mir noch hinterher, aber ich hatte mich schon umgedreht.

Manchmal guckte ich Krimis. Der Mörder ist meistens

derjenige, den man am allerwenigsten verdächtigt. So einer wie Arnór eben. Vielleicht würde ich Nói darum bitten, sich ihn einmal genauer anzuschauen.

Da, wo Halldór einen Schneehaufen aufgetürmt hatte, spielten noch die Kinder, obwohl es jetzt ganz dunkel war. Sie rutschten auf ihren Hintern von oben nach unten und gruben Höhlen in den Haufen. Halldór stand mit seinem Pick-up in der Nähe und befreite die Schaufel von Schnee.

»Kinder!«, rief er mürrisch. »Schiebt den ganzen Schnee bloß nicht wieder zurück auf die Straße!«

»Nein, nein!«, gaben die Kinder zurück, salutierten und lachten. Dann deckten sie mich mit Schneebällen ein. Ein Hinterhalt! Alle gegen mich, ich gegen alle. Da ließ ich mich nicht zweimal bitten. Kraft genug, einen Schneeball-hagel auf die Kinder regnen zu lassen, hatte ich allemal, und sie verkrochen sich kreischend in ihren Höhlen. Halldór schüttelte den Kopf, sagte aber nichts. Die Kinder wagten dann noch einen Gegenangriff, doch er war nicht ernst zu nehmen, denn ihnen war die Puste ausgegangen. Aber ich blieb noch ein paar Minuten und ließ sie – vom ältesten bis zum jüngsten – meine Pistole in den Händen halten. Ich erzählte ihnen, dass sich da oben möglicherweise ein Eis-bär herumtreibe, ausschließen könne man es nicht, und die Kinder waren ganz aufgeregt und überhaupt nicht ängst-lich. Óli sagte, dass er dem Eisbären in den Kopf schießen würde, so, aber ich nahm ihm, bevor er abdrücken konnte, die Pistole wieder aus der Hand und zeigte ihm, wie man sie richtig hielt, nämlich nicht mit beiden Händen wie amerikanische Polizisten in den Filmen, sondern in einer Hand, den Arm gestreckt, die Füße eine Schulterbreite auseinander. So. Und ich erklärte ihnen, dass man nicht auf den Kopf ziele, sondern aufs Herz, denn man müsste sehr genau schießen, um den Kopf zu treffen, das Risiko eines Fehlschusses sei zu groß, man würde das Tier nur verletzen, den Kiefer wegschießen oder so. Das Tier würde dann davonlaufen und so lange leben, bis es verhungerte oder verdurstete. Weil ohne Kiefer kann man nicht essen. Das ist einfach so. Und das wäre dann Tierquälerei.

Die Kinder hörten mir mit offenen Mündern zu. Ich zielte auf Arnór, der nun bei Halldórs Pick-up stand, sich mit ihm unterhielt und uns den Rücken zukehrte, und ich sagte:

»Peng.«

⌘

6

Róbert McKenzie

Ich fragte mich, wer traurig über Róberts Verschwinden war – mal abgesehen von seiner Tochter, Dagbjört. Die war ganz bestimmt sehr traurig, schließlich war Róbert ihr Vater, und sie war seine einzige Tochter, und wenn jemand aus der Familie stirbt, ist man traurig, das ist einfach so. Das ist die Blutsverwandtschaft. Wenn mein Vater in Amerika sterben würde, würde ich das spüren, vielleicht sogar traurig sein, ohne von seinem Tod zu wissen. Da ich Dagbjört im Schulhaus nicht gesehen hatte, ging ich davon aus, dass sie sich zu Hause verkrochen hatte, weinte, Schokoladenkuchen in sich hineinstopfte und romantische Filme guckte. Wenn sie im Schulhaus gewesen wäre, hätte sie ganz bestimmt Hallo gesagt, denn sie freute sich immer, mich zu sehen. Immer.

Ich dachte viel über Róbert nach, doch so viel wusste ich gar nicht über ihn. Nur, dass er ein paar Geschwister hatte, die aber nicht in Raufarhöfn lebten. Auch seine Exfrau war weggezogen, doch wohin oder wieso sie sich scheiden lassen hatten, wusste ich nicht. Auch nicht, ob Róbert wieder eine Frau hatte oder was seine Lieblingssendung und sein Lieblingsgericht war. Vielleicht würde es demnächst eine Gedenkfeier oder eine Beerdigung geben, und dann würden alle Leute aufkreuzen, die mit Róbert zu tun hatten, und man würde sehen, wer traurig war und wer nicht. Eigentlich ein sehr guter Trick, um einem Mörder auf die Schliche zu kommen. Jetzt war nur zu hoffen, dass Birna auch auf die Idee kommen würde, an der Gedenkfeier teilzunehmen.

Ich war es nicht. Traurig, meine ich. Manchmal war ich traurig, weil Großvater so alt war, dass er jede Sekunde sterben konnte. Und manchmal, weil meine Mutter nicht mehr hier war, oder weil ich keine Frau hatte. Aber über Róberts Verschwinden war ich nicht traurig. Nein, kein bisschen. Noch nicht zumindest.

Obwohl Róbert McKenzie einen außerordentlichen Namen und auch das Sagen hatte, war er ein kleiner Mann, über den man leicht hinwegsah. Er war kleiner als Großvater, kleiner als Sæmundur und sogar kleiner als Hafdís. Vielleicht hatte er keltische Vorfahren. Die Kelten waren nämlich kleiner als die Wikinger. Er war ziemlich drahtig und auch überhaupt nicht dick. Er machte immer so schnelle Bewegungen, war immer glattrasiert, schick frisiert und hatte eine Halbsonnenbrille auf mit getönten Gläsern; wenn mal die Sonne plötzlich zwischen den Wolken durchguckte, musste er sich keine Sonnenbrille aufsetzen. Genial eigentlich. Niemand in Raufarhöfn trug eine solche Multifunktionalbrille. Róbert war immer in Eile, immer auf Trab, immer zackzack, ich mochte ihn nicht. Und ich glaube, dass er mich auch nicht mochte. Ganz egal, wo Róbert McKenzie aufkreuzte, er war einfach immer der Boss. Er konnte Raufarhöfn mit einem einzigen Fingerschnippen zumachen, wenn er wollte. Er war der König von Raufarhöfn. Das sagte zumindest Großvater, als er sich noch über

Róbert aufregte. Aber Róbert hatte nicht nur das Sagen, er hatte auch Geld. Und wenn er etwas wollte, bezahlte er es: den Arctic Henge, das Hotel Arctica, den Golfplatz in der Hólsvík, den Fußballplatz, die Sauna, die Spezialitäten für das Þorrablót-Opferfest, wenn es Schafsköpfe und Sauerwal, Blutwürste und Trockenfisch, Widderhoden und meinen Gammelhai gab. Er sorgte dafür, dass das ganze Dorf für den Nationalfeiertag geschmückt wurde, und zu Silvester jagte er die größten Raketen in den Himmel. Vor ein paar Jahren wollte er der chinesischen Regierung die Hälfte des Hafens verkaufen. Aber dieser Deal kam nie zustande, und vielleicht war es auch nur ein Gerücht, das ich während eines Gespräches zwischen Jú-Jú und Siggi unten am Hafen aufgeschnappt hatte. Unser König hätte uns fast an die Chinesen verkauft!

Mir fiel ein, dass ich mich nie mit Róbert unterhalten hatte. Ich hatte ihm nichts zu sagen. Vielleicht mochte mich Róbert nicht, weil ich seine Tochter Dagbjört die Treppe hinuntergeschubst hatte, als ich etwa zwölf Jahre alt gewesen war und sie neun. Es gibt Menschen, die sind sehr nachtragend. Die vergessen nie etwas. Damals war Róbert noch mit seiner Frau verheiratet, und in Raufarhöfn war noch einiges los. Aber ich weiß gar nicht mehr, wieso ich Dagbjört hinterrücks die Treppe hinuntergeschubst habe, und es waren auch gar nicht viele Stufen, nur etwa sieben, aber sie reichten aus, um Schaden anzurichten. Wahrscheinlich wollte ich bloß lustig sein, ich war nämlich ein wenig in sie verknallt, damals, heute nicht mehr so, nein danke, man ist ja froh, dass man sich nicht zu früh an eine Frau gefesselt hat, weil man nie weiß, wie sie später aussehen wird. Das sagt Nói übrigens auch. Aber Dagbjört sah eigentlich noch immer gut aus. Sie hatte ein sehr schönes Gesicht, eigentlich fast wie früher. Als wäre sie noch ein Kind irgendwie. Wenn man sich ein altes Foto von unserer Schulklasse anguckte, erkannte man sie sofort; ihr braunes, glattes Haar, ihr breites Lächeln, ihre kleine Stupsnase. Sie war noch immer eher klein, sie reichte mir bis zu den Schultern, obwohl ich selber kein Riese bin. Ich wollte sie heiraten, als ich noch klein war. Aber nun wollte ich das nicht mehr. Um die Hüften war Dagbjört nämlich bedeutend breiter geworden. Und sie watschelte ein wenig beim Gehen wie eine Eiderente, aber ich hätte mich trotzdem zu ihr ins Daunennest gelegt. Es war wirklich dumm von mir, sie die Treppe hinunterzuschubsen, aber wenn man so jung ist, wie ich es mit zwölf war, macht man so einige Dummheiten. Die kann man gar nicht alle aufzählen. Ich glaube auch nicht, dass mich Dagbjört provoziert hatte, sie stand wohl so einladend am Treppenabsatz, so dass man einfach etwas machen musste, und ich gab ihr einen Schubs, wie das Kinder eben machen, mehr nicht, auf jeden Fall purzelte sie die Treppe hinunter und blieb unten auf dem Treppenabsatz sitzen, sagte kein Wort, schaute sich aber den Armknochen an, der durch ihre Haut ins Freie guckte. Ich sah ihn auch. Der Knochen war weiß. Die Wunde blutete gar nicht so arg, wie man vielleicht vermuten würde. Ich ging dann schnell weg, wofür ich mich heute schäme, für die ganze dumme Tat sowieso. Ich bereute sie schon, als ich Dagbjört so verwirrt da unten sitzen sah, und deshalb ging ich einfach weg, hoffte, dass es niemand bemerkt hatte. Aber jemand hatte uns zugeschaut und verkündete auch sogleich meinen Namen, damit es alle hörten, und darum blieb ich dann einfach stehen wie ein Idiot, blieb einfach ein paar Meter vom Tatort entfernt stehen, von wo aus ich Dagbjört gar nicht mehr sehen konnte, etwas weiter im Korridor, und zwar die ganze Zeit; als sich die Mitschüler um Dagbjört scharten und sich den weißen Knochen anschauten, als die Lehrer angelaufen kamen und Anweisungen riefen, und als Halldór mit seinem Erste-Hilfe-Koffer angeeilt kam und Dagbjört nach draußen in die Ambulanz geleitete, die Tür zuwarf und mit Blaulicht davonbrauste. Auch dann stand ich noch immer an Ort und Stelle. Þóra, die damals meine Lehrerin war, gab mir einen Klaps auf den Hinterkopf, sagte, ich sei ein Trottel, und schickte mich ins Büro des Schulrektors Sigfús.

Und als ich mich nun an diese Sache erinnerte, war es, als stünde ich noch immer an derselben Stelle, spürte den Klaps am Hinterkopf, die Demütigung, ins Büro des Rektors geschickt zu werden, obwohl mir Dagbjört wahrscheinlich längst vergeben hatte. Sie war nämlich immer total lieb zu mir, so dass ich manchmal fast auf falsche Gedanken kam, aber sie hatte ja einen Mann und zwei Kinder, ganz süße kleine Kindergarten-Geschöpfe waren das, ein Mädchen und ein Junge, und manchmal fragte ich mich, ob es meine Kinder hätten sein können, wenn ich Dagbjört nicht die Treppe hinuntergestoßen hätte. Aber das war eigentlich fast ausgeschlossen, denn es wären andere Kinder gewesen, also nicht genau dieselben, weil *ich* der Vater gewesen wäre. Ich traute mich nicht einmal, das Internet zu fragen, wie unsere Kinder ausgesehen hätten, denn ich befürchtete, nicht ganz so hübsch. Ich bin nämlich kein sehr Hübscher. Immer wenn ich mich auf einer Fotografie sehe, gefalle ich mir gar nicht. Dagbjörts Mann war nicht von hier und unter der Woche auch gar nicht im Dorf, nur an den Wochenenden, aber er war immer sehr gut angezogen und sah auch recht gut aus. Ich glaube, er war ein Geschäftsmann oder ein Vertreter oder so was. Er roch auch immer gut, und darum roch man ihn schon vom weitem. Doch jetzt fiel mir wieder ein, wann Róbert böse zu mir gewesen war, nämlich, als ich im Büro des Schulrektors Sigfús saß, der selber nicht wusste, was er mit mir anfangen sollte – bis die Tür aufging und Róbert hineingestürmt kam, weil dann war auch Sigfús plötzlich wütend auf mich. Ich erinnere mich nicht an jedes Wort, aber ich weiß noch, dass Róbert eine schwarze Lederjacke an- und seine getönte Brille aufhatte. Seine flache Hand kam meinem Gesicht ziemlich nahe, er konnte sich kaum beherrschen. Sigfús gelang es nur knapp, ihn zu beruhigen, obwohl er auf seiner Seite war. Doch! Jetzt weiß ich wieder, was Róbert sagte! Er sagte, dass man früher aus solchen wie mir Haifischköder gemacht habe! Und als ich endlich nach Hause geschickt wurde, fragte ich Großvater, ob das stimmte, worauf er wütend wurde und sagte, dass man Róbert McKenzie den Hintern versohlen müsste. Aber so richtig! Er stopfte sich dann eine Pfeife und erklärte mir, dass man zu keiner Zeit Kinder für Haifischköder gebraucht habe, früher nicht und auch sonst, weder behinderte, noch unartige, noch rothaarige, einfach überhaupt keine Kinder, doch wenn man unbedingt aus einem Idioten Haifischköder machen wolle, dann aus Róbert, diesem Ochsenhoden! Und ich war erleichtert, fast ein bisschen wütend auf Dagbjört, die so unbeholfen die Treppe hinuntergefallen war, dass sie sich den Arm brach, aber der Schreck saß recht tief, denn mein Herz pocht noch heute, wenn ich nur daran denke.

Ihr Vater ignorierte mich seitdem, aber manchmal starrte er mich an, als wünschte er sich, dass ich nicht in seinem Dorf leben würde. Ich sage *sein Dorf,* obwohl er nie Präsident war. Dieses Amt hatten andere inne. Aber er war der reichste Mann im Dorf, er besaß die letzte Fangquote auf Lodde und Kabeljau, das Hotel Arctica und viel Land. Er fuhr den teuersten Jeep, spielte Golf und lud manchmal reiche Leute ein, die mit dem Flugzeug hier hoch flogen, um mit ihm Golf zu spielen. Er nannte es »Arctic Golf«. Bei ihm war alles »Arctic«. Man ist in Raufarhöfn weit oben am Polarkreis. Ende Juni geht die Sonne nicht mehr unter. Leider ist es meistens bewölkt, und dann sieht man die Sonne den ganzen Tag nicht. Aber es bleibt trotzdem hell, und ab und an fahren Touristen in ihren Mietautos den ganzen Weg hier hoch, und man sieht sogar riesige Kreuzfahrtschiffe am Horizont, und auf denen gibt es zehnmal so viele Leute wie in Raufarhöfn, und alle diese Leute wollen erleben, wie es ist, wenn es immer hell ist; nämlich immer hell.

Großvater hatte mir einmal erklärt, dass Róbert zwar der reichste Mann im Dorf sei, aber am wenigsten Geld habe, was ich nicht verstand, worauf Großvater sagte, dass Róbert einen Schuldenberg anhäufe und ganz Raufarhöfn darunter begrabe. Das muss man sich einmal bildlich vorstellen! Dann ist es nämlich nicht mehr so kompliziert.

Es war schon acht Uhr und stockfinster, als ich ins Hotel Arctica ging, um zu essen. Das machte ich nämlich immer donnerstags, aber an jenem Tag war ich spät dran und beeilte mich. Dann war ich plötzlich nicht sicher, ob das Hotel überhaupt geöffnet sein würde, schließlich war sein Besitzer nicht mehr da. Aber natürlich war das Hotel geöffnet, es herrschte sogar so viel Betrieb wie noch nie! Alle Tische waren besetzt von Leuten der Rettungswache und vier jungen Touristen, die etwas verwirrt um sich blickten. Aber ich hatte Glück, denn mein Platz an der Bar war frei. Es war mein Stammplatz. Da saß ich immer. Von da hatte man einen guten Blick auf den Fernseher, denn manchmal wurden hier Fußballspiele gezeigt. Wenn etwas Außerordentliches in den Abendnachrichten zu sehen war, drehte Óttar Dampftopf oder sonst jemand den Ton auf.

Óttar schwitzte. Ich konnte ihn durch das Bullaugen-Fenster in der Schwingtür, die in die Küche führte, sehen. Einmal kam er auch raus, packte Nadja am Oberarm, sagte: »The chicken is finished, no more chicken orders!«, und sie nickte, schaute ihn aber gar nicht an, zog sogar ihre Schultern etwas hoch, denn sie war dabei, ein paar Zahlen in die Kasse zu tippen.

»Hier gibt's verrückt viel zu tun!«, sagte ich, damit mich jemand bemerkte.

Nadja lächelte mich ganz kurz an, wandte sich aber sogleich ab und marschierte mit dem Kartenlesegerät zu den Touristen.

»Alles klar, Sheriff?«, fragte mich Óttar, und ich fragte mich, wie alt er eigentlich war.

»Alles prima.« Ich legte den Cowboyhut auf den Tresen.

»Ich habe dir den Platz freigehalten. Hamburger mit Fritten?«

»Korrektomundo!«

Óttar zog eine Zigarette aus der Packung, steckte sie sich zwischen die Lippen, schaute mich an, steckte die Zigarette zurück in die Packung, schnalzte mit der Zunge und verschwand wieder in der Küche.

Im Restaurant war es warm und laut. Fast nicht auszuhalten! Ich schaute mich um. Die meisten Leute hatte ich noch nie gesehen, aber ich wusste trotzdem, dass sie mit mir da oben im Schnee gewesen waren, denn einige erwiderten meinen Blick und nickten mir sogar zu, lächelten oder verzogen den Mund. Einer rief:

»Hast du was gefunden, Sheriff? Eisbärenspuren vielleicht?«

»Keine Chance«, brummte ich und drehte mich um. Im Fernsehen zeigten sie die Staatsoberhäupter, die sich morgen oder übermorgen in Reykjavík treffen sollten. Ich merkte, dass hinter meinem Rücken über mich geredet wurde, aber ich hörte es nicht, darum konnte ich es auch nicht beweisen. Manchmal spüre ich so was einfach. Das ist in mir drin. Das sind die Supersinne.

Ich musste lange auf meinen Hamburger warten, war aber umso glücklicher, als Nadja aus der Küche kam und ihn mir servierte.

»Bitte schön«, sagte sie und lächelte. Sie trug Leggins und darüber einen schwarzen, kurzen Rock. Sie hatte den schönsten Hintern in ganz Raufarhöfn. Das weiß jeder, der Augen im Kopf hat.

Als ich den Teller leergeputzt hatte, beruhigte sich die Situation im Hotelrestaurant, alle hatten etwas zu futtern bekommen, Óttar konnte eine Pause machen, aber Nadja und ihre litauische Arbeitskollegin waren noch immer damit beschäftigt, die Leute mit Getränken oder Nachspeisen zu versorgen. Ihre litauischen Männer waren in der Küche, wo sie zusammen mit Óttar die Nachspeisen zubereiteten und sich um das schmutzige Geschirr kümmerten. Óttar kam schweißgebadet aus der Küche und mischte sich einen Gin Tonic, als wäre ich gar nicht da. Doch dann hob er das Glas in meine Richtung, sagte »zum Teufel« und trank das Glas zur Hälfte leer. Dann nahm er mein Glas, füllte es wieder mit Cola auf, ohne mich zu fragen, und stellte es vor mich hin. Ich wusste, dass ich dafür nicht bezahlen musste. Das war »on the house«, wie man sagt, wenn etwas gratis ist.

»Verflucht tragisch«, sagte Óttar. Seine Augen waren rot. »So einen Betrieb hatten wir noch nie! Da muss schon einer sterben, damit Leben in die Bude kommt.«

»Kannst du das hier füllen?« Neben mir baute sich Fischer Siggi auf und schwenkte sein leeres Bierglas. Er war wohl wegen seinem guten Lumpfischfang in Stimmung. Ein guter Saisonstart.

»Wenn das Róbert sähe, hätte er seine Freude«, sagte Siggi und schaute mich mit glasigen Augen an. Ich grinste und schaute Óttar dabei zu, wie er das Bierglas geschickt auffüllte. Er machte das nicht zum ersten Mal.

»Wer weiß, vielleicht sieht er es ja«, sagte Óttar nachdenklich.

»Ja, von oben herab! Wie immer.«

»Noch haben sie ihn nicht gefunden.«

»Jetzt mach dir mal bloß keine falschen Hoffnungen, ja?« Siggi war empört.

»Hoffnungen? In Raufarhöfn? So was hat's hier schon seit Jahren nicht mehr gegeben.« Óttar stellte das volle Bierglas vor Siggi auf den Tresen. Der fasste es sogleich mit seinen Seemannspranken, ohne es aber an die Lippen zu führen. Er war auf ein Gespräch aus.

»Tja«, sagte er. »Es kommt der Moment, wo Raufarhöfn ausstirbt. Einer nach dem andern. Der Letzte macht bitte schön das Licht aus!«

»Hör nicht auf ihn!«, sagte Óttar und schaute mich an. Vielleicht hatte ich erschrocken geguckt, ich weiß es nicht, aber nun merkte ich, dass Siggi wahrscheinlich nur Spaß gemacht hatte, weshalb ich lachen musste. Er hatte mich ganz schön erwischt!

»Auf Róbert McKenzie!«, sagte Siggi, hob sein Glas und trank. Dann stellte er das Glas ab, gab einen kleinen Rülpser von sich und sagte: »Ich habe mich ja immer gefragt, woher er seinen Namen hat. McKenzie. So heißt man doch nicht!«

»Er hat sich den Namen selber gegeben«, murmelte Óttar, als wollte er es eigentlich gar nicht gesagt haben.

»Hat er das?« Siggi machte große Augen und rülpste gleich noch mal. »Bist du sicher?«

»So sicher wie sein Schweizer Bankkonto!«

»Wieso hab *ich* das nicht gewusst? Wie heißt er denn richtig?«

»Keine Ahnung. Er war aber sicher jemandes Sohn!«

Das fand Siggi lustig, und er lachte laut. Ich lachte auch.

»Es gibt solche, die wollen mit ihren Vätern nichts zu tun haben, nicht wahr?« Siggi schaute mich an. »Wie geht's eigentlich deinem Großvater? Lebt der Rabauke noch?«

Ich nickte.

»Ja, in Húsavík.«

»Ich weiß wohl, dass er in Húsavík steckt!«, sagte Siggi beleidigt. »Und da kann er auch bleiben, dieser verdammte Kommi.«

»Siggi«, sagte Óttar, aber mehr nicht.

»Nein, ganz ehrlich, und ich habe überhaupt nichts gegen dich, Kalmann, du bist ein prima Typ, ein ganz Feiner. Aber wenn Óðinn noch hier in Raufarhöfn wäre, würde ich ihn höchstpersönlich bei der Polizei anzeigen, denn niemand sonst hätte Róbert umbringen wollen.«

»Óðinn hat sein ganzes Leben lang keiner Fliege etwas zuleide getan«, verteidigte Óttar meinen Großvater, und dafür war ich ihm dankbar.

»Jetzt übertreibst du aber!«

»Zumindest hat er niemanden umgebracht.«

»Was ist ein Kommi?«, fragte ich. Wenn man etwas nicht versteht, muss man eben fragen.

Siggi lachte.

»Ein Kommi ist ein Russenfreund, einer, der nicht will, dass es reiche Leute gibt, verstehst du? Ein verdammter Sozi eben!«

»Ein Kommi ist ein Kommunist«, sagte Óttar und füllte sich einen zweiten Gin Tonic ab.

Nadja huschte neben uns in die Küche, öffnete die Schwingtür mit dem Rücken, balancierte dabei ein Tablett voll schmutzigem Geschirr vor sich und schaute mich im Vorbeigehen ganz kurz an, lächelte aber nicht. Sie hatte bestimmt viel zu tun. Ich war stolz, dass sie rübergeschaut hatte, schließlich führte ich ein erwachsenes Gespräch unter erwachsenen Männern. Siggi war mit den Kommis noch nicht fertig:

»Kommis wollen, dass es allen schlechtgeht, nicht wahr, Óttar?«

»Schon wahr«, sagte dieser. »Das Gegenteil von Kapitalismus.«

»Alles schön verteilt. Alle gleich arm. Diejenigen, die für ihren Reichtum ehrlich geschuftet haben, werden –« Siggi schaute mich an, streckte die Zunge schräg aus seinem Mund und schnitt sich mit dem Daumen die Kehle auf. Ich wusste nun genau, was ein Kommi war.

»Wie Robin Hood!«, sagte ich. Siggi starrte mich an, und Óttar lachte laut.

»Du hast es begriffen!«, lobte er mich.

Es hatte aufgehört zu schneien, und die Sterne über Raufarhöfn funkelten. Es war saukalt. Vielleicht würde das Eis auf dem Teich wieder so dick werden, dass man Steine drauf werfen konnte, die dann abprallten und wegrutschten; etwas, das ich sehr gerne machte. Wenn Róbert noch irgendwo da draußen gewesen wäre, hätte er die Nacht nicht überlebt. Auf dem Nachhauseweg fragte ich mich, ob ich wie Großvater auch ein Kommi war. Wahrscheinlich schon. Dabei sah ich mit meinem Cowboyhut gar nicht wie ein Kommi aus. Eher wie ein Amerikaner, und die sind Kapitalisten. In Amerika gewinnt der Stärkere. Der Schwächere ist da einfach nicht stark genug und muss sich hinten anstellen, bleibt aber immer hinten. Manchmal werde ich wegen meinem Cowboyhut, meinem Sheriffstern und meiner alten Mauser ausgelacht. »Lucky Luke!«, rufen sie oder machen mit den Händen eine Pistole und sagen: »Hände hoch!« Einmal wurde ich sogar von Touristen in einem Kleinbus gestoppt, etwa sechs oder sieben Frauen und nur ein einziger Mann saßen da drin. Der Mann, der am Steuer saß, kurbelte das Fenster runter und fragte, ob Fasching sei, was ich verneinte, zumal ich gar nicht wusste, was Fasching ist.

Zu Hause quatschte ich mit Nói, der Kommunisten noch weniger mochte als Siggi. Er war ein Kapitalist, wie er sagte, er verdiene seine Bitcoin ganz ehrlich beim Computerspiel, schufte dafür Tag und Nacht und darum solle bloß niemand auf die Idee kommen, ihm die Kohle wieder wegzunehmen, er habe sich den Sportwagen und die Frauen ehrlich verdient, und wer versuche, an seinen Reichtum zu kommen, lerne sein Samuraischwert kennen, das ich natürlich schon kannte, denn er hatte es mir gezeigt, als er es gekauft hatte, war auf seinem Stuhl aus dem Bild gerollt, worauf ich eine Weile seine Zimmerwand betrachten konnte, bis er wieder mit einem Samuraischwert in den Händen zurück ins Bild rollte. Das Schwert passte gar nicht ins Bild, weil er zu nah am Bildschirm saß, weshalb ich ihn bat, etwas vom Bildschirm wegzurollen, was er dann auch tat, und so sah ich dann zum ersten Mal ein wenig von seinem Gesicht, aber nur sein Kinn. Und seither weiß ich, dass Nói eine komische Narbe am Kinn und nur ein paar ganz wenige Barthaare hatte, die nicht zu einem Bart reichten. Ich weiß jetzt aber nicht, wie viele Haare es für einen Bart braucht. Ich habe selber ja auch keinen.

⌘

7
Hákarl

Der Grönlandhai ist ein Wunder der Natur, auch wenn er keinen Schönheitswettbewerb gewinnen würde. Doch er hat einen ausgezeichneten Geruchssinn, wahrscheinlich einen besseren, als Hunde haben. Hunde können mit der Nase dicht am Boden eine Spur verfolgen oder Drogen aufspüren, wobei ich jetzt nicht weiß, ob man Haie dazu einsetzen könnte. Ich denke nicht, aber vermutlich werden wir es nie wissen, denn es gibt Dinge, die werden wir nie wissen. Aber dass Haie einen sehr guten Geruchssinn haben, das wissen wir, das wurde bewiesen, und wenn man Haie fangen will, muss man das wissen.

Das Allerwichtigste, was einen guten Haifischfänger ausmacht, sind seine Köder. Der Grönlandhai ist ganz weit unten auf dem Meeresgrund, zweihundert Meter tief oder zweitausend Meter tief, das spielt für ihn gar keine Rolle. Dunkel ist es da überall. Im Dunkeln fühlt er sich wie zu Hause, da, wo es immer schwarze Nacht ist, selbst am helllichten Tag. Er sieht fast nichts, hat die Augen voller Parasiten, er riecht aber einiges, und darum ist es wichtig, dass die Köder stark riechen. Dass man früher rothaarige Kinder als Köder verwendete, ist Unsinn – obwohl man durchaus rothaarige Kinder gebrauchen könnte. Den Haien wäre das nämlich ganz egal, die würden trotzdem anbeißen. Die sind einfach hungrig. Sie haben dann kein schlechtes Gewissen, und darum sind sie auch nicht wählerisch.

Ich verwende meistens geräuchertes Pferdefleisch. Viele Haifischfänger nehmen Pferdefleisch. Aber es gibt andere, die schwören auf verfaultes Robbenfleisch. Auch das mag der Grönlandhai. Oder gesalzenes Schaffleisch. Er frisst eigentlich alles, was ihm zwischen die Beißer gerät; viel Aas, das auf den Meeresgrund sinkt, aber nicht nur Aas, denn man hat auch schon ganze Robben, Eisbärentatzen und Walfluken, Dosen, kaputte Bojen, Steine und Gummistiefel in den Mägen von Haien gefunden. Aber der furchterregende Grönlandhai ist übrigens nicht so fürchterlich, wie viele Leute glauben, weil es Filme gibt, in denen Haie Menschen fressen. Es ist viel wahrscheinlicher, von einer Robbe gebissen zu werden als von einem Hai – wenn man hier baden ginge. Hier geht aber niemand baden, und was da in zweitausend Metern Tiefe vor sich geht, weiß auch niemand. Das wissen nur die Ungeheuer, die da leben. Da unten ist es viel zu dunkel für uns. Dunkler als im Weltall. Darum wissen wir mehr übers Weltall als übers Meer. Auch über die Grönlandhaie wissen wir fast nichts. Sie könnten geradezu Außerirdische sein, und sie sind es vielleicht auch, es würde gar keinen Unterschied machen. Wir wissen nicht, wie viele es von ihnen gibt oder was sie denken. Wir wissen überhaupt sehr wenig. Und ich finde das ganz tröstlich, denn ich weiß ja auch nicht viel über die Welt, und wer so tut, als hätte er auf alle Fragen eine Antwort, hat einen Schaden und mehr nicht. Aber wenn etwas über die Grönlandhaie in Erfahrung gebracht wird, will ich es wissen. Haie fangen ist schließlich mein Beruf. Man fand zum Beispiel erst kürzlich heraus, dass sie fünfhundertzwölf Jahre alt werden können. Wirklich wahr! Nói hat mir einen Link geschickt, und er hat mich gefragt, ob ich denn kein schlechtes Gewissen habe, fünfhundertzwölfjährige Tiere zu töten, wenn doch heute alles, das fünfhundertzwölf Jahre alt sei, geschützt sei, Häuser, Bücher oder Bäume zum Beispiel. Und ich wurde, ganz ehrlich gesagt, richtig nachdenklich, denn fünfhundertzwölfjährige Bäume sollte man nicht fällen, und fünfhundertzwölfjährige Bücher gehören nicht ins Altpapier. Aber ich verteidigte mich trotzdem, sagte, dass wir hier bei uns schon immer Grönlandhaie gefangen hätten, und es sei nun mal einfach so, und das sah Nói schließlich auch ein, denn es gibt Dinge, die sind einfach so, die muss man also gar nicht erklären. Aber der Gedanke ließ mich dann doch nicht mehr los. Ich besuchte meinen Großvater im Pflegeheim und erzählte es ihm, doch er wollte nichts davon hören, war total schlecht gelaunt und fegte meine Worte mit einer groben Handbewegung weg, so dass ich gar nicht zu Ende erzählte, und darum weiß ich nicht, was Großvater von der ganzen Sache gehalten hätte. Aber ich versuchte mir vorzustellen, was er darauf geantwortet haben könnte, immerhin hatte ich viele Stunden, vielleicht sogar Jahre mit ihm da draußen auf dem Meer verbracht, und ich sollte eigentlich wissen, was seine Meinung war. Er hätte wahrscheinlich gesagt, dass er es schon immer vermutet habe, es sei den Viechern anzusehen gewesen, dass sie ein paar hundert Jahre auf dem Buckel hätten, darum sei er auch nicht überrascht, schließlich seien die Haie in Sachen Aussehen nicht die Krone der

Schöpfung. Und das stimmt. Die blaugraue Haut ist voller Furchen und Narben, die Augen sind farb- und ausdruckslos. Der liebe Gott habe wohl einen schlechten Tag gehabt, hätte Großvater weiter gesagt, was ich lustig gefunden hätte, und ich musste beim Gedanken daran sogar ein wenig lachen. Aber er hätte sicher noch hinzugefügt, wir sollten uns gegenüber den Haien trotzdem respektvoll benehmen, denn nicht jede Kreatur wolle dort unten auf dem Meeresgrund leben. Und dazu noch fünfhundertzwölf Jahre lang! Aber wir Menschen müssten schließlich essen, so wie jedes andere Lebewesen auch, und der Mensch sei nun mal ganz oben in der Nahrungskette, und darüber müsse man nicht deprimiert sein, das sei einfach so, das sei die Natur, also kein Grund zur Sorge.

Was Großvater gesagt haben könnte, leuchtete mir ein. Er konnte es immer gut auf den Punkt bringen. Auch Haie müssen essen, und zwar fünfhundertzwölf Jahre lang, vielleicht sollte man sich darüber mal Gedanken machen!

Aber was mich als Haifischfänger am meisten zu interessieren hatte, war, was Haie am liebsten fressen, denn nur so konnte ich sie fangen. In gewisser Weise war ich der Koch, und die Haie waren meine Kundschaft. Auf meiner Speisekarte stand Pferdefleisch. Das bekam ich von Magnús Magnússon, der eine Schaffarm und dazu etwa dreißig Pferde auf der Wiese hatte. Aber Pferdefleisch alleine genügte nicht. Grönlandhaie sind Feinschmecker. Man muss das Fleisch einlegen, und zwar in eine Marinade, deren Zutaten ganz strikt geheim sind. Jeder Haifischfänger hat so ein Geheimrezept. Ich hatte das Rezept meines Großvaters übernommen, und darum war es ein Familiengeheimnis, das niemand erfahren durfte: Cognac. Oder Rum. Zum Beispiel Captain Morgan. Den riecht man von weither. Es muss kein teurer Rum sein. Ich kaufte immer den billigsten. Ich schüttete etwa eine Flasche ins Sechzigliterfass, das schon mit Salzwasser gefüllt war. Dazu Essig. Apfelessig. Zwei Liter. Dann ließ ich die Köderstücke ein paar Tage im Fass liegen, damit sie die Aromen in sich aufsaugten, aber noch nicht zu sehr vergammelten. Mit einigen auserwählten Köderstücken fuhr ich dann raus, zog die Langleine mit der Motorwinde aus dem Wasser und spießte die Köderstücke auf die Haken. Die Haken waren in einem Abstand von etwa zehn Metern an der Langleine befestigt, die zwischen zwei verankerten Bojen gespannt war. Die Bojen waren markiert, damit jeder wusste, wem sie gehörten, nämlich mir, auch wenn ich der letzte Haifischfänger in Raufarhöfn war. Die beköderten Haken sanken mit der beschwerten Bojenverankerung in die Tiefe, etwa hundertsiebzig Meter tief, und da unten rochen dann die Haie den Braten und bissen gelegentlich an. Und wenn sich einer festgebissen hatte, blieb er einfach hängen und wartete sein Schicksal ab. Ein paar Tage später kam ich dann wieder angetuckert, kontrollierte die Haken, und wer dann am Haken hing, hatte Pech. Peng.

In Grönland machen sie das nicht so. Da machen die Inuit ein Loch ins Eis, lassen den Haken an einer Kette, die an einem achthundert Meter langen Seil hängt, in die Tiefe, und wenn ein Hai angebissen hat, legen sie sich das Seil über die Schulter und marschieren los, ziehen das Seil hoch, bis sie dann achthundert Meter vom Loch entfernt sind. Darum können sie das gar nicht alleine machen wie ich. Denn wenn sie zurück zum Loch gehen würden, würde der Hai wieder in die Tiefe gleiten.

Am nächsten Tag kümmerte ich mich also um die Köder. Es schneite wieder, weshalb die Rettungswache und die Polizei die Suche verschoben. Ihr Plan: warten, bis der Schneefall nachließ. Das Dorf war rappelvoll, das Hotel war rappelvoll, das Gemeindehaus, die Turnhalle und die Duschen wurden auch gebraucht, die Einwohnerzahl hatte sich wahrscheinlich halb verdoppelt. Leute standen vor der Tankstelle und rauchten, standen vor dem Gemeindehaus und traten von einem Bein aufs andere, standen vor dem Hotel und tranken Kaffee aus Pappbechern. Da, wo man Róbert McKenzie am ehesten vermutet hätte, nämlich im Dorf, am Hafen oder in der Nähe des Arctic Henge, hatte man nichts gefunden. Da musste man also nicht mehr suchen. Auch unten am Hafen standen ein paar Fahrzeuge der Rettungswache, aber was mir ins Auge sprang, war ein Auto des staatlichen Rundfunks. Ich erkannte das Logo. Darunter stand: Tagesschau. Ich hatte noch nie ein Auto der Tagesschau in Raufarhöfn gesehen, und ich lebte schließlich schon mein ganzes Leben lang hier! Es passierte sonst eigentlich nie etwas, das die Medien interessierte. Es war ein »pretty big deal«, wie Nói gesagt hätte. Der Vermisstenfall Róbert McKenzie wurde somit durch die Anwesenheit des Staatsfernsehens zur Staatsangelegenheit.

Ich bin ja von Natur aus neugierig. Darum wollte ich mir das Auto aus der Nähe angucken, ohne dass mir aus der Ferne auffiel, dass da zwei Leute drinsaßen. Ich dachte nämlich, die rauchten irgendwo Zigaretten oder tranken Kaffee.

Doch als sie mich bemerkten, wie ich direkt auf sie zuge- stiefelt kam, sprangen sie aus dem Auto und liefen mir ent- gegen, der eine zumindest, der andere blieb ganz gelassen.

»Du bist der Sheriff von Raufarhöfn!«, rief der eine, als hätte ich das nicht selber gewusst. Ich erkannte ihn auch gleich an seinem Gesicht und seinem polierten Glatzkopf, denn er war oft in der Sieben-Uhr-Tagesschau zu sehen, immer dann, wenn etwas im Norden Islands passierte. Das war sein Gebiet. Ich erkannte ihn an seiner Fliege und der modischen Brille mit dem dicken schwarzen Rand. Das war sein Markenzeichen. Er war immer elegant angezogen, denn manchmal interviewte er Politiker und einmal sogar den Präsidenten. Er hatte auch nie eine Kopfbedeckung auf, ganz egal, ob es schneite oder ob ihm die Sonne auf die Glatze brannte. Heute war seine Fliege so rot wie seine Ohren. Der Mann, der gemächlich aus dem Auto stieg und eine Kamera schulterte, war der Kameramann. Er war jünger und mindestens einen Kopf größer als der Repor- ter oder ich, und im Gegensatz zu seinem Kollegen hatte er eine Pelzmütze auf, die ihn noch größer machte. Es ist bestimmt von Vorteil, als Kameramann groß zu sein. Man kann so die Szene gut überblicken.

Ich musste grinsen. Manchmal muss ich grinsen, auch wenn ich gar nicht grinsen will. Der Reporter wusste ge- nau, wer ich war, und hatte mich auch gleich erkannt. So was passiert eigentlich nur berühmten Leuten, und darum grinste ich, denn ich war verwirrt und zugleich stolz und wäre am liebsten davongelaufen, blieb aber stehen.

Der Reporter stellte sich mir vor, sagte, dass er von der Tagesschau sei, nannte mir auch seinen Namen, den ich dann gleich wieder vergaß, aber immer, wenn ich seine Brille und seine rote Fliege im Fernsehen sehe, rufe ich:

»Der hat ein Interview mit mir gemacht!«

Und genau das wollte er von mir; ein Interview, denn er hatte gehört, dass *ich* die Blutlache gefunden hatte, und er wollte mir dazu ein paar Fragen stellen. Ich sagte ihm auch gleich, wo ich die Blutlache gefunden hatte, nämlich oben beim Arctic Henge, denn schließlich war das jetzt eine staatliche Angelegenheit, und da will man behilflich sein, das ist einfach so. Aber der Reporter unterbrach mich und sagte, ich müsse ihm noch nicht gleich alles erzählen, der Kameramann sei noch nicht bereit. Und dann besprach er mit ihm Filmtechnisches, das ist normal, das ist immer so bei Fernsehinterviews. Sie baten mich, in der Nähe der alten Ausschmelz-Halle Aufstellung zu nehmen, die ganz schön verlottert war – rostige Türen, eingeschlagene Scheiben, ein schiefes Förderband, das mit letzter Kraft am rostigen Gerüst hing –, was ich komisch fand, denn das McKenzie-Gefrierhaus nebenan war vor zwei Jahren frisch gestrichen worden und gehörte schließlich dem Vermissten, hätte also besser in den Hintergrund gepasst, aber man sagt ja einem Reporter vom Staatsfernsehen nicht, wie er die Arbeit zu machen hat.

Der Kameramann klappte ein Stativ auseinander, befestigte daran eine Lampe, steckte ihr Akkus an und knipste sie an. Das weiße Licht blendete mich, doch solange ich nicht direkt in die Lampe guckte, war es nicht so schlimm. Der Reporter schob mich auf Geheiß des Kameramanns noch etwas nach links und noch ein Stück, ja, genau hier, perfekt, und dann fragte der Reporter noch, ob er schon aufnehme, und der Kameramann, der sich übrigens nicht vorgestellt hatte, sagte von oben herab, er nehme schon lange auf, worauf mich der Reporter eine Weile anguckte, als überlegte er sich eine Frage. Und dann fragte er unverhofft:

»Róbert McKenzie wird seit vorgestern vermisst. Du hast eine Blutlache im Schnee gefunden. Glaubst du, es besteht ein Zusammenhang?«

»Ja«, sagte ich.

Der Reporter schaute mich abwartend an. Ich wich seinem Blick aus, guckte ins gleißende Licht der Lampe und sah für ein paar Sekunden nichts mehr.

»Glaubst du, dass Róbert McKenzie da oben ermordet wurde?«

»Nein«, sagte ich.

Der Reporter senkte das Mikrophon und sagte, ich dürfe gerne mehr sagen, nicht bloß ja oder nein, ich dürfe sagen, was mir gerade in den Sinn komme, ich brauche nicht nervös zu sein und ich solle auch mal atmen.

Sobald er das gesagt hatte, bekam ich Atemnot. Ich hatte bis dahin noch gar nicht die Zeit gehabt, nervös zu sein, obwohl ich tatsächlich vergessen hatte zu atmen. Ich war irgendwie damit beschäftigt gewesen, die zwei Fernsehleute bei der Arbeit zu beobachten. Ich fragte mich etwa, wie viel die Kamera wog, denn ich vermutete, dass sie ziemlich schwer war, und ich fragte mich, ob ich nach dem Interview ebendiese Kamera würde auf die Schulter nehmen dürfen, einfach, um es mal auszuprobieren, und ich hätte gerne gesehen, wie ich eigentlich auf dem Bild aussah. Würde ich den Tagesschau-Ausschnitt zugeschickt bekommen? Solche Sachen gingen mir durch den Kopf. Aber sobald mir der Reporter gesagt hatte, dass ich nicht nervös zu sein brauchte, wurde ich richtig nervös. Mein Puls ging durch die Wolkendecke! Und ich dachte an das Verhör mit Birna und daran, dass sie immer sehr zufrieden mit meinen Antworten gewesen war, ob es nun ja oder nein war, solange ich nicht bloß nickte oder den Kopf schüttelte. Aber der Reporter hatte völlig andere Wünsche, und darum musste ich mich jetzt komplett umstellen, und das machte mich dann doch nervös.

»Erzähl uns einfach mal, wie es überhaupt dazu kam, dass du die Blutlache gefunden hast.«

Ich holte Luft und machte einen kleinen Schritt rückwärts. Der Reporter und der Kameramann tauschten Blicke aus und folgten mir. Ich machte noch einen Schritt rückwärts, bis ich schließlich mit dem Rücken an der rostigen Hallenwand stand. Der Kameramann positionierte die Lampe neu. Es gab also nur noch einen Ausweg: Ich musste die Frage beantworten.

»Ich war da oben, den ganzen Tag, habe einen Polarfuchs gesucht. Ich bin Jäger, wie schon Großvater, aber er ist schon sehr alt, sehr, sehr alt, er wohnt jetzt in Húsavík, er lebt noch, aber niemand weiß, wie lange noch, sie sagen, er könnte jederzeit sterben und dass ich dann traurig sein werde. Ich gehe ihn aber einmal pro Woche besuchen. Magga fährt mich jeweils hin, weil sie sowieso nach Húsavík muss, um einzukaufen und zum Friseur zu gehen. Und darum bin ich alleine da oben im Schnee gewesen, und dann habe ich Hafdís erzählt, dass –«

»Kalmann«, unterbrach mich der Reporter. »Versuch, nicht in die Kamera zu blicken, ja? Und erzähl nur, was die Blutlache betrifft.«

Ich nickte. Ich hatte gar nicht bemerkt, dass ich in die Kamera geblickt hatte, aber nun, als mich der Reporter darauf hinwies, merkte ich, dass ich schon wieder in die Kamera guckte, weshalb ich den Blick zu Boden richtete.

»Also, noch mal von vorne. Aber ohne abzuschweifen. Einfach kurz und prägnant, ganz locker. Erzähl mir von der Fuchsjagd.«

Ich holte Luft.

»Schwar–, also der Fuchs treibt sich manchmal beim Schulhaus rum, und Hafdís hat mich gebeten, ihm eine Lektion zu erteilen, und darum bin ich vorgestern auf Spurensuche gegangen, aber es hat geschneit, so wie jetzt, na, vielleicht etwas mehr, und ich wusste gleich, dass ich den Fuchs nicht finden würde, aber die wichtigste Tugend eines Jägers ist Geduld, das hat Großvater immer gesagt, auch wenn er es jetzt nicht mehr sagt, weil er alt ist und in Húsavík, und darum bin ich vom Schulhaus aus Richtung –«

»Erzähl mir von der Blutlache.«

Mein Herz schlug irgendwie unregelmäßig. Das lenkte mich ab. Zudem war so ein Fernsehinterview viel schwieriger als ein Polizeiverhör.

»Oben beim Arctic Henge Monument, also ganz in der Nähe, fand ich dann Blut im Schnee.«

»Sehr gut. Kannst du das noch einmal sagen, ohne in die Kamera zu schauen?«

Ich nickte, konzentrierte mich, starrte den Reporter an und sagte:

»Beim Arctic Henge. Alles voller Blut. Im Schnee.«

»War das Blut frisch?«

»Frisch?«

»Warm vielleicht?«

»Nein … Aber es war auch noch nicht gefroren.«

Ich bemerkte, dass auf der Glatze des Reporters inzwischen ein paar Schneeflocken gelandet und geschmolzen waren. Die Wassertropfen waren wie Perlen auf seinem Kopf.

»Glaubst du, dass es das Blut von Róbert McKenzie war?«

»Ja … Das glaube ich.«

»Warum glaubst du das?«

Wusste der Reporter denn nicht, dass man nach Róbert suchte? Von wem hätte es denn sonst sein sollen?

»Na, weil er verschwunden ist!«

»Glaubst du, dass er umgebracht wurde?«

»Nein.«

»Du glaubst es nicht?«

»Nein.«

»Und warum glaubst du es nicht?«

Ich zuckte mit den Schultern. Das Interview war nun doch wie ein Verhör. Und damit kannte ich mich aus.

»Ein Eisbär hat ihn vielleicht gefressen«, sagte ich.

»Er hat wieder in die Kamera geguckt«, murmelte der Kameramann.

»Macht nichts«, sagte der Reporter genervt, wischte sich mit der freien Hand die Perlen vom Kopf und betrachtete seine nassgewordene Handfläche. »Kannst du mir noch einmal sagen, warum du glaubst, dass Róbert McKenzie verschwunden ist?«

»Ist gut.«

»… dann sag es!«

»Ein Eisbär.«

»Nein, ausführlicher.«

»Ich weiß es doch auch nicht«, murmelte ich. Ich wünschte, ich hätte den Eisbären nicht erwähnt.

»Nein, doch. Noch mal. So wie vorher! Aber ohne in die Kamera zu gucken. Warum, denkst du, gibt es von Róbert McKenzie keine Spuren?«

Ich musste da jetzt einfach durch. Ich verteidigte mich:

»Manchmal kommen Eisbären von Grönland nach Island.«

»Schon wieder«, sagte der Kameramann resigniert.

Ich stöhnte und schaute mich hilfesuchend um. Wie lange dauerte das denn noch?

»Das macht jetzt nichts!«, zischte der Reporter und schob seine Brille aufs Nasenbein. »Kalmann. Hat die Stelle so ausgesehen, als wäre jemand von einem Eisbären gefressen worden?«

»Nein«, sagte ich.

»Nein?«

»Keine Chance.«

»Aber wieso glaubst du, dass ein Eisbär –«

»Ich weiß es doch auch nicht!«, brüllte ich, so dass sich die beiden Männer vom Fernsehen versteiften.

Neben mir an der Hallenwand stand ein rostiges Ölfass, das oben Löcher hatte und ganz mit Regenwasser gefüllt war. Ich trat es mit den Füßen, klunk, klunk, zweimal also, so dass das Wasser aus den Löchern spritzte und mein Cowboyhut fast vom Kopf rutschte. Eigentlich ganz lustig. Darum trat ich das Fass noch einmal, aber fester, was dann doch ziemlich weh tat. Ich fragte mich ernsthaft, ob ich einen oder mehrere Zehen gebrochen hatte. Darum humpelte ich davon, und weder der Reporter noch der Kameramann sagten ein Wort. Sie ließen mich einfach gehen, schauten mir baff hinterher, aber ich weiß nicht, ob mich der Kameramann noch filmte.

Die verdammten Medien. Machen immer so einen Stress! Ich verstecke mich in meiner Halle, ging darin auf und ab, bis der Schmerz im Fuß verflogen war. Der Schnee auf dem Dach schmolz, es tropfte überall. Die Zehen waren zum Glück nicht gebrochen, aber als ich wieder in den Stiefel schlüpfte, war der irgendwie kleiner geworden.

Ich zerteilte ein paar Fleischstücke und legte sie in meiner Cognac-Salzwasser-Essig-Marinade ein, und so beruhigte ich mich ein wenig. Es tat irgendwie gut, die Fleischstücke zu zerhacken, mein scharfes Messer ins weiche Muskelfleisch zu rammen, und zwar so fest, dass die Messerspitze gleich in der Tischplatte stecken blieb.

Als ich fertig und auch wieder ganz ruhig war, klopfte ich an Sæmundurs Containertür, einfach um ihm zu sagen, dass ich heute nicht rausfahren wolle.

»Das ist bestimmt ein guter Entscheid«, sagte Sæmundur, warf seinen Kugelschreiber auf die Papiere, die vor ihm ausgebreitet waren, und fuhr sich mit seinen Fingern ein paar Mal durchs zerzauste Haar. »Außer Róbert würdest du sowieso nichts aus dem Meer fischen.«

Ich muss ihn wohl komisch angeguckt haben, denn er lachte und sagte, ich solle ihn nicht so komisch angucken, man dürfe doch wohl noch einen Witz machen, weshalb ich dann auch lachte. Und als ich mich erholt hatte, teilte ich ihm mit, dass ich ein Fernsehinterview gegeben hatte.

»Du wirst noch berühmt!«, meinte Sæmundur, und ich wurde ganz verlegen und aufgeregt beim Gedanken daran, berühmt zu werden.

Ich wartete dann den ganzen Tag darauf, dass es Abend wurde, und ich beauftragte auch Nói, die Tagesschau zu gucken, denn es werde eine Überraschung geben. Ich werde zu sehen sein!

Und tatsächlich war in der Tagesschau der Vermisstenfall Róbert McKenzie Thema Nummer eins, gleich zu Beginn, obwohl die Vorbereitungen für das Treffen der Staatsoberhäupter auf Hochtouren liefen und wohl nicht ganz reibungslos über die Bühne gingen. Es gab nicht genügend Betten für die vielen Journalisten, und irgendetwas mit der Sicherheit war nicht in Ordnung, wie man in der Vorschau ankündigte. Ich musste also gar nicht lange warten, bis die Häuser von Raufarhöfn im Fernsehen zu erkennen waren. Erst wurde vermeldet, dass es sich bei dem Blut, das man beim Arctic Henge in Raufarhöfn gefunden hatte, tatsächlich um Róbert McKenzies Blut handelte. Die DNA-Probe hatte das ergeben. Überrascht darüber war niemand. Dann wurde ein Interview mit Birna ausgestrahlt, und Birna sagte, dass man nun von einem Gewaltdelikt ausgehe und dass die Suche intensiviert werde, sobald der Schneefall nachlasse. Die Wetterprognosen verhießen Gutes. Ich schaute kurz aus dem Fenster und bemerkte, dass es draußen nicht mehr schneite, aber schon fast dunkel war, auch wenn das Licht einiger Häuser und Straßenlaternen Raufarhöfn zu erhellen versuchte. So dunkel ist es nur, wenn Regenwolken aufziehen, aber ich hatte es gar nicht bemerkt, weil ich den ganzen Nachmittag ferngeguckt und mich mit Nói unterhalten hatte. Und plötzlich erschien ich auf dem Fernsehbildschirm, und zwar ganz nah, man sah nur meinen Cowboyhut, mein Gesicht und meine Brust mit dem Sheriffstern, und ich sah irgendwie völlig anders aus als im richtigen Leben, und ich war gar nicht zufrieden. Ich guckte richtig bescheuert, als hätte ich ein warmes Spiegelei unterm Hut, und man sah auch, dass ich nicht gut drauf war, völlig genervt, misstrauisch. Und dann brachten sie den ganzen Schluss des Interviews, wo ich meine Vermutungen äußerte, dass Róbert vielleicht von einem Eisbären gefressen worden war. Und weil ich in die Kamera guckte, hörte es sich an, als warnte ich die ganze Fernsehnation vor Eisbären. Und deswegen gab ich mir auch ein paar Ohrfeigen, und ich schlug meine Faust aufs Salontischchen. Dass ich das Ölfass bearbeitet hatte, wurde zum Glück nicht gezeigt, und darüber war ich sehr erleichtert. Aber Birna war nun über ein Telefon live mit dem Fernsehstudio verbunden, und sie beteuerte, dass man nicht davon ausgehe, dass sich ein Eisbär da oben auf der Melrakkaslétta herumtreibe. Es gebe dafür zumindest keine Hinweise, und zudem würde man mehr als nur Blut finden, wenn jemand von einem Eisbären gefressen worden wäre, etwa zerfetzte Kleider oder abgenagte Knochen, was ich irgendwie logisch fand. Und jetzt kam ich mir noch blöder vor, wie der letzte Dorftrottel, und ich war überzeugt, dass sich ganz Island über mich lustig machte. Ich wollte dann den Fernseher kaputtmachen, doch plötzlich erschienen noch weitere Bewohner von Raufarhöfn auf dem Bildschirm, denn der Reporter und sein Kameramann mussten sich vor den Laden gestellt haben, um den Leuten aufzulauern. Elínborg etwa sagte, dass es kein Zufall sein könne, dass Robert da oben bei seinem Arctic Henge umgebracht worden war.

»Vielleicht ein Ritual?«, vermutete sie, wollte dann aber ihre Vermutung nicht weiter erläutern, auch wenn sie der Reporter darum bat. »Ich meine ja nur«, sagte Elínborg und schaute in die Kamera.

Auch Halldór wurde aufgehalten. Er hatte das Fenster seines Pick-ups runtergelassen und sagte, dass dieser Vorfall ganz schlimm für Raufarhöfn sei, denn diese Negativberichterstattung könne verheerende Auswirkungen haben, zum Beispiel auf den Tourismus, wo man doch ums Überleben kämpfe hier oben, wir, die wir von der Regierung nach der Einführung des Quotensystems einfach im Stich gelassen worden waren und heute ja noch immer.

»Einfach abgeschrieben«, sagte er noch, dann aber nichts mehr, und er hielt dem Blick des Reporters stand, ohne in die Kamera zu schauen.

Kaum war die Berichterstattung abgeschlossen, rief mich Nói auf Messenger an und lachte sich krumm, und weil er so lachte, fand ich das Ganze dann doch auch ein wenig lustig, und genau darum war Nói mein bester Freund, und so machte ich den Fernseher nicht kaputt. Freunde sind dazu da, einander zum Lachen zu bringen, und wer glaubt, dass Nói kein guter Freund war, liegt falsch.

Nói stöberte noch ein wenig im Internet, um herauszufinden, wie die Leute auf das mit dem Eisbären reagierten, aber alles las er mir nicht vor, das merkte ich wohl, doch ein paar Leute fanden meine Vermutung völlig gerechtfertigt, denn man dürfe nichts ausschließen, man müsse alle Möglichkeiten in Betracht ziehen, und darum fühlte ich mich letztendlich doch ein wenig ernst genommen, und das war ein schönes Gefühl. Aber ich beschloss dann doch, die Vermutung mit dem Eisbären nicht mehr aufzutischen, denn irgendwie ergab das wirklich keinen Sinn, und das fand auch Nói.

⌘

8

Magga

Dann wurde es Samstag. Das bedeutete, dass ich meinen Großvater in Húsavík besuchte. Das war so abgemacht, und das war schon so, seit Großvater nach Húsavík ins Pflegeheim gebracht wurde, nachdem ich ihn auf dem Küchenboden in seiner eigenen Pisse liegend vorgefunden hatte. Jeweils um neun Uhr hupte es vor meinem Haus, und ich schlüpfte in meine schöne Jacke. Cowboyhut, Sheriffstern und Mauser ließ ich liegen, denn in Húsavík wussten nicht alle, wer ich war.

Inzwischen lief die Suche nach Róbert wieder auf Hochtouren. Schon seit dem frühen Morgen hörte man den Lärm der Jeeps und Quads, aber ich wurde wohl nicht mehr gebraucht. Niemand hatte nach mir gefragt. Ich ging nach draußen und stieg in Maggas kleine Skoda-Blechbüchse, die immer etwas schief stand, wenn Magga hinterm Steuer saß.

»Guten Tag, junger Fernsehstar!«, sagte sie, und ich musste lachen. So war es also, wenn man berühmt war. Magga sagte dann ein paar Minuten lang nichts, weil sie den Wagen in Bewegung setzen und sich dabei konzentrieren musste. Zudem kamen uns gleich drei Fahrzeuge der Rettungswache entgegen, und Magga sagte: »So ein Verkehr!«

Ich wunderte mich jedes Mal, wie sie ihren dicken Körper

hinters Steuer brachte. Autofahren war nicht ihre Stärke. Erst als Raufarhöfn hinter uns lag und die Straße nur noch ein Strich in der Landschaft war, entspannte sie sich und quatschte mir den Kopf voll. Es war, als hätte sie die ganze Woche darauf gewartet, ihre Gedanken zu äußern. Nun repetierte sie die Tagesschau und was sie heute Morgen alles vor ihrem Fenster beobachtet hatte. »Die Schnüffelei der Rettungswache«, wie sie es nannte. Sie konnte immer über etwas reden, es gab immer etwas, das sie beschäftigte. Und ich brauchte ihr gar nicht zu antworten. Das war in Ordnung. Manchmal sagte ich den ganzen Weg nichts, saß einfach nur da und hörte ihr zu – oder eben nicht, schaute nur aus dem Fenster, dachte an meinen Großvater oder sah vielleicht Tiere, die man hätte jagen oder beobachten können. Ein Jäger hat einfach ein Auge für so was. Auf der Melrakkaslétta gab es Polarfüchse und Wildgänse, Falken und Schneehühner. Einmal, aber nur einmal, sah ich eine Schneeeule.

»Findest du nicht auch?«, fragte Magga und riss mich aus den Gedanken. »Du bist doch ein Jäger und weißt schließlich genau, wovon du sprichst. So einer Vermutung müsste man doch nachgehen! Wenn da wirklich ein Eisbär rumläuft, dann ist das gefährlich, unmöglich ist es ja nicht, findest du nicht auch?« Ich zuckte mit den Schultern und sagte nichts. »Du hast das wirklich ausgezeichnet gemacht, gestern in der Tagesschau.« Magga machte einen kleinen Schlenker auf der Straße, so dass ich mich am Sitz festhielt. »Hast du denn etwas bemerkt da oben? Hast du Spuren im Schnee entdeckt?«

»Vielleicht«, sagte ich. »Es kamen schon oft Eisbären

nach Island. Einmal in die Westfjorde, nördlich von Horn-
strandir. Fischer haben den Eisbären schwimmen gesehen
und ihn mit einem Seil am Bug erhängt. Einfach ein wenig
hochgezogen. So.«

Ich machte eine passende Geste.

»Armes Tier«, seufzte Magga.

»Einen Eisbären haben sie in Fljótum im Skagafjörður
erschossen, einen in Grímsey, und einen erst kürzlich in
Hvalnes am Skaga.«

»Daran erinnere ich mich.«

»Sie schwimmen.«

»Ja, auf Treibeis.«

»Nein«, widersprach ich. »Sie schwimmen manchmal
den ganzen Weg von Grönland. Es gibt nämlich nicht immer Treibeis.«

»Das ist bestimmt viel zu weit.«

»Keine Chance! Sie können dreihundert Kilometer
weit schwimmen oder mehr! Und von Grönland bis in die
Westfjorde sind es dreihundert Kilometer. Bis hierher etwa
einhundert Kilometer weiter. Darum –«

»Jetzt übertreibst du aber, Kalmann minn. Vierhundert
Kilometer? Schwimmen?«

»Schon möglich, wenn sie in den Westfjorden eine Pause
machen zum Beispiel.« Ich war es gewohnt, dass man mir
nicht glaubte. Kein Grund zur Sorge.

»Na«, sagte Magga, »wenn sich ein Eisbär hier oben
rumtreibt, ist er bestimmt hungrig, ob er nun geschwommen, auf einer Eisscholle angetrieben oder mit Easyjet her-
geflogen ist.«

Das fand ich lustig, und ich musste lachen. Magga konnte

manchmal sehr lustig sein. Sie lachte auch, schaute mich dabei an und geriet mit dem Auto auf die andere Straßenseite. Darum hörte ich auf zu lachen, Magga guckte wieder auf die Straße, riss das Steuer rum, und dann sagte sie eine Weile nichts mehr. Ich schaute angestrengt aus dem Fenster, als versuchte ich, einen Eisbären zu erspähen.

»Glaubst du«, fragte mich Magga, »so ein Eisbär könnte einen Menschen mit Haut und Haar fressen, bis nichts mehr von ihm übrig ist?«

»Hm«, machte ich nur, obwohl ich die Antwort darauf wusste.

»Wir sollten das Thema wechseln«, schlug Magga vor, blieb jedoch stumm.

Ein Auto kam uns entgegen, weshalb Magga die Fahrt massiv verlangsamte, bis wir das Auto passiert hatten, obwohl die Straße breit genug für zwei Autos war.

»Dagbjört«, stellte Magga erstaunt fest.

Ich drehte mich überrascht um und schaute dem Auto hinterher. Magga hatte recht. Es war ein roter Kia Picanto, aber Dagbjört war verdammt schnell unterwegs, und so war sie schon bald hinter dem Horizont verschwunden.

»Arme Dagbjört. Erst die Mutter und jetzt der Vater. Und wenn wir die Quote für Raufarhöfn verlieren, gehen die letzten Arbeitsplätze verloren, und dann gibt es zu wenig Kinder hier, dann macht die Schule zu, und dann hat Dagbjört alles verloren. Auch ihre Stelle.« Magga machte eine Denkpause. »Aber vielleicht gibt es den Róbert noch. Vielleicht hat er sich nur verletzt und – nein. Das wäre unrealistisch, wo doch sein Blut – sie sagen, niemand überlebe so einen Blutverlust. Aber möglicherweise ist es ein

Missverständnis. Das kommt ja manchmal vor. Wie letzten Sommer, als die Rettungswache einen vermissten Touristen suchte, weißt du noch? Wo war das?«

»In der Eldgjá-Schlucht.«

»Ganz genau, Kalmann. Du weißt aber auch immer ganz genau, wo was war!«

Ich nickte. Magga lachte, beugte sich dabei etwas vor, als wollte sie das Steuerrad umarmen.

»Sie suchten und suchten. Und an der Suche beteiligt ist der Tourist selber, eine Frau natürlich, es hätte ja gar nicht anders sein können! Und sie hat keine Ahnung, dass nach ihr gesucht wird, darum denke ich, es ist nicht gut, wenn wir so viele Touristen nach Island bringen, weil die ganze Arbeit letztlich an uns hängenbleibt, und die Touristen sind so dumm, begeben sich ständig in Lebensgefahr, und wenn wir sie retten müssen, sind auch wir in Lebensgefahr, nicht wahr? Aber die Regierung in Reykjavík muss ja nicht selber hin, und darum locken sie immer mehr Leute nach Island, nicht nur Touristen, auch Flüchtlinge, das sieht man ja im Fernsehen, dabei geht es uns nicht viel besser. Wir haben ja nicht einmal genug Geld, um die Fischerdörfer vor dem Bankrott zu bewahren! Nein, sie lassen uns hier oben verdorren, glauben, dass wir nur von der guten Luft und der schönen Aussicht leben. Ja, von was bitte sollen wir hier oben denn leben, wenn sie uns die Quoten wegnehmen?«

Sie schaute mich an, als erwarte sie eine Antwort. Dabei wollte sie nur, dass ich nickte. Also nickte ich, obwohl das meiste überhaupt nicht stimmte, was sie sagte.

»Ich glaube nicht«, sagte ich, »dass Róbert an seiner eigenen Suche beteiligt ist.«

»Natürlich nicht!«, rief Magga. »Aber vielleicht ist es ein Missverständnis. Vielleicht hat er sich verletzt, und so ein Tourist hat ihn nach Akureyri gebracht, und da hat er gar nicht mitbekommen, dass – nein. Das kann auch nicht sein.« Magga drückte aufs Gas, um den Fuß gleich wieder vom Pedal zu nehmen. So fuhr sie den ganzen Weg. Gas geben, Fuß vom Pedal nehmen. Gas geben. »Róbert gibt es nicht mehr«, sagte sie. »Entweder hat ihn ein Eisbär gefressen, oder jemand hat Fischfutter aus ihm gemacht.«

Ich nickte.

»Fischfutter«, sagte ich, und Magga seufzte.

Wir machten auf dem Weg nach Húsavík nur zwei kurze Stopps. Einen auf der Melrakkaslétta mitten im Nirgendwo. Weil ich unbedingt pinkeln musste, brachte Magga ihren Skoda am Straßenrand zum Stehen. Und weil kein anderes Auto weit und breit zu sehen war, stieg auch Magga aus, ging am Straßenrand in die Hocke und pinkelte ins Krähenbeerengestrüpp. Ich war aber vor ihr fertig, und Magga lachte:

»Nicht gucken!«

Ich guckte nicht.

Den zweiten Stopp machten wir in Kópasker, wo ich mir eine Cola kaufen durfte und sich Magga eine Weile mit Gummi unterhielt, der sich immer gerne unterhielt.

In Húsavík setzte mich Magga bei der Tankstelle ab. Eigentlich wollte sie mich zum Pflegeheim fahren, aber sie musste noch tanken, und ich schlug vor, dass ich mich zu Fuß rüber zum Pflegeheim begab. Ich war schließlich kein Kleinkind mehr. Magga willigte nur ungern ein, versprach aber, mich um vierzehn Uhr beim Pflegeheim abzuholen.

Ich schlich ums Tankstellengebäude und wartete bei den Müllcontainern, bis Magga fertig war. Das dauerte eine ganze Weile, weil sie lange am Selbstbedienungsautomaten herumdrückte, offenbar akzeptierte der Automat ihre Karte nicht, und dann fummelte sie eine Weile am Tankdeckel rum.

Frauen und Autos! Wieso durfte *sie* Auto fahren, aber *ich* nicht? Das sollte mir mal einer erklären! Die theoretische Prüfung war völlig übertrieben. Wir hatten hier oben ja gar keine Verkehrsampeln, sowieso keine Autobahnen, keine Kreisel, nur Straßen, manche geteert, mit Höchstgeschwindigkeit neunzig, andere nicht geteert, Höchstgeschwindigkeit achtzig, das wusste ich längst, das war das Gesetz, und im Dorf durfte man nicht schneller als fünfzig fahren. Manchmal auch dreißig. Das kam drauf an, ob es Kinder oder eine Schule in der Nähe gab. Die Geschwindigkeit stand ja immer geschrieben, und lesen konnte ich. Man musste es sich also nicht einmal merken. Aber dass man sich anschnallen und das Licht einschalten musste, musste man wissen, das ist das Gesetz, und Magga machte beides nicht. Aber ich durfte nicht. Dabei war ich schon mal Auto gefahren, als ich achtzehn war, und alle Beteiligten überlebten diese Autofahrt. Da war eine Tanzveranstaltung in Kópasker, und ich musste da hin, weil mein Cousin Draupnir aus Reykir zu Besuch war und keine Widerrede zuließ. Doch bald waren alle, mich ausgenommen, zu besoffen, um überhaupt aufrecht stehen zu können. Es blieb mir also gar nichts anderes übrig, als meinen Cousin und ein paar weitere Junggesellen nach Hause zu fahren, um selber nach Hause zu kommen. Sie hätten mich auch gar nicht überzeugen müssen, ich wollte nämlich längst wieder heim, weil ich mich insgeheim in ein Mädchen verliebt hatte, das dann aber mit einem Húsavíkinger rumknutschte. Die Jungs versicherten mir, dass ich nichts zu befürchten hätte, da ich ja keinen Führerschein besäße, den man mir entziehen könne. Das klang logisch, und irgendwie war mir dann sowieso alles egal.

Eigentlich ging ich grundsätzlich nicht gerne zu Partys, weil ich weder Alkohol trank noch tanzte, aber die meisten Leute tranken und tanzten, und nach einer Weile waren sie hemmungslos. Man unterhielt sich dann gerne mit mir, auch wenn es nur Quatsch war, aber immerhin waren sie nett zu mir, und dann war es auch lustig für mich. Sie seien froh, so einen wie mich in Raufarhöfn zu haben, einen, der ein wenig aufs Dorf aufpasse und dem Kaff ein Gesicht gebe, einen Charakter. Sie sagten, hier oben sei jeder willkommen, ich sowieso, ausgenommen Muslime, denn Religionen dürfe man nicht vermischen. Das sei in der Natur der Menschen. Und das leuchtete mir ein, aber die meisten, die diese Meinung hatten, gingen gar nicht in die Kirche oder so, und darum fragte ich mich, ob sie denn überhaupt eine Religion hatten. Sie waren nur betrunken und redeten Quatsch und meinten es gar nicht so. Aber ich hörte halt zu. Das ging ja gar nicht anders. Sie brüllten mir immer ins Ohr, weil sie nicht mehr so gut hörten, wenn sie betrunken waren. Manchmal warfen sie sich mir richtig an den Hals, hielten sich an mir fest, sagten, ich sei ein guter Mann, ein Fels, und ich solle mir bloß nicht gefallen lassen, wenn mich jemand einen Downser nenne, was mich aber niemand nannte, weil ich ja auch keiner bin. Ich bin einfach anders. Aber Großvater hatte mir einmal gesagt, dass jeder in gewisser Weise anders sei, und darum sei ich ganz normal. Die besoffenen Partygänger sagten, ich könne immer auf sie zählen, wenn sich jemand über mich lustig mache, aber ich wusste ganz genau, dass sie es am nächsten Morgen schon wieder vergessen haben würden, denn wenn man betrunken ist, ist man gar nicht die Person, die man eigentlich ist. Sie sagten, sie möchten viel eher einen wie mich hier oben als so einen Muselmann, der sich dann in die Luft sprenge. Man müsse nur den Fernseher einschalten, um den Zusammenhang zu verstehen.

»Paris! Viele Muslime! Bumm! Verstehst du? Raufarhöfn! Keine Muslime! Kein Bumm!«

Und das stimmte schon, da hatten die Besoffenen sicher recht. Aber wegen Nói wusste ich, dass es in Reykjavík auch Muslime gab, und das ging offenbar ganz reibungslos, denn bis jetzt hatte sich da noch niemand in die Luft gejagt oder ein Fahrzeug in eine Menschenmenge gefahren oder Leute mit einem Messer abgestochen. Dabei hätten sie sicher einen Grund dazu gehabt, die Muslime in Reykjavík. Sie wollten nämlich eine Muslimenkirche bauen, aber dann warfen ein paar Isländer Schweinsköpfe auf die Wiese, da, wo die Muslimenkirche hätte gebaut werden sollen. Vielleicht sind Muslime Vegetarier, und darum sind sie im Nordosten nicht beliebt, denn niemand ist hier oben vegetarisch. Ich kenne zumindest niemanden. Doch, nein, stimmt nicht. Ich kenne jemanden: Dagbjört ist Vegetarierin. Das weiß ich, weil sie vor ein paar Jahren dafür sorgte, dass im Hotelrestaurant ihres Vaters auch ein vegetarisches Gericht auf der Karte stand: Risotto mit Pilzen. Und einmal, als sie wie üblich aushalf, tischte sie mir den Risotto gratis auf und sagte, ich solle ihn probieren und ihr dann sagen, wie er schmecke, und ich tat wie mir geheißen, rieb aber viel Käse darüber. Der Risotto war eigentlich ganz lecker, ich putzte den Teller sogar leer, und Dagbjört war so glücklich darüber, dass sie eine Siegesfaust machte und »yes!« sagte. Und darum habe ich ihr nie gesagt, dass ich weiterhin lieber Hamburger esse – weshalb ich ja hinter der Tankstelle bei den Müllcontainern wartete, bis Magga endlich ihre Blechbüchse vollgetankt hatte und weggefahren war. Erst dann ging ich hinein und bestellte bei Salvör einen Hamburger mit Fritten und Cocktailsauce für eintausendachthundertfünfundvierzig Kronen, obwohl es erst elf Uhr war, aber das machte nichts, denn es gab im Pflegeheim erst um zwölf Uhr dreißig Mittagessen, und meistens mochte ich das Essen da nicht so sehr. Das Kartoffelpüree schon, und die Sauce meistens auch, aber nicht so sehr die Karotten, den Brokkoli und den Blumenkohl. Ich bin doch kein Kaninchen!

Aber ich hatte Pech. Der einzige Tisch, der besetzt war, war meiner. Ich setzte mich immer an diesen Tisch. Er stand nämlich genau an der Wand unter der Islandkarte. Darum habe ich noch nie an einem anderen Tisch gesessen. Salvör hatte es jetzt auch bemerkt, doch er schaute mich nur müde an und putzte seine Hände an der Schürze ab. Vielleicht überlegte er sich, wie er mir helfen konnte, zuckte dann aber nur mit den Schultern und verschwand in der Küche. Er war wohl schlecht gelaunt. Ich blieb also einfach stehen und schaute zu meinem Tisch rüber. Es waren Touristen. Ein junges Paar. Ein Mann mit lichtem Bart und eine schlanke

Frau mit Kopftuch und Zöpfen, aber keine Muslime. Das sah sogar ich. Ihre Rucksäcke standen am Boden an die Wand gelehnt. Sie hatten schwere Wanderschuhe an den Füßen und unterhielten sich auf Ausländisch. Französisch vielleicht. Oder Türkisch. Ich ging ein paar Schritte auf sie zu, drehte ihnen den Rücken und blieb stehen. Wartete. Sie hielten in ihrem Gespräch inne. Ich spürte ihre Blicke auf meinem Rücken. Dann ging ich zum Tisch daneben, stützte mich mit den Fäusten darauf ab und schaute zu ihnen rüber. Sie merkten noch immer nicht, dass sie an *meinem* Tisch saßen. Genau darum gefiel es mir in Raufarhöfn besser! Das war nun ein ganz wunderbares Beispiel! In Raufarhöfn wusste jeder, wer ich war und auf welchem Stuhl ich zu sitzen hatte. Da gab es keinen Grund zur Sorge.

Das Paar tauschte Blicke aus, dann schaute mich der junge Mann fragend an. Ich seufzte laut, aber sie blieben noch immer völlig verwirrt sitzen. Ich ging ganz nahe an ihnen vorbei zum nächsten Tisch und tat dasselbe, stützte mich mit den Fäusten ab und schaute die unverschämten Touristen wieder an. Sie besprachen sich, die Frau wurde nervös. War das denn so schwierig zu verstehen?

»Kalmann!« Salvör hielt unterm Arm eine Packung gefrorener Fritten und winkte mich mit der freien Hand zu sich. »Kannst du heute nicht ausnahmsweise mal an einem anderen Tisch sitzen? Schau nur, sie sind alle frei. Alle!«

Wie blöd kann man denn sein? Salvör kannte mich zwar, aber er war nicht mein Freund. Und er war wohl schwer von Begriff. Ich sah nämlich ganz genau, dass alle anderen Tische frei waren. Schließlich hatte ich Augen im Kopf. Ich rührte mich nicht vom Fleck.

»Aber sie sitzen an *meinem* Tisch!«, erklärte ich ihm, laut und langsam, so dass er verstand, worum es hier eigentlich ging.

»Es ist nicht *dein* Tisch«, sagte Salvör. »Es ist *mein* Tisch. Alle Tische sind meine. Und heute darfst du dich an einen anderen Tisch setzen. Bitte schön!«

Ich rieb mein Gesicht. Es gibt Tage, da sollte man am besten gar nicht aus dem Bett steigen! Es stimmte leider, was Salvör sagte, aber darum ging es hier nicht. Der Kunde ist König! Darum ging es! Das hatte *er* am besten zu wissen. Also richtete ich meinen Zeigefinger auf das Touristenpaar.

»Aber ihnen gehört der Tisch auch nicht! Ich sitze immer an diesem Tisch! Es ist *mein* Tisch. Ich sitze am Tisch mit der Islandkarte! Das weißt du doch! Das weiß jeder. Das ist einfach so!«

»Du bist echt nicht zum Aushalten!«, rief Salvör, warf die Packung Fritten auf den Tresen und verwarf die Hände. »Soll ich die Touris etwa bitten, den Tisch zu wechseln?«

»Ja!«, rief ich, und Salvör stöhnte an die Decke.

»Sorry, can you please sit at another table? My buddy here is special, you know ...«, sagte er.

»Why?«, fragte der Mann.

»Das ist mein Tisch!«, sagte ich laut.

»It's not his ...« Salvör raufte sich die Haare. »Just sit at another table, yes? Please! Sorry.«

»Sure, whatever«, sagte der sture Touri genervt. Seine Touri-Frau stand schon. Sie sagte was, worauf auch er aufstand. Frauen haben meistens die Hosen an. Das ist so. Sie packten ihren Kram zusammen und wechselten den Tisch, wählten einen, der am weitesten von meinem entfernt war. Ich schaute ihnen wütend hinterher.

»This is my table«, murmelte ich und setzte mich an meinen Tisch. So was kann einem wirklich den Tag verderben. Eine ganz einfache Regel, könnte man glauben, aber die Leute sind unmöglich! Ich war stinksauer, streckte meinen Hals und rief dem Touristenpaar hinterher:

»This is my table!«

»Kalmann!«, brüllte Salvör, »du hältst jetzt deine Klappe! Du hast deinen Tisch bekommen! Du bist nicht unbedingt derjenige, der hier Forderungen stellen kann. Dein verfluchter Hai stinkt bis hier rüber!«

Ich wollte mich wehren, aber mit Salvör war heute wohl nicht gut Suppe essen, und ich wollte doch einen Hamburger mit Fritten von ihm. Also hielt ich die Klappe. Ich war aber so wütend, dass ich ein paarmal meine Fäuste auf den Tisch schlug und die junge Touristenfrau Quietscher von sich gab.

Frauen.

Als mir Salvör den Hamburger endlich servierte, hatte ich mich schon etwas beruhigt, ich bedankte mich sogar fast, und mit den ersten Bissen war die Wut verflogen, denn vielleicht war ich einfach nur hungrig gewesen, aber es war eben *mein* Tisch. Und das würde auch in Zukunft so bleiben.

Ich aß meistens alleine. Außer Salvör kannte ich niemanden hier, aber er war beschäftigt oder tat zumindest so, und zudem machte er noch immer ein beleidigtes Gesicht und hatte wohl keine Lust, sich mit mir zu unterhalten. Die Touristen studierten ihren Reiseführer, und ich fragte mich, ob sie überhaupt etwas bestellt hatten oder einfach nur in der Tankstelle saßen, um Zeit totzuschlagen. Also verlor ich mich in meinen Gedanken.

Ich dachte an so einiges. Ich dachte an die Tanzveranstaltung in Kópasker, als ich die Betrunkenen, eine ganze Autoladung voll, zurück nach Raufarhöfn fuhr. Während den ersten Kilometern grölten und lärmten sie, dann aber wurden sie plötzlich ruhig und schliefen ein, und es wurde plötzlich still im Auto und das Fahren sehr angenehm. Wenigstens einen Moment fühlte ich mich, umgeben von schnarchenden, stinkenden Männern, als wäre ich ein normaler junger Mann wie alle. Dass ich dem Auto eine Schramme verpasste, als ich die Gesellen vor ihren Häusern absetzte, weil ich einen Hydranten übersah, bemerkte niemand, und darum gab es keinen Grund zur Sorge.

Ich hätte gerne ein Auto. Es wäre ein Toyota Land Cruiser. Damit könnte ich querfeldein über die Melrakkaslétta brettern, um Schneehühner und Polarfüchse zu jagen. Und im Winter könnte ich ohne Probleme über die verschneiten Straßen nach Húsavík fahren, selbst wenn sie noch nicht gepflügt wären, um Großvater zu besuchen. Dann wäre ich nicht mehr auf Magga angewiesen und müsste mich nicht mehr hinter dem Tankstellengebäude verstecken. Das wäre prima.

9
Großvater

Ich putzte den Teller leer und verließ den Tankstellenimbiss, ohne mich von Salvör, der sowieso wieder in
der Küche verschwunden war, zu verabschieden. Die zwei
Touristen schauten mir hinterher, lächelten sogar, aber ich
ignorierte sie.

Draußen schien die Sonne. Es war eigentlich ein ganz
hübscher Tag. Frühlingshaft. Hier in Húsavík lag der
Schnee nur noch im Schatten der Häuser und war schwer
und schmutzig. Ich wollte hoch zum Pflegeheim, bemerkte
aber Maggas Auto vor dem Laden und machte darum einen
Umweg.

Man kannte mich im Pflegeheim, ich musste mich nicht
anmelden oder so, darum latschte ich einfach ins Gebäude,
wie ich es immer machte. Ich wusste auch, wo sich Großvaters Zimmer befand. Aber da war er nicht, auch nicht auf
dem Klo.

»Ah, Kalmann, grüß dich, junger Mann!«, rief mir Kolbeinn zu, als ich wieder aus dem Zimmer trat. »Besuchst du
deinen Großvater? Wie nett von dir!« Kolbeinn schlurfte
mir mit ausgestreckter Hand entgegen. »Ein Glück, dass
du mich noch erwischst, ich muss eben noch ins Bau-
geschäft. Ich habe deinen Großvater im Kapellenkorridor
gesehen.«

Ich nickte und schüttelte seine Hand. Kolbeinn war nicht mehr ganz klar da oben, glaubte wohl noch immer, zuständig für etwas zu sein. Dabei wohnte er im Zimmer neben meinem Großvater. Ich wusste aber nicht, wofür er früher einmal zuständig gewesen war. Möglicherweise war er Schreiner gewesen. Manchmal begrüßte er die Pflegeheimbewohner beim Mittagessen und erkundigte sich nach dem Wohlbefinden aller, kontrollierte dabei die Stühle, rüttelte an ihnen herum und versprach, diesen oder jenen Stuhl bei Gelegenheit zu reparieren – was er aber nie machte.

»Prima«, sagte ich, ließ Kolbeinn stehen und ging in den Kapellenkorridor. Alle Korridore und Gebäudeteile hatten hier Namen. Es gab zum Beispiel den Hauptkorridor, der vom Haupteingang wegführte, den Hafenkorridor und den Garðarsaal. Mein Großvater wohnte im Náttfarikorridor. Aber er saß wirklich auf einem Stuhl im Kapellenkorridor, wie es Kolbeinn behauptet hatte – vielleicht war er doch noch nicht ganz ballaballa. Großvater war hübsch angezogen, weißes Hemd, schwarze Hosen, rote, flauschige Hausschuhe, saß einfach nur da und schaute aus dem Fenster. Sein Kinn hatte er nach oben gereckt, er verzog seinen Mund, als stecke ihm etwas im Hals. Er war noch grauer geworden, seit ich ihn vor genau einer Woche zum letzten Mal besucht hatte.

Großvater schaute mich verwirrt an, als ich einen Stuhl heranzog und mich zu ihm setzte.

»Hallo, Großvater«, sagte ich. »Wie geht es dir?« Keine Antwort. »Hast du Durst?« Großvater brummte. »Willst du vielleicht eine Cola?«

»Nein«, sagte er.

Ich stand auf und ging zum Getränkeautomaten im Hauptkorridor, kaufte eine Büchse Cola und ging damit zurück zu Großvater. Er hatte aber noch immer keinen Durst, also trank ich die Büchse selber leer.

»Róbert ist wohl tot«, sagte ich. Großvater schaute mich stirnrunzelnd an. »Du weißt doch, Róbert McKenzie, unser König. Aber er heißt eigentlich gar nicht McKenzie, das hat Óttar gesagt. Wusstest du das? Róbert hat sich den Namen selber gegeben. Ich habe der Polizei die Stelle gezeigt, wo noch das Blut im Schnee war, oben beim Arctic Henge. Es war seins. Und ziemlich viel obendrauf.«

»McKenzie!«, rief Großvater plötzlich. »Das hat er nur verdient!« Er schaute mich so wütend an, dass niemand seinem Blick hätte standhalten können.

»Na ja«, sagte ich, schaute weg und sagte mit einer Stimme, die irgendwie gar nicht meine war: »Gefunden haben sie ihn nicht. Sie wissen nicht, was mit ihm passiert ist. Sie suchen ihn noch immer, jetzt, wo der Schnee bald weg ist, aber Spuren gibt es keine. Sie wissen nur, dass sie ihn nicht mehr lebend finden werden. Das steht eigentlich fest. Also kein Grund zur Sorge.«

»Das hat er verdient, dieser Saukerl! Verpiss dich!«

Großvater starrte mich noch immer an. Sein Blick war böse und starr. Ich kannte das. Manchmal war er so gar nicht der Großvater, der er einmal gewesen war. »Dieser Teufel, dieser verfluchte Hund! Fahr zum Teufel, du Saukerl!« Großvater wurde ganz rot im Gesicht. Er zitterte, und seine Augen begannen zu tränen. Meinte er mich? Er machte mir richtig Angst, also schaute ich auf meine Hände im Schoß. Sie waren ganz weiß.

Eine Pflegefrau kam vorbei und muss bemerkt haben, dass etwas nicht in Ordnung war, denn sie fragte mich, ob mit uns alles in Ordnung war. Ich hätte weinen können. Denn es war eben nicht alles in Ordnung. Großvater war nicht mehr Großvater! Er war so wütend, dass er mir Angst machte.

»Komm, Kalmann«, sagte die Frau, die ich eigentlich gar nicht gut kannte, aber schon einige Male hier gesehen hatte. »Dein Großvater meint es nicht so. Menschen in seiner Situation sind manchmal sehr wütend, aus unerklärlichen Gründen. Er meint es aber gar nicht so. Ganz sicher!«

Ich nickte traurig und folgte ihr, ließ sogar zu, dass sie mich bei der Hand nahm, denn bei Frauen mache ich manchmal eine Ausnahme. Zudem sah ich fast nichts mehr, alles war verschwommen.

Die Pflegefrau führte mich in die Kaffeestube der Angestellten.

»Willst du ein Stück Kuchen?«

Ich nickte und wischte mir die Tränen aus den Augen.

»Komm, wir haben noch welchen von gestern. Aber«, und jetzt hielt sie den Zeigefinger vor ihre Lippen und machte »pssst!, sag's nicht weiter. Mittagessen gibt's in einer halben Stunde.«

Die Frau setzte sich ein wenig zu mir und trank einen Kaffee, wollte wissen, wie das Wetter in Raufarhöfn war und ob man den vermissten Hotelbesitzer schon gefunden habe, schaute aber immer wieder auf ihre Armbanduhr. Offenbar hatte sie die Tagesschau nicht geguckt, darum wusste sie nicht, dass ich heute eigentlich berühmt war. Bald hatte sie den Kaffee ausgetrunken. Er war wahrscheinlich nicht sehr heiß gewesen. Sie entschuldigte sich und ließ mich alleine in der Kaffeestube zurück.

Ich dachte an Magga. Daran, was sie sonst noch während der langen Autofahrt gesagt hatte. Etwas über Quotenspekulationen. Ich wusste, was sie damit meinte. Großvater hatte es mir einmal erklärt, als er noch er war. Er ärgerte sich über die Quotenspekulationen, wahrscheinlich, weil er ein Kommi war, und als ich ihn einmal darum bat, mir das Ganze zu erklären, dachte er eine Weile nach und erklärte es mir dann mit einem sehr guten Beispiel.

»Im Laden gibt es doch Süßigkeiten, nicht wahr?«

Ich nickte. Ich liebte Süßigkeiten. Darum musste ich jedes Jahr zum Zahnarzt, um Löcher zu bohren. Das liebte ich aber gar nicht.

»Nun, Kalli, stell dir vor, jeder darf sich an den Süßigkeiten bedienen. Gratis. Was glaubst du, was dann geschieht?«

Meine Augen leuchteten.

»Ich würde einen ganzen Sack voll mit nach Hause nehmen!«, sagte ich.

»Richtig«, sagte Großvater. »Und alle deine Freunde?«

»Die auch!«, sagte ich, obwohl ich keine richtigen Freunde hatte.

Großvater war zufrieden.

»Richtig. Und dann?« Ich musste nicht lange überlegen, bis ich draufkam, dass die Süßigkeiten bald alle wären.

»Richtig. Die Süßigkeiten wären bald aufgebraucht. Genau das ist mit den Fischen im Meer passiert. Alle Fischer haben so viele Fische gefangen, wie sie nur konnten, bis keine Fische mehr da waren. Aber dann hat der Staat eine Fangquote festgelegt, das heißt, jeder durfte nur noch eine bestimmte Menge Fische fangen, etwa so, wie wenn jedes Kind nur noch drei Süßigkeiten nehmen darf.«

»Jeden Tag?«

»Hm. Sagen wir mal, jede Woche.«

»Gratis?«

»Ja, gratis.«

»Ok«, sagte ich und fand das fair.

»Ja, eigentlich ganz in Ordnung«, sagte Großvater. »Gar nicht so dumm. Aber nun darf jeder, der möchte, seine Quote verkaufen. Sagen wir mal, du magst lieber Kartoffelchips als Süßigkeiten, also verkaufst du deine Quote an Heiðars Jungen –«

»Gulli!«

»… Gulli, der Süßigkeiten liebt, und du bekommst von ihm zehntausend Kronen. Dafür kann er nun für immer sechs Süßigkeiten aus dem Laden nehmen.«

»Zehntausend Kronen?«

»Ziemlich viel, nicht wahr? Damit kannst du ganz viele Kartoffelchips kaufen oder ein neues Fahrrad.«

»Ein neues Fahrrad?«

»Ganz egal was. Aber Gulli hat einen Plan. Er kauft nämlich alle Quoten auf, bis niemand mehr Süßigkeiten nehmen darf außer ihm. Er besitzt jetzt also alle Quoten. Und wer nun Süßigkeiten möchte, muss sie von ihm abkaufen, und zwar für sehr viel Geld.«

»Zum Glück hat jeder zehntausend Kronen.«

»Hm«, machte Großvater. »Aber jetzt passiert etwas ganz Schlimmes. Gulli zieht nach Reykjavík. Und er nimmt die ganzen Süßigkeiten-Quoten mit. Denn sie gehören ja ihm. Aber die Süßigkeiten bleiben trotzdem in Raufarhöfn, es darf sich nur niemand mehr bedienen. Und nun habt ihr Trottel hier oben in Raufarhöfn keine Süßigkeiten mehr. Nur noch neue Fahrräder, die man im Winter sowieso nicht gebrauchen kann!«

Ich war beleidigt. Ich war wütend. Ich fragte mich, was die Polizei dazu sagen würde. Einfach mit der Quote abgehauen! Ich verstand nun, dass es sich mit den Fischen ähnlich verhielt und dass die Quotenspekulationen ungerecht waren. Mehr noch: Die Fische gehörten eigentlich allen Isländern, wie mir Großvater einmal erklärt hatte, aber nur wenige Leute machten damit ein Vermögen.

Großvater konnte mir immer alles gut erklären, so dass ich es verstand. Damals. Jetzt nicht mehr. Dabei hätte es mich sehr interessiert, was Großvater zu dem ganzen Vermisstenfall gesagt hätte, und es fiel mir schwer, mir vorzustellen, was er dazu gesagt haben könnte.

Großvater war nicht mehr da, wo er vorher gewesen war, aber ich musste ihn nicht lange suchen, fand ihn auf der Toilette, wo er in den Schüttstein pinkelte. Als er mich bemerkte, knurrte er irritiert und schlug die Tür hinter sich zu.

Nach einer Weile kam er aus dem Badezimmer geschlurft, die Hose offen. Sein Gürtel glitt ihm fast aus dem Bund und baumelte zwischen seinen Beinen. Ich half ihm, die Hose zuzumachen. Er ließ mich. Ich wagte aber nicht, ihm in die Augen zu schauen. Ich war noch immer ein wenig beleidigt, weil er so böse zu mir gewesen war, auch wenn er es nicht so gemeint hatte. Er roch komisch.

»Gehst du heute wieder nach Keflavík?«, fragte er mich.

»Meinst du Raufarhöfn?«, fragte ich ihn.

»Nein, Keflavík!«, beharrte er, wollte es dann aber doch nicht mehr wissen.

Dann erklang der Gong, und wir gingen essen, aber Großvater hatte keinen Hunger und schob den Teller mürrisch weg. Ich aß nur das Kartoffelpüree, die Sauce und das Schweinefleisch, aber beim Gemüse war mein Bauch zum Platzen voll.

An unserem Tisch saß, wie so oft, Lísa. Ich weiß auch nicht, warum sie sich immer zu Großvater setzte. Und meistens fragte sie uns, ob der vierte Platz am Tisch noch frei sei, denn ihre Freundin komme sie besuchen, aber bis jetzt war ihre Freundin noch nie gekommen. Darum blieb der vierte Platz immer frei. Lísa war auch immer so angezogen, als mache sie sich gleich auf den Weg, mit Handtasche, Hut und allem. Manchmal stand sie draußen vor dem Eingang und wartete auf den Bus, wie sie erklärte, dabei war vor dem Pflegeheim gar keine Bushaltestelle. Die Leute hier waren wirklich ballaballa. Großvater war also in guter Gesellschaft.

Zur Nachspeise gab es Karottentorte. Die fand ich lecker. Ich aß auch Großvaters Stück, bis mir schlecht wurde und ich keinen Bissen mehr runterbrachte.

»Meine Tochter hat sich gestern aus dem Fenster gestürzt«, sagte Lísa und lächelte mich erwartungsvoll an. Sie sagte immer so komische Sachen, man musste also gar nicht darauf reagieren.

»Die spinnt doch«, sagte Großvater, und jetzt schaute Lísa ganz traurig.

Als wir wieder zurück im Zimmer waren, zückte ich meine kleine Plastikdose mit Gammelhai. Ich hatte immer ein kleines Klappmesser dabei. Das hatte einen guten Biss. Ich zerschnitt den Gammelhai in kleine Stücke, und Großvater schaute mir ungeduldig zu. Als ich fertig war, bediente er sich und brummte zufrieden.

»Da kommen einem direkt die Tränen«, seufzte er.

Ich war so stolz.

Es klopfte, die Tür ging auf, eine Pflegefrau trat ins Zimmer, blieb aber abrupt stehen, als wäre sie gegen eine unsichtbare Wand gelaufen, sagte »nein, danke!«, drehte sich auf dem Absatz um und verließ das Zimmer fluchtartig. Aber bevor sie die Tür hinter sich zuwarf, rief sie noch: »Macht um Himmels willen das Fenster auf!«

»Beißen sie?«, fragte Großvater. Und plötzlich war er da! Und ich zögerte nicht. Wenn Großvater plötzlich da war, musste man das einfach sofort nutzen.

»Ich habe neue Köder bekommen«, sagte ich schnell. »Ich lasse die Stücke aber noch ein wenig in den Fässern, und dann beißen sie bestimmt, du wirst sehen! Vielleicht fahre ich morgen raus, oder übermorgen, mal sehen.«

Großvater nickte und kaute.

»Und Petra läuft?«

Ich nickte.

»Habe einen Ölwechsel gemacht. Sæmundur hat mir geholfen.«

Großvater musterte mich.

»Du machst das wirklich gut«, sagte er. »Das habe ich immer gewusst.« Ich nickte und unterdrückte ein Grinsen. Großvater packte meine Hand und drückte sie ganz fest, was fast weh tat. »Dein Hai ist delikat. Der beste Hai in ganz Island!«

»Du nimmst mich auf den Arm!«, rief ich und prustete.

»Aber nein! Da können die Haifischfänger in den West-fjorden einpacken!«

Ich war so stolz! Aber ich hatte keine Zeit, um lange stolz zu sein, denn Großvater bat mich, ihm einen Kaffee zu holen, denn er sei müde. Aber ich war nicht schnell ge-nug, denn als ich zurückkam, war er schon eingeschlafen, ließ sich auch nicht mehr wecken, atmete tief, schnarchte ein wenig. Selbst als ich ihm die Wangen tätschelte, schlief er weiter. Mir wurde bald langweilig, und der Kaffee wurde kalt, aber es dauerte sowieso nicht mehr lange, bis mich Magga abholen würde, also verabschiedete ich mich leise, küsste Großvater auf beide stachelige Wangen und auf die Stirn, umarmte ihn lange und ging.

Draußen setzte ich mich auf eine Bank und wartete, bis Magga angefahren kam. Ich war gar nicht glücklich, als hätte ich ein Loch in mir drin. Eine halbe Stunde spä-ter kam sie um die Kurve gefegt. Sie muss die Kurve wohl unterschätzt haben, so dass sich ihre Blechbüchse bedenk-lich neigte. Wenn sie noch etwas mehr aufs Gaspedal ge-drückt hätte, wäre die Karre gekippt und mitsamt Magga in den nächsten Garten gerollt. Aber sie kam ruckartig und ziemlich nah an der Bank zum Stehen. Ich zog die Füße ein. Ich sah gleich, dass Magga gut gelaunt war. Die Rücksitze waren bis zu den Fenstern hoch mit Einkaufs-taschen vollgestapelt, eine davon war für mich, das wusste ich, das war so abgemacht, und das machten wir immer so. Magga hatte eine neue Frisur, und damit ich es auch be-merkte, berührte sie mit den Handflächen ganz behutsam ihre Haare, worauf ich sagte, dass sie eine neue Frisur habe, was sie noch glücklicher machte. Magga ging oft zum Friseur, wenn wir nach Húsavík fuhren, aber man sah nicht immer einen Unterschied. Beim allerersten Mal, als ich natürlich sowieso nichts bemerkte, obwohl sie eine komplett neue Frisur hatte, erklärte sie mir, dass man in der Gegenwart von Frauen immer aufmerksam zu sein hatte und ihnen Komplimente machen müsse, das mögen Frauen. Das war ein guter Rat von ihr, denn ich wollte gerne eine Frau, hatte aber bisher noch keine gefunden, und darum war guter Rat teuer. Es war wichtig, dass ich alles richtig machte, und deshalb übte ich mit ihr, war immer aufmerksam und versuchte es zu bemerken, wenn sie eine neue Frisur hatte. Wir machten sozusagen ein Spiel daraus, und manchmal, wenn ich es nicht bemerkte, bekam ich Punkteabzug, wie sie sagte, obwohl wir gar keine Punkteliste hatten. Aber wenn wir eine Punkteliste gehabt hätten, wäre ich mit vielen Punkten im Vorsprung gewesen. Magga lächelte also auch diesmal geschmeichelt und sagte, ich bekomme zehn Punkte, und schon drückte sie mit Elan aufs Gaspedal, raste über eine Bodenschwelle, die den Verkehr eigentlich hätte verlangsamen sollen, so dass wir fast abhoben, aber sogleich zurück auf den Boden geholt wurden, was vor allem der Fronstoßdämpfer zu spüren bekam, doch als wir Húsavík hinter uns gelassen hatten, fuhr Magga keine siebzig Stundenkilometer mehr, weil uns doch ein paar Autos entgegenkamen. Sie redete den ganzen Weg bis nach Raufarhöfn, und manchmal hörte ich gar nicht richtig zu, wurde aber aufmerksam, als sie von einer Schlägerei zu erzählen begann, die sich wohl am Wochenende in Húsavík zugetragen hatte. Ein betrunkener Rumäne habe sich im

Gamli Baukur an die Frauen rangemacht, habe auch eine begrabscht, worauf ihm diese eine runtergehauen habe, was den Rumänen, den die Húsavíkinger Troll nannten, wütend gemacht habe. Er habe die Frau so fest von sich gestoßen, dass sie über einen Tisch gefallen und alle Bier- und Weingläser mit sich zu Boden gefegt habe. Dabei habe sie sich üble Schnittverletzungen an den Händen zugezogen, was in einer Schlägerei zwischen Isländern und Rumänen resultiert habe. Magga schüttelte entrüstet den Kopf. Als sie diesem Troll einmal im Laden begegnet sei, habe sie gleich ein ungutes Gefühl gehabt. Die Rumänen, sagte sie, seien einfach ein Problem, denn wir bekämen nicht die besten Exemplare zugeschickt. Nicht wie die Polen, von denen zwar die meisten selbst nach zehn Jahren noch kaum Isländisch könnten, aber wenigstens fleißig seien, die Frauen und die Männer. Und wenn das mit der Einwanderung so weitergehe, gehe es uns gleich wie den Europäern, die von Räuberbanden aus Osteuropa heimgesucht werden.

Von Nói wusste ich, dass vor allem Rumänen und Litauer Sachen klauten, aber am allermeisten Drogensüchtige in Wohnungen einbrachen, also Isländer, denn Drogensucht hat mit Nationalität nichts zu tun. Und das sagte ich ihr auch, obwohl ich meistens nicht viel sagte.

Magga schaute mich an, war entweder überrascht, weil ich etwas gesagt hatte oder weil sie geglaubt hatte, dass es immer nur Rumänen waren, die Probleme machten. Jedenfalls schaute sie mich an, und darum schaute sie nicht auf die Straße, bis die Räder an den Straßenrand gerieten und Schlamm an der Seite hochspritzte. Magga gab einen erschreckten Ton von sich und riss das Steuer rum, drückte dabei aber aufs Gas, und mir kam der Gedanke, als ich mich am Sitz festhielt und die Zähne zusammenbiss, dass ich meinen Großvater vielleicht zum letzten Mal gesehen hatte.

»Litauer?«, sagte sie. »Aber das sind doch Litauer, die bei uns im Dorf sind, nicht wahr? Im Hotel, das sind doch Litauer!«

Das stimmte. Und darum nickte ich eifrig. Und ich schwitzte.

»Nicht wahr?«, sagte Magga und schaute mich wieder an.

»Ja, Litauer!«, rief ich und zeigte auf die Straße, denn ich wollte, dass Magga auf die Straße schaute, was sie dann auch tat.

»Armer Róbert«, sagte sie. »Vielleicht haben ihn die Litauer ermordet.« Sie machte eine Pause, war einen Moment ganz still, dann fügte sie hinzu: »Organisiertes Verbrechen«, seufzte und ergänzte: »Bei uns in Raufarhöfn. Nirgendwo ist man noch sicher. Da müssen wir noch bis zum Nordpol, um sicher zu sein.«

»Da gibt es Eisbären«, erinnerte ich sie, und Magga lachte, sagte, ich solle jetzt aber mal aufhören mit meinen Eisbären, sonst kämen sie dann wirklich! Sie erzählte mir dann einiges über Róbert, der früher ein ganz hübscher Mann gewesen sei, ein richtiger Frauenschwarm, in den einige Frauen verliebt waren, ein Bachelor, jung und erfolgreich, der sogar sieben oder acht Jahre im exotischen Ausland gelebt und mit Fischzuchten in Brasilien ein Vermögen gemacht habe.

»Aquakulturen«, erzählte Magga. »Fischzuchten, das ist

genial. Dann muss man die Fische nicht mehr fangen. Die sind dann schon im Netz!«

»Aber dafür muss man sie füttern, die Fische«, sagte ich.

»Trotzdem, viel einfacher«, sagte Magga.

»Große Fische essen kleine Fische«, sagte ich. Das wusste ich von Großvater. »Darum muss man trotzdem fischen gehen.« Aber Magga schüttelte nur den Kopf und wurde irgendwie traurig, sagte, der arme Róbert habe doch viel zu viel gearbeitet, und der ganze Stress wegen der Quote, dem Hotel und dem Finanzdesaster mit dem Arctic Henge. Sowieso habe ihn die Finanzkrise schlimm getroffen. Und dieser Stress sei ihm anzusehen gewesen. Er habe sich während den letzten Jahren so verändert, und er habe wieder arg zu trinken begonnen, doch sie wolle gar nicht wissen, könne es sich auch nicht vorstellen, wie er jetzt aussehe, so tot. Doch Magga schüttelte den Gedanken ab und fragte mich, wie es denn Großvater gehe, und ich erzählte ihr, dass ich ihm Haifisch mitgebracht habe, worauf er sich eine Weile mit mir unterhalten habe, und –

»Wie schön! Das hast du wunderbar gemacht!«, rief Magga und erklärte mir, dass wir Erinnerungen auch mit dem Geruchssinn verknüpfen und so weiter, ich hörte da nicht mehr wirklich zu, denn ich dachte an Großvater und daran, was er gesagt hatte, versuchte mich ganz genau zu erinnern, denn ich wusste wirklich nicht, ob ich diese Fahrt überleben würde: »Dein Hai ist der beste in ganz Island!« Magga war irgendwie aufgedreht. Eben war sie noch traurig gewesen. Jetzt war sie so gut gelaunt, als hätte sie im Lotto gewonnen. Manchmal kroch sie mit Tempo sechzig, manchmal raste sie mit Tempo hundert, je nachdem, an was sie gerade dachte, es übertrug sich auf ihren rechten Fuß, und darum musste sie mich zweimal fragen, ob ich denn noch welchen bei mir habe.

»Was?«

»Haifisch!«

Ja, hatte ich. Und als sie mich vor meinem Häuschen absetzte, schenkte ich ihr die ganze Plastikdose mit dem restlichen Gammelhai, ich war doch so froh, dass ich die Fahrt überlebt hatte, und Magga war total dankbar, sagte, sie wolle gleich heim und sich ein ordentliches Stück genehmigen, dazu einen Schluck Brennivín, und zufrieden brauste sie davon. Ich bemerkte gerade noch, wie Elínborg ihre Vorhänge aufzog, erst Magga hinterherschaute und dann mich fixierte.

Ich ging ins Haus und legte mich aufs Sofa, war irgendwie völlig erschöpft, knipste den Fernseher an und machte ein Nickerchen.

Nói weckte mich, das heißt, mein Laptop weckte mich, der zu tuten begann, als mich Nói auf Messenger zu erreichen versuchte.

»Mr. N.!«, gähnte ich.

»Vergiss den Dampftopf«, sagte Nói und ergriff eine Redbull-Dose, die im Bild stand, hob sie aus dem Bild, trank sie leer, zerknüllte die Dose mit einiger Anstrengung und schmiss sie neben sich in den Papierkorb, der da wohl stand. Es klang so, als lägen da schon weitere Dosen drin.

Ich wusste natürlich längst, dass nicht der Dampftopf Róbert umgebracht hatte. So was spürt man einfach, aber ich wollte Nói den Spaß an der Sache nicht verderben.

»Wieso?«, fragte ich und spielte den Unwissenden.

»Er kann es nicht gewesen sein«, sagte Nói.

»Aber wieso?«

»Sein Alibi ist wasserdicht.«

»Alibi?«

»Hundertprozentig! Zuerst glaubte ich auf einer heißen Fährte zu sein. Wusstest du, dass der Typ nicht mehr aufs Meer fahren darf, weil er psychische Probleme hat?«

»Echt?« Das wusste ich nicht.

»Er ist eine kranke Sau. Hat auf seiner letzten Tour fast den Maschinisten zu Tode geprügelt.«

»Ach, *die* Geschichte«, sagte ich, denn ich kannte die Geschichte, wusste aber nicht, dass Óttar deswegen nicht mehr auf einem Boot arbeiten durfte. Und zu Tode geprügelt hatte er den Maschinisten, der sein Schwager gewesen war, auch nicht, nur ein wenig herumgeschubst. Aber dieser Schwager hatte sich dann scheiden lassen und war weggezogen, darum gab es keinen Grund zur Sorge.

»Der Maschinist hat sich wohl über die Suppe beschwert«, sagte Nói und lachte laut, hielt sich den Bauch, und ich stellte mir vor, dass er den Kopf zurückwarf, aber sehen konnte ich das nicht. Dann begann Nói zu husten, und er hustete und hustete, ein trockenes, röhrendes Husten, das mir richtig in den Ohren weh tat, und fast hätte ich sein Gesicht gesehen, denn Nói beugte sich vor, aber dann passierten zwei Sachen, fast zur gleichen Zeit: Im Hintergrund öffnete sich die Tür zu seinem Zimmer, und die Verbindung brach ab.

Zwanzig Minuten später rief Nói wieder an.

»Er hat auf Facebook einige Kommentare abgegeben,

etwa zu der Zeit, als der Hotelbesitzer verschwand. Er hat sich da während gut drei Stunden aufgeregt und fünfunddreißig Kommentare in einen Feed gespeist.«

Nói klang ganz anders. Seine Stimme war ziemlich monoton, als schmerzte ihn sein Hals. Seine Zunge lag ihm schwer im Mund, wie betrunken.

»Alles in Ordnung?«, fragte ich.

»Aber sicher«, sagte Nói, und dann eine Weile nichts mehr.

»Worum ging es denn auf Facebook?«

»Da muss man ihm schon recht geben«, lallte Nói und saß bewegungslos da. »Dieser ganze Feministenscheiß ist völlig übertrieben. Der Dampftopf hat sich im Forum mit etwa drei Frauen angelegt, die ihn fertigmachen wollten, aber er hat sich meisterlich gewehrt, bis die Frauen schließlich nicht mehr auf ihn reagierten, aber ich meine, es stimmt schon, wir Männer arbeiten länger und härter. Schon seit Jahrhunderten. Und jetzt wollen die Frauen plötzlich genauso viel verdienen wie wir? Jetzt aber mal langsam, Püppchen. Nimm mal einen Hammer in die Hand und bau ein Haus, dann reden wir weiter!«

Ich lachte, schämte mich aber ein wenig und dachte an meine Mutter, die bis zum Umfallen schuftete. Óttar arbeitete nur Teilzeit im Hotelrestaurant, das wusste ich. Darum hatte er auch Zeit, drei Stunden lang Facebook-Kommentare zu schreiben. Zudem hatte er wieder zu trinken begonnen. Gin und Tonic.

»Der Dampftopf ist wieder Alkoholiker wie Róbert«, sagte ich. »Er hat sich kürzlich einen Drink gemixt.«

»Das ergibt Sinn«, sagte Nói. »Wie er sich da auf Facebook ausgedrückt hat, deutet darauf hin, dass er betrunken war. Was mich auf eine weitere Spur führt …«

Nói machte eine Pause, eine lange Pause, und ich hielt den Atem an. Er schnaufte unregelmäßig. Etwas war nicht in Ordnung mit ihm. Dann brach das Gespräch erneut ab. Zehn Minuten später war er wieder da.

»Who shot the Sheriff?«

»Was?«

»Willst du denn nicht wissen, welche Spur ich entdeckt habe?«

»Doch!«, sagte ich und war verwirrt. Nói war ganz der Alte.

»Wieso fragst du denn nicht?«

»Was ist deine Spur?«

»Geld, money, dinero, cash eben. Folge dem Geld!«

»Ok. Aber wohin?«

»Nein!«, sagte Nói.

»Nein?«

»Nein.«

»Also nein.«

»Woher.«

»Woher?«

»Korrektomundo. *Woher* kommt das ganze Geld.«

»Ich weiß es leider auch nicht«, sagte ich.

»Wir müssen dem Geldstrom folgen. Der Alkohol in der Bar. Der Dampftopf arbeitet wenig und ist Alkoholiker. Das kostet. Das geht gar nicht. Wer bezahlt?«

»Róbert«, vermutete ich, denn Róbert war der einzige reiche Mann in Raufarhöfn. »Die beiden sind gute Freunde, schon seit immer.«

»Na also! Róbert bezahlt. Sein Jugendfreund. Sein Arbeitgeber. Der Hotelbesitzer bezahlt. Er hat also Geld. Aber woher? Ganz bestimmt nicht vom Hotelbusiness. Es kommen doch kaum Gäste zu euch hoch – obwohl ich euch eine ganze Menge wünschen würde, denn wir haben zu viele hier unten.«

»Nein danke«, sagte ich. »Ich mag Touristen überhaupt nicht. Die sitzen dann plötzlich an meinem Tisch.«

»Eben. Das kenne ich nur zu gut.«

»Die sollen sich verpissen!«

»Kalmann, bleib am Ball! Der Hotelbesitzer hat doch diesen Arctic-Henge-Steinhaufen gebaut.«

»Aber nur zur Hälfte.«

»Ihm ist also das Geld ausgegangen.«

»Das stimmt.«

»Aber!« Nói hob den Zeigefinger. »Woher kommt das Geld?«

»Die Leute haben gespendet. Und sein Vermögen hat er mit Fischfarmen in Brasilien gemacht.«

»Ach, der ist das?«

»Und er hat auch eine Fangquote.«

»Interessant. Hochinteressant. Ergibt alles Sinn. Die Quotenkönige sind die reichsten Banditen im Lande. Aber wieso hat er den Arctic Henge nicht fertigbauen können? Ist ihm wirklich das Geld ausgegangen?«

»Gute Frage.«

»Oder besser, wieso ist es ihm ausgegangen? Es gibt einige Möglichkeiten. Erstens. Der Arctic Henge machte ihn pleite. Zweitens. Das Hotel machte ihn pleite. Aber vielleicht war es so gewollt; ein Schuldenprojekt, um weniger

Steuern bezahlen zu müssen. Drittens. Frauen. Viertens. Alkohol …«

»Frauen?« Mir schwindelte.

»Korrektomundo. Aber jetzt frage ich dich …« Nói machte wieder eine Pause, beugte sich vor und sagte: »Was war zuerst. Das Geld oder der Alkohol.«

»Was?«

»Das Huhn oder das Ei?«

»Das Huhn«, vermutete ich, denn ein Ei kann sich nicht selber legen.

»Es wäre doch möglich, dass der Hotelbesitzer Alkohol brennt. Oder der Dampftopf! Oder die litauische Drogenmafia! Und der Hotelbesitzer hat es bemerkt, wollte sie verpfeifen und musste daran glauben.«

»Die Litauer«, sagte ich, ohne zu überlegen, »sind total nett. Besonders Nadja.«

»Wer ist Nadja?«

»Sie arbeitet im Hotel und ist totaaal heiß!«

Nói richtete sich etwas auf und bearbeitete seine Tastatur.

»Kennst du ihren Nachnamen?«

»Nein.«

»Nadja …«, Nói klickte ein paar Mal mit der Maus »… Nadja Staiva! Warte … wow. Die ist total heiß! Ai Caramba!« Nói wackelte auf dem Stuhl. »Und die Braut ist nett, sagst du? Wieso hast du mir das nicht schon früher gesagt!«

Ein paar Mausklicks später hatte ich Bilder von ihr auf meinem Bildschirm, die Nói auf Facebook gefunden hatte. Selfies mit Sonnenbrille oder Freunden, die Lippen zum

Kuss geformt, beim Gullfoss, beim Geysir, beim Leucht-turm, beim Party machen und in einer Stadt, aber sicher nicht Reykjavík, wahrscheinlich in Litauen. Ich hatte sie noch nie so geschminkt gesehen, und sie war noch viel schöner auf den Bildern. Aber jetzt realisierte ich, dass sie nicht auf einem Bauernhof aufgewachsen war. Nói wurde sauer.

»Und du hast mir immer vorgejammert, es gäbe in Rau-farhöfn keine Katzen!«

»Was ich damit meinte«, verteidigte ich mich, »es gibt hier keine Frauen für mich, ich meine, bei denen ich eine Chance hätte. Entweder sind sie zu alt oder, wie Nadja, zu heiß. Und zudem vergeben.«

»Fuck me!«, sagte Nói. »That sucks balls, bro!«

Ich nickte. Nói öffnete eine Redbull-Büchse, während ich ihm von den Litauern erzählte:

»Es gibt noch eine Litauerin, aber auch die hat ihren Freund dabei. Sie sind alle Freunde.«

»Die treiben es bestimmt miteinander!«, vermutete Nói und trank.

Ich nickte traurig und dachte an Nadja. Als sie damals nach Raufarhöfn kam, hatte sie mich ignoriert. Das war jetzt schon zwei oder drei Jahre her. Aber seit ich den Li-tauern auf einer Bootsfahrt begegnet war, war Nadja im-mer total nett zu mir gewesen. Sie bat auch ab und an um Rat. Sie wollte wissen, wo im Internet die Wetterprogno-sen für Seeleute zu finden waren. Ebbe und Flut, Wind-karten, Meeresströmungen und so. Ich erzählte ihr auch von einer Website, auf der man genau sehen konnte, wo sich alle Schiffe der Welt befanden, was sie sehr interessierte und glücklich machte. Ich wusste gar nicht, dass Litauer so gerne Bootsfahrten unternehmen. Aber es gab so vieles, das ich nicht über sie wusste. Zum Beispiel, dass alle Litauer Russisch können. Das fand ich krass. Wenn man die Weltkarte anguckt, sieht man, wie groß Russland ist. Und Nadja konnte sich mit allen da unterhalten! Aber auf der Weltkarte sieht man auch, dass Litauen an der Ostsee liegt, was die Vorliebe für Bootsfahrten erklärte. Und ich lernte, dass Litauer gerne Suppe kochen. Das merkte man der Speisekarte im Hotel an. Neuerdings gab es auch Kartoffelpuffer. Ich fand das ganz lecker, obwohl ich Fritten mit Cocktailsauce lieber mochte.

»Ihr Freund heißt Darius«, stellte Nói fest. »Darius … Ziol… Ziol… Ziolkowski. Schrecklicher Name. Der Typ gefällt mir gar nicht. Der sieht ja schon verdächtig aus! Ein army guy.« Nói war noch immer mit Facebook beschäftigt. Er schickte mir ein Bild, worauf Darius in einen Tarnanzug gekleidet auf einem Panzer saß, das Gewehr auf den Oberschenkeln liegen hatte und mit den Fingern das Siegeszeichen machte. »Ein Profikiller«, sagte Nói.

Mir schauderte. Diese ganzen Informationen waren überwältigend. Es war unangenehm zu wissen, dass im Hotel ein professioneller Killer arbeitete und eine Frau hatte, die wahrscheinlich viel zu lieb für ihn war und meine Traumfrau hätte sein können. Dieser Darius hatte noch nie Hallo zu mir gesagt. Das war doch verdächtig. Nói gab mir recht.

»Was weißt du über die anderen beiden?«, fragte er mich, und ich musste zugeben, dass ich nichts über sie wusste. Ich hatte zwar ihre Namen schon gehört, aber ich konnte sie mir nicht merken, weil sie nicht isländisch waren, aber Nói wollte versuchen, der Sache mit Hilfe des Internets auf den Grund zu gehen. Wenigstens konnte ich das Aussehen der Litauer beschreiben. Nadjas Freundin war etwas breiter, hatte aber geile Lippen und so einen Punkt auf der Wange, einen Fleck. Dazu braunes, langes Haar …

»Geil!«, stöhnte Nói. Er hatte sie gefunden.

Deren Freund hatte kurze schwarze Haare, einen breiten Kopf, breite Schultern und ein Tattoo am Oberarm, das man bis zur Hälfte sah, da er meistens im T-Shirt rumlief, obwohl es kalt war. Ich wusste, dass sie alle rauchten, dass sie im Hotel alle Arbeiten verrichteten, putzten, Wäsche wuschen, Geschirr spülten, bedienten, servierten, malten, flickten, Glühbirnen auswechselten und den Müll rausbrachten. Sie machten einfach alles. Ich wusste, dass sie einmal pro Woche in ihren rostigen Subaru kletterten und nach Húsavík zum Einkaufen fuhren. Ich wusste, dass sie Geld in die Heimat schickten – Nadja hatte es mir einmal erzählt. Ich wusste, dass Nadja Geld sparte und damit ein Haus in Litauen kaufen wollte.

Das alles erzählte ich Nói, was ihn in seiner Theorie bestätigte, dass mit den Litauern etwas faul war, dass sie Geld brauchten, dass sie nicht gedachten, in Island zu bleiben, und dass sie wussten, wie man jemanden umbrachte. Nói gab mir den Auftrag, aufmerksam zu bleiben und zu beobachten, wie sich die Litauer jetzt verhielten. Waren sie erschüttert? Waren sie gut gelaunt? Bekümmert? Erleichtert? Was sagte Nadja zu der ganzen Sache? Nói beauftragte mich, sie in ein Gespräch zu verwickeln, was mich total nervös machte, denn es war normalerweise immer

Nadja, die mich zuerst ansprach. Und darum konnte ich an jenem Abend eine ganze Weile gar nicht gut einschlafen. Lange lag ich wach im Bett, guckte auf die Uhr, bis es eins war, halb zwei, zwei. Dann halb drei. Ich war innerlich so aufgeregt, dabei wusste ich zu diesem Zeitpunkt noch gar nicht, dass Magga tot in ihrer Küche lag und wie ich an die Decke starrte.

10

Leiche

Ich wunderte mich, woher das seltsame Licht an meiner Zimmerdecke kam. Ich war gerade aufgewacht, und da weiß man immer gar nicht, wo man ist, wer man ist oder was passiert. Man starrt an die Decke und betrachtet das seltsame, tanzende Licht, als wäre über Nacht der Meeresspiegel angestiegen und hätte das Haus vom Fundament gehoben. Als treibe man auf offener See. Es ist das Sonnenlicht, das auf den Wellen reflektiert wird und durchs Fenster flackert. Man hat dann so dumme Gedanken. Klimawandel. Gletscherschmelze. Ich musste an Großvater denken, der manchmal gesagt hatte, Island schwimme auf dem Meer, es habe nur noch niemand bemerkt. Es gibt diesen Film, in dem alle Gletscher geschmolzen sind und das Wasser so hoch steht, dass es kein Land mehr gibt. Nur noch Meer. Der Held ist halb Mensch, halb Fisch. Er kann unter Wasser atmen, sieht aber noch immer gut aus, nicht wie ein Fisch. Das nennt man Evolution. Und wer nicht an Evolution glaubt, ist behindert. Das hatte auch Nói gesagt. Man muss ja nur den Fernseher einschalten, um sich dann zu fragen, ob man überhaupt noch Kinder in diese Welt setzen soll. Dabei möchte ich doch Kinder. Und früher wusste ich auch, wer die Mutter für meine Kinder sein würde: Dagbjört. Aber das Leben richtet sich nicht immer nach unseren Wünschen. Das sagt auch meine Mutter.

In diesen Halbsekunden, wenn man wach wird, aber noch immer schläft, denkt man manchmal auch an Sex. Obwohl ich jetzt nicht mehr in Dagbjört verliebt war, hätte ich nicht nein gesagt, wenn sie zu mir ins Bett gestiegen wäre, um Kinder zu machen. Das ist die Glut der Liebe. Die brennt ein Leben lang. Auch wenn das Feuer schon längst aus ist, glimmt tief drin in der Asche die Glut. Das hatte Magga gesagt.

Und in diesen Gedanken war ich irgendwie gefangen, als das Blaulicht an meiner Decke tanzte, ich mit knüppelhartem Glied im Bett lag und mir nur langsam klarwurde, dass vor meinem Häuschen ein Polizeiauto stand. Das Pochen an der Tür warf mich geradezu aus dem Bett, ich stolperte nur in meiner Unterhose die steile Treppe runter und riss die Tür auf. Erst dann wurde ich richtig wach.

Polizeikommissarin Birna schaute mich von oben bis unten an, sagte: »Zieh dich an!«, und ich machte die Tür zu, und im selben Moment fiel mir ein, dass ich die Tür hätte offen lassen sollen, als Birna erneut an die Tür pochte. Ich machte also sofort wieder auf und eilte nach oben, wo ich mich anzog. Dann kam ich so schnell ich konnte die Treppe runter, Birna sollte merken, dass es mir ernst war, aber ich wusste gar nicht, was sie von mir wollte, und fragte mich, ob ich die Tür gar nicht hätte aufmachen, sondern so tun sollen, als wäre ich nicht zu Hause. Birna war inzwischen eingetreten und schaute sich um. Heute war sie uniformiert und ausgerüstet, hatte sogar Pfefferspray und einen Schlagstock am Gürtel. An ihrer Schulter hing ein kleines Polizeifunkgerät. Birna machte ein mürrisches Gesicht, sah müde aus. Älter.

»Setz dich!«, sagte sie und zeigte auf einen Stuhl am Tisch.

Ich setzte mich und bereute nun wirklich, die Tür aufgemacht zu haben. Mein Kopf wurde heiß und darum sicher rot. Birna baute sich vor mir auf, die Hände auf dem Schlagstockgürtel ruhend. Musterte mich lange.

»Wieso lächelst du?«, fragte sie mich, und ich zuckte mit den Schultern, versuchte, nicht mehr zu lächeln, was mir aber nicht gelang. »Ist das nur ein Spiel für dich? Polizeiautos, Blaulicht, endlich läuft mal was in Raufarhöfn? Endlich was los, was?«

Ich zuckte wieder mit den Schultern. Birna seufzte, schaute zu Boden, atmete gepresst aus und schüttelte den Kopf.

»Ich brauche Kaffee«, sagte sie, aber nicht so, als verlangte sie von mir einen Kaffee. Sie führte nur ein Selbstgespräch.

»Magga ist tot«, sagte sie unverhofft. Jetzt machte ich große Augen. Magga war tot? *Die* Magga? Die mich vor wenigen Stunden vor meinem Haus abgesetzt hatte? Birna betrachtete mich wieder und beugte sich zu mir. »Tot. In der Küche. Am Boden. Blaues Gesicht. Tot.«

Vielleicht war der Zeitpunkt meiner Frage nicht gut gewählt, aber ich hatte Mühe, einen klaren Gedanken zu fassen. Schließlich war ich eben erst aufgewacht, und die Polizeikommissarin blickte direkt in meinen Kopf, was unangenehm war, aber schon hörte ich mich sagen:

»Wer fährt mich denn jetzt nach Húsavík? Magga fährt

mich nämlich jeden Samstag …« Ich hielt die Klappe. Aber Birnas Gesichtsausdruck wurde weicher.

»Magst du Magga?«

Ich zuckte mit den Schultern.

»Meistens. Nicht immer. Sie ist nett zu mir. Aber sie redet so viel, dass einem fast die Ohren abfallen!«

»Über was habt ihr euch denn unterhalten?«

Ich schaute Birna entsetzt an. Die Fahrt von Raufarhöfn nach Húsavík dauert zwei Stunden. Also vier Stunden hin und zurück. Und Magga hatte fast ununterbrochen geredet. Hätte ich die vier Stunden Gespräch zusammenfassen sollen? Ich hatte doch meistens gar nicht zugehört!

»Lass dir Zeit«, sagte Birna. Sie war nun nicht mehr so barsch, setzte sich sogar mir gegenüber an den Tisch. Ich beobachtete sie aus den Augenwinkeln und vergaß dabei völlig, mich an gestern zu erinnern. »Habt ihr euch übers Wetter unterhalten?«

»Nein … Doch! Vielleicht.«

»Habt ihr euch über deinen Großvater unterhalten?«

Ich war echt dankbar für ihre Vorschläge. Denn nun wusste ich wieder, über was wir uns unterhalten hatten.

»Ja!«, sagte ich erleichtert. »Über Großvater und über die ganze Sache mit Róbert.«

»Geht doch«, sagte Birna und lächelte müde. »Über was denn genau?« Ich zuckte mit den Schultern. Mein Kopf war einfach noch nicht ganz wach. »War Magga traurig über Róberts Verschwinden?«

»Ein bisschen«, sagte ich. »Vielleicht ein wenig. Sie sagte, dass Róbert früher ein ganz hübscher und netter Mann gewesen sei. Ein Frauenschwarm. Also vielleicht war sie schon auch traurig.«

»Aber jetzt mochte sie ihn nicht mehr?«

»Magga beschwert sich immer über alle und jeden«, sagte ich. Und da fiel mir noch etwas ein: »Magga hat sich eine neue Frisur machen lassen! Und sie hat sich über meinen Haifisch gefreut.«

Birna runzelte die Stirn. »Du hast ihr Gammelhai gegeben?«

Ich nickte. »Ich nehme immer Gammelhai mit, wenn ich Großvater besuche.«

»Das riecht man«, sagte Birna. »Ihre Wohnung riecht wie deine.« Birna rümpfte die Nase und hing einem Gedanken nach. »Wieso hat sie Róbert nicht mehr gemocht?«

»Róbert? Ich glaube, sie mochte ihn. Sie war bloß traurig. Aber sie mag seine Arbeiter nicht, die Litauer.«

Birna seufzte und murmelte:

»Nix verstehen.«

»Das hat sie auch gesagt. Sie mag die Litauer nicht und die Rumänen auch nicht und die Schwarzen auch nicht und die Jungen auch nicht und die Politiker auch nicht und die Touristen auch nicht und das Wetter auch nicht und den Verkehr auch nicht.«

Ich hatte das Gefühl, dass ich eine gute Hilfe war.

»Was hat sie zu dir gesagt, als sie dich hier abgesetzt hat, gestern Abend?«

»Sie hat gesagt, danke für den Hai. Sie mag meinen Hai. Ich mache wahrscheinlich den zweitbesten Hákarl in ganz Island.«

»Das glaube ich dir«, sagte Birna. Ihr Funk, der auf ihrer

Schulter befestigt war, machte plötzlich Töne, und dann fragte eine rauschende Stimme nach ihr. Birna drehte ihren Kopf zum Funk, drückte auf einen Knopf und sagte, sie sei hier fertig und komme gleich rüber. Dann schaute sie mich wieder an, ziemlich lange sogar. Und ich erwiderte ihren Blick, denn ich glaubte, sie würde gleich etwas sagen, aber sie sagte einfach nichts, schaute mich nur an. Sie war müde, das sah ich ihr an, und irgendwie schaute sie durch mich hindurch. Dann seufzte sie, klatschte ihre Handfläche auf die Tischplatte, erhob sich und ging einfach, ohne auf Wiedersehen zu sagen, als wäre ich gar nicht mehr da. Sie warf die Tür hinter sich zu, schmiss den Motor an, und bald war das Blaulicht an der Decke weg. Und ich saß am Küchentisch, und erst jetzt wurde mir so richtig bewusst, dass es Magga nicht mehr gab. Und die Frage stellte sich mir erneut, wer mich denn nun nach Húsavík zu Großvater fahren würde. Also rief ich meine Mutter an.

⌘

II

Mutter

Drei Stunden später war sie da. Und ich war auf der Couch wieder eingeschlafen. Vielleicht war sie auch schon früher da gewesen, ich hatte sie nämlich gar nicht kommen hören, und als ich aufwachte, hatte sie schon die Küche aufgeräumt und das Geschirr gespült. Aber als sie bemerkte, dass ich wach war, setzte sie sich zu mir auf die Couch, küsste mich auf die Stirn und strich mir übers Haar.

»Guten Morgen, Schlafmütze«, sagte sie.

»Mama«, sagte ich und rieb mir die Augen.

»Was machst du nur für Dummheiten«, sagte sie.

»Mama!«, sagte ich.

»Wieso hast du mich nicht schon früher angerufen? Du weißt doch, dass ich jederzeit kommen kann.«

Ich gähnte herzhaft, so dass ich meine Mutter auch gleich ansteckte. Sie schaute sich um und stellte müde fest:

»Ich hätte längst kommen sollen.«

Just in diesem Moment klopfte es wieder an der Tür.

»Birna«, sagte ich gequält.

»Wer?«

»Die Polizei. Nicht aufmachen!«

»Wieso denn nicht? Hast du etwas verbrochen?« Meine Mutter stand schon. Wieder klopfte es an der Tür. Ich verbarg mein Gesicht unterm Kissen. »Kalmann!«, sagte meine Mutter vorwurfsvoll.

»Kalmann?«, hörte man nun Birna von draußen rufen. »Bist du da?«

Meine Mutter ging zur Tür und machte auf.

»Diese Scheißbitch!«, sagte ich ins Kissen.

Und schon standen sie sich gegenüber, meine Mutter und Birna, schauten sich dabei ganz erstaunt an. Es war einfach nicht zum Aushalten mit diesen Weibern!

»Kalmann?«, sagte meine Mutter, als ich die Treppe hoch in mein Zimmer rannte und die Tür hinter mir zuwarf, so dass das ganze Haus wackelte.

»Bitch!«, zischte ich und warf mich auf mein Bett. Unten hörte ich die beiden Frauen reden. Also hielt ich die Luft an.

Das Haus, in dem ich wohne, wurde 1912 gebaut. Das weiß ich, weil die Jahreszahl draußen über dem Eingang geschrieben steht. Es ist eins der ältesten Häuser in Raufarhöfn und eins der kleinsten obendrauf. Wenn jemand auf dem Klo sitzt und einen kräftigen Furz fahren lässt, hört man das auch im Dachzimmer. Also hörte ich jedes Wort, das unten gesprochen wurde. Ich verhielt mich ganz still, kletterte vom Bett, legte mich sachte auf den Boden und hielt mein rechtes Ohr auf die Dielen. So war ich nur einen knappen Meter von den zwei Frauen entfernt. Die Dielen rochen nach Holz und Schlaf.

Zuerst klärten sie sich gegenseitig auf, wer sie waren. Birna wusste nämlich gar nicht, dass ich eine Mutter hatte, die gelegentlich nach dem Rechten schaute. Sie war überrascht, dass meine Mutter in Akureyri wohnte, behauptete sogar, dass ich sie ihr gegenüber gar nie erwähnt hätte, worauf ich mir das genervte Gesicht meiner Mutter gut vorstellen konnte. Sie mochte es nämlich nicht, wenn ich so tat, als gäbe es sie nicht, als hätte mich nur Großvater großgezogen. Aber meine Mutter ging gar nicht weiter darauf ein, denn sie wollte von Birna wissen, ob ich etwas verbrochen hatte, und ich hielt den Atem an, denn das wollte ich auch wissen. Nein, sagte Birna, worauf meine Mutter gleich zur nächsten Frage ansetzte: Was sie eigentlich in meiner Wohnung zu suchen habe, und ob sie denn nicht wisse, dass sie, also meine Mutter, mein Vormund sei, worauf Birna tatsächlich in Erklärungsnot geriet und den Fragen auswich. Sie versuchte, die ganze Geschichte mit dem Blut und dem Eisbären und Magga schnell auf den Punkt zu bringen, aber ich glaube, sie hätte nicht sagen sollen, dass Magga nur ein paar Häuser die Straße runter tot in ihrer Küche lag und dass ich die letzte Person gewesen war, die sie lebend gesehen hatte, denn das machte die Sache irgendwie gar nicht besser für Birna, denn jetzt bekam sie den ganzen Frust meiner Mutter zu spüren, den ich so gut kannte; den Frust einer unterbezahlten Krankenpflegerin, die zwei Schichten hintereinander gearbeitet hat, und darum tat mir Birna fast ein wenig leid. Meine Mutter sagte, es sei völlig unprofessionell, denn ohne die Anwesenheit des Vormunds hätte sie sich gar nicht mit mir unterhalten dürfen, und darum sei alles, was ich ihr gesagt habe, ungültig und nichtig, und das mache sie einfach wütend, denn gerade die Gesetzeshüter müssten die Gesetze auch wirklich hüten und so weiter. Ich hörte meine Mutter nun so deutlich, dass ich mein Ohr gar nicht mehr auf die Dielen halten musste und ich mich zurück aufs Bett hätte legen können. Aber ich blieb auf dem Boden und lächelte zufrieden.

Meine Mutter wollte, dass ich nach Akureyri in eine Wohngemeinschaft zog, damit sie nicht mehr die dreistündige Autofahrt nach Raufarhöfn machen musste, um meine Sachen zu waschen, meine Wohnung sauber zu machen und mich zu überwachen. Aber ich sagte ihr immer, dass ich auf mich selber aufpassen konnte. Ich war schließlich kein Kind mehr!

Als ich noch ein Kind war, hatte meine Mutter nie Zeit für mich, arbeitete fast rund um die Uhr. Ihr Problem war, dass sie keinen Mann hatte. Aber es gab schon Versuche. Einmal stellte sie mich sogar einem vor. Ein geschiedener Elektriker. Seine Haare waren schön gescheitelt, und weil er auch schön angezogen war, sah er überhaupt nicht aus wie ein Elektriker. Sie hoffte wohl, einen Vaterersatz für mich gefunden zu haben, aber so was wie einen Vater kann man nicht einfach ersetzen. Man hat dasselbe Blut in den Adern wie sein Vater. Es gibt also nur einen. Das spürt man. Genau darum ist es für mich ganz normal, einen Cowboyhut und einen Sheriffstern zu tragen, das ist in mir programmiert, da kann meine Mutter noch so laut meckern.

Der Elektriker tauchte aber nur zweimal auf, und weil es in unserem Häuschen keinen Platz gab, passte er dann nicht ins Bild.

Wie ich da oben im Zimmer auf den Dielen lag, hörte ich plötzlich, wie sich Birna von meiner Mutter verabschiedete. Ich hatte gar nicht mehr zugehörte, was unter mir gesprochen wurde. Birna war ziemlich freundlich, und sie schob noch eine Entschuldigung nach, sagte, dass sie sich wünschte, nicht ganz alleine an diesem verworrenen Fall arbeiten zu müssen, denn in Reykjavík sei wegen des Politikertreffens der Teufel los, wie meine Mutter bestimmt gehört habe, und der plötzlichen Tod Maggas mache die Sache nicht gerade einfacher. Róberts Vermisstenfall sei allem Anschein nach ein Tötungsdelikt, und dass sie während den letzten Tagen nicht gerade viel Schlaf genossen habe, was man ihr bestimmt ansehen könne, doch sie würde es sehr schätzen, wenn meine Mutter die Sache nicht weitererzählen würde, betreffend Maggas Tod, noch nicht, die Ermittlung sei zu diesem Zeitpunkt noch kaum angelaufen, sie wolle erst noch an ein paar weitere Türen klopfen, aber, und nun lachte sie müde, nun habe sie schon wieder zu viel verraten, worauf meine Mutter versprach, mit niemandem über die Angelegenheit zu reden, zumal sie hier in Raufarhöfn kaum Kontakte pflege und zudem keine Zeit habe, denn ihr Spätdienst beginne um fünfzehn Uhr, dann müsse sie wieder in Akureyri sein, und wie man augenscheinlich sehen könne, gebe es hier viel zu tun. Worauf Birna versicherte, dass ich ein guter Junge sei, geradezu bewundernswert, dass ich hier einen Platz in der Dorfgemeinschaft hätte und mich zu wehren wisse, und ich hätte auch gut kooperiert und sei eine große Hilfe gewesen. Sie müsse sich keine Sorgen um mich machen, worauf sich meine Mutter bedankte, und als Birna die Haustür hinter sich zugemacht hatte, hörte ich auch gleich, wie meine Mutter begann, die Stube sauber zu machen. Sie stellte den Stuhl zurück an den Tisch, packte den Müll vom Salontischchen in eine Tüte und die schmutzigen Kleidungsstücke in eine Ikea-Tasche.

Einmal blieb sie kurz stehen, lauschte, sagte meinen Namen, aber ich wollte in Ruhe gelassen werden und rief, dass sie mich in Ruhe lassen solle. Doch eine halbe Stunde später kam sie hoch und klopfte an meine Tür, fragte, ob sie ins Zimmer kommen dürfe, und weil ich keine Antwort gab, kam sie ins Zimmer, setzte sich neben mich auf den Boden, den Rücken ans Bett gelehnt, und sagte:

»Hallo, Kalmann minn.«

Doch ich gab keinen Ton von mir und hielt die Augen geschlossen, aber sie wusste wohl, dass ich nicht schlief, Mütter wissen so was einfach, und darum sagte sie, dass es ihr leid tue, was passiert sei, und ob alles in Ordnung sei, abgesehen davon, dass Magga gestorben war, was bestimmt ein Schock für mich sei. Aber ich zuckte nur mit den Schultern, und meine Mutter strich mir übers Haar und über den Arm und über den Rücken, küsste mich auch auf den Hinterkopf, und ich roch ihr Parfüm, ihren Duft, und ich war so froh, dass sie da war, aber ich wollte nicht, dass sie gleich wieder ging, also schlang ich meine Arme um sie, drückte sie ganz fest an mich, und jetzt hätte ich wirklich fast zu weinen begonnen, aber so weit wollte ich es nicht kommen lassen, darum schluckte ich die Tränen tapfer runter. Meine Mutter fragte mich, ob mir denn etwas an Magga aufgefallen sei, aber ich schüttelte den Kopf, denn ich wollte jetzt wirklich nicht über Magga reden, und meine Mutter sah das auch ein und war ganz zufrieden mit der Antwort. Sie saß einfach nur da und streichelte mich, aber plötzlich stand sie ganz abrupt auf, putzte sich die Nase und begann, meine schmutzige Wäsche aufzulesen. Sie öffnete alle Fenster im Haus, ging raus zu ihrem Auto und kam mit der Ikea-Tasche voll gewaschener Wäsche zurück, füllte meinen Kleiderschrank und wechselte die Handtücher im Badezimmer aus.

Ich ging nach unten und machte uns einen Tee. Meine Mutter mochte Tee. Ich mag eigentlich lieber Kaffee. Aber nur mit Milch und viel Zucker. Das wissen die meisten, die mir Kaffee servieren. Das muss ich meistens gar nicht mehr sagen. Aber Tee mag ich auch. Und den kann ich auch zubereiten. Als ich das heiße Wasser in die mit Teebeutelchen versehenen Tassen geschüttet hatte, rief ich:

»Mama, der Tee ist fertig!«

Ich hörte meine Mutter zufrieden seufzen und sagen, dass sie gleich komme. Sie setzte sich zu mir an den Tisch und musterte mich, wie das nur Mütter machen. Und das machte mich irgendwie sehr glücklich, und Glücklichsein ist etwas, das ich mag. Wenn ich könnte, würde ich immer glücklich sein wollen. Aber das geht nicht. Man kann seine Gefühle nicht beherrschen. Das können nur Roboter. Und Dr. Phil. Auch meine Mutter war irgendwie total zufrieden. Wir schlürften unseren Tee, verbrannten uns dabei fast die Lippen, sagten es auch, aber ansonsten sagten wir eigentlich gar nichts. Man muss nämlich nicht immer quatschen. Es gab mal eine Frau, die viel redete, und jetzt war sie tot. Magga. Die sagte jetzt nichts mehr. Schwieg für immer. Komische Sache.

Meine Mutter schaute auf ihre Armbanduhr und seufzte. Ihr gefiel nicht, dass sich die Zeiger unaufhaltsam drehten.

Ich betrachtete sie. Ich glich ihr überhaupt nicht, aber von ihr wusste ich, dass ich meinem Vater, Quentin Boatwright, glich. Der war in der amerikanischen Militärbasis in Keflavík stationiert gewesen. Damals waren die Amerikaner noch in Island, und darum hatte meine Mutter mit so einem Amerikaner überhaupt ein Kind machen können. Sie hatte mir nie im Detail erzählt, wie es sich zugetragen hatte. Ich wusste nur, dass meine Mutter auf der Militärbasis als Sekretärin gearbeitet hatte. Und nachdem sie schwanger geworden war, arbeitete sie mit dickem Bauch in der Fischverarbeitung in Keflavík, so gut es eben ging. Sie zog dann nach Raufarhöfn zu meinem Großvater, weil meine Großmutter plötzlich gestorben war.

Mein Vater Quentin Boatwright verließ die Militärbasis, wo er mit seiner Frau und zwei Mädchen lebte, wurde rasch umstationiert, und schließlich wusste meine Mutter nicht mehr, wo er sich befand, und darum rechnete ich nicht damit, ihn jemals kennenzulernen. Aber dann, eines schönen Tages, als ich schon neun war, fuhren ich und meine Mutter den ganzen Weg von Raufarhöfn nach Keflavík. Mein Vater sei auf der Insel und wolle mich kennenlernen, sagte sie, als wir schon ein paar Stunden gefahren waren. Wir legten die fast siebenhundert Kilometer in zwei Tagen zurück, übernachteten bei Tante Guðrún in Reykir im Hrútafjörður, wo früher auch eine amerikanische Militärbasis gewesen war. Und am nächsten Tag fuhren wir direkt nach Keflavík und holten beim Militär-Checkpoint meinen Vater ab. Ich musste auf den Rücksitz klettern, denn mein Vater stieg vorne ein, daran erinnere ich mich genau, und das ist auch normal, das ist die Regel: Erwachsene sitzen vorne. Ich erinnere mich auch, dass er keine Uniform anhatte und viel kleiner war, als ich ihn mir vorgestellt hatte. Er war sogar einen Fingerbreite kleiner als meine Mutter, aber sehr kräftig. Er drehte sich zu mir um und streckte mir seine Hand entgegen, doch ich vergrub meine Hände unter meinem Hintern. Mein Vater ließ seine Hand eine Weile in der Luft hängen, schüttelte schließlich den Kopf und schaute meine Mutter fragend an. Aber die tat, als hätte sie es nicht bemerkt. Er hatte kurzgeschorene Haare, und darum konnte man deutlich sehen, wenn er die Stirn runzelte. Mutter bemerkte es auch. In diesem Augenblick wurde mir bewusst, dass sie auf meiner Seite war. Seltsam. Ich kann mich so gut an diesen Moment erinnern.

Wir fuhren ein wenig in der Gegend rum, aßen einen Hamburger in Keflavík und ein Eis in Sandgerði. Ich sagte die ganze Zeit kein einziges Wort, aber meine Eltern unterhielten sich ab und zu, tauschten Nichtigkeiten aus. Einmal versuchte mein Vater, meine Mutter zu küssen, berührte auch ihre Haare, aber sie sagte »no« und wandte sich ab. Und darum blieb mir das Geknutsche glücklicherweise erspart. Bevor wir wieder zurück zur Militärbasis fuhren, kamen wir an einer Lagerhalle mitten in einem Lavafeld vorbei, wo mein Vater an die Tür klopfte, sich dann eine Zigarette anzündete und wartete, bis die Tür geöffnet wurde. Mein Vater verschwand im Dunkel der Halle, trat schließlich mit einer Holzkiste unterm Arm wieder ins Freie, die er in den Kofferraum lud, ohne uns den Inhalt zu zeigen.

Er setzte sich wieder ins Auto und erklärte, dass in der Kiste eine Pistole sei, eine Mauser C96, semi-automatic, ein Erbstück seines Vaters, der im Koreakrieg gekämpft und nur knapp überlebt habe. Zum Glück hatte ich meine Kindheit vor dem Fernseher verbracht, und so ganz nebenbei Englisch gelernt, denn ich verstand praktisch alles, was mein Vater sagte. Er redete wie McGyver oder David Hasselhoff in *Baywatch*. Da ich sein einziger Sohn sei, erklärte er weiter, gehöre die Waffe jetzt mir. Das sei die Tradition, wo er herkomme, das sei einfach so, und darum hatte er mich auch sehen wollen, hier in Island, face to face. Aber meine Mutter wurde nervös, sagte, wir bräuchten keine Erbstücke, und schon gar keine Waffen, aber mein Vater war da knallhart und bestand darauf, und seine Worte hallten während der ganzen Rückfahrt in meinem Kopf, ich wiederholte sie im Flüsterton, damit es meine Mutter nicht hörte, aber ich wollte die Worte – seine letzten Worte – nicht vergessen, und darum weiß ich noch heute, was mein Vater zum Abschied gesagt hatte:

»I want him to fucking have it!«

Wie sich später herausstellte, waren in der Kiste nebst einer antiken Mauser auch Whiskeyflaschen, Zigaretten, eine ganze Schachtel Kaugummi, schwarze Schokolade, Militärkleidung, darunter ein Tarnanzug und Militärstiefel, ein Cowboyhut, ein Föhn, ein paar amerikanische Modemagazine, fünfhundert Dollar und ein Sheriffstern.

Auf der Heimfahrt, wo wir wieder bei Tante Guðrún übernachteten, aber sehr spät ankamen, wurden wir die Whiskeyflaschen los, denn meine Mutter wollte keinen Alkohol nach Hause bringen, weil Großvater damals Alkoholiker war. Aber die Pistole, die wir in Reykir zum ersten Mal zu Gesicht bekommen hatten, blieb in der Kiste, denn Guðrún hatte keine Verwendung dafür und fand, dass man Erbstücke annehmen müsse, ganz egal, was es sei, das sei die Regel.

Am nächsten Tag, als wir nach Raufarhöfn fuhren, war

meine Mutter so müde, dass sie manchmal ziemlich nahe an den Straßenrand geriet. Aber weil sie so müde und irgendwie abwesend war, war es ihr egal, wie viel Kaugummi ich kaute, und darum stopfte ich einen Kaugummi nach dem anderen in meinen Mund, bis der Knollen so groß wie ein Golfball war und ich noch tagelang Muskelkater im Gesicht hatte.

Ich habe meinen Vater nie wiedergesehen. Und ich kann mich auch gar nicht an sein Gesicht erinnern. Nicht im Detail. Da ist eine Gestalt in meiner Erinnerung, ein präziser Haarschnitt, eine Größe, ein Klang, ein »I want him to fucking have it!«, aber mehr nicht.

Ich muss traurig geguckt haben, denn meine Mutter strich mir tröstend über die Hand und schaute auch ganz traurig. Bald würde sie nach Akureyri zurückfahren müssen, um den Spätdienst anzutreten. Ich hatte einen Kloß im Hals.

»Wer fährt mich jetzt nach Húsavík?«, fragte ich meine Mutter.

Sie schaute mich lange an. Dachte nach. Und sie hielt dabei den Atem an. Dann schnappte sie nach Luft und sackte ein wenig zusammen, sagte, sie müsse das abklären, aber es werde sich schon jemand finden lassen, im schlimmsten Fall würde sie mich holen kommen, aber ich solle mir darüber keine Gedanken machen, schließlich sei ich eben erst gestern bei Großvater zu Besuch gewesen, wir hätten also noch ein paar Tage Zeit, um etwas zu organisieren, jetzt würden wir erst einmal den Tee trinken, und da hatte sie irgendwie recht. Ich fragte sie, ob sie heute ein wenig länger bei mir bleiben wolle. Sie reagierte erst gar nicht auf meine

Frage, sondern starrte nur gedankenverloren vor sich hin, doch dann sagte sie:

»Das ist sicher keine dumme Idee.« Und dann lächelte sie mich irgendwie dankbar an.

Als meine Mutter die Tasse leergetrunken hatte, machte sie ein paar Telefonate, tauschte ihren Spätdienst mit jemandem, der Frühdienst hatte, wodurch sie zwar zwei Schichten nacheinander arbeiten musste, aber den Nachmittag mit mir verbringen und so lange bleiben konnte, bis ich eingeschlafen war. Wir hatten alle Zeit der Welt! Wir machten das Haus von oben bis unten ordentlich, brachten einige Müllsäcke ins Depot, kochten Spaghetti und schauten einen Adam-Sandler-Film. Dann gingen wir einkaufen, und erst da wurden wir wieder daran erinnert, dass Magga eben erst gestorben war.

Der kleine Dorfladen hatte die Bäckerei und den Polizeiposten überlebt, den Theaterverein und die Versicherung. Die Íslandsbanki und die Post hatte man im Gemeindebüro untergebracht, der Schalter war aber nur einmal in der Woche ein paar Stunden geöffnet. Wer einen Brief abschicken musste, konnte das auch hier im Laden machen. Yrsa schmiss diesen Laden, aber ihre Schwester Gunna half ihr gelegentlich aus oder ihr Mann Einar, wenn er wegen schlechten Wetters nicht aufs Meer fahren konnte. Dabei war der Laden nur während ein paar wenigen Stunden am Tag geöffnet, und er war auch viel kleiner als die Läden in Akureyri zum Beispiel, es gab also nicht viel zu tun. Wirklich gut machte Yrsa das nicht, es fehlten immer irgendwelche Dinge, und wenn man Milchprodukte kaufte, musste man aufpassen, dass sie nicht schon abgelaufen waren. Yrsa war in solchen Fällen immer ganz überrascht. Wenn man einen abgelaufenen Joghurt fand, musste man es melden, das ist auch ganz logisch, denn sonst kaufte vielleicht jemand den Joghurt, oder er blieb einfach im Kühlschrank stehen, und Yrsa wusste dann nicht, dass sie wieder einen neuen Joghurtbecher bestellen musste. Darum teilte ich ihr jeweils mit, wenn ich etwas fand, das abgelaufen war. Yrsa rümpfte dann ganz komisch die Nase, wie ein Kaninchen, hielt sich den Joghurt, oder was auch immer, vor die Brille, brauchte aber ziemlich lange, bis sie das Ablaufdatum gefunden hatte. Man stand dann vor ihr und wartete, schließlich musste sie das einfach kontrollieren. Sie konnte mir nicht einfach glauben und den Jogurt gleich wegstellen, sonst hätte ja jeder kommen und sagen können, dies oder das wäre abgelaufen. Yrsa war auch in Raufarhöfn aufgewachsen, so wie ich, aber sie war ein paar Jahre älter und sah schon aus wie fünfzig.

Sie stand wie meistens hinter dem Tresen, aber wer jetzt denkt, dass sei reine Bequemlichkeit, liegt falsch. Sie wollte nur nicht, dass man an der Kasse auf sie warten musste. Das nennt man Kundendienst, und so was gibt es in Reykjavík nicht.

Meine Mutter duckte sich irgendwie, als wir im Laden standen, als wäre ihr plötzlich eingefallen, dass sie gar nicht gesehen werden wollte. Man kann ja nie wissen, wen man im Laden so antrifft.

»Dann mal los«, knirschte sie.

»Sieht man dich auch mal wieder?« Elínborg schaute uns über ein Regal hinweg an. Meine Mutter versteifte sich.

»Jap«, sagte sie.

»Nicht viel los im Krankenhaus?«

Meine Mutter schaute schnell zu Boden, doch weil ich genau hinschaute, bemerkte ich ein Lächeln um ihre Lippen.

»Dank dem nicht enden wollenden Winter gibt es immer genug zu tun, auch im Krankenhaus.«

Elínborg nickte, als hätte sie die Antwort erwartet. Sie wandte sich dem Regal zu und legte Tomatenpüreedosen in ihren Einkaufskorb. Yrsa schaute zu uns und rümpfte die Nase.

»Lustig, dass wir uns erst jetzt im Laden sehen, obwohl wir Nachbarn sind!«, stellte Elínborg fest, und das war nun wirklich ein wenig lustig. »Du hast dich ja richtiggehend ins Dorf geschlichen!«

»Ich kam schon in der Früh, und meistens hupe ich bei meiner Ankunft nicht.«

»Mich würdest du nicht wecken. Ich bin schon um sechs Uhr auf den Beinen, jeden Tag. Aber ich habe dich gar nicht kommen hören.«

»Mhm«, seufzte meine Mutter.

»Aber das Polizeiaufgebot vor eurem Haus war nicht zu übersehen. Zwei Mal sogar!«

»Zwei Mal?« Yrsa staunte.

»Tja«, sagte meine Mutter. »Wir konnten der Polizei leider auch nicht weiterhelfen.«

»Soso.« Elínborg machte ein vielsagendes Gesicht und verschwand hinter dem Regal, suchte nach irgendwas.

»Was wollten sie denn?«, fragte Yrsa und zog ihre Oberlippe hoch.

»Magga hat Kalmann nach Húsavík gefahren, tags zuvor. Das hat sie wohl interessiert«, antwortete meine Mutter.

»Magga fährt niemanden mehr. Aber wer fährt denn Kalmann fortan nach Húsavík?« Elínborg streckte ihren Kopf hinter dem Regal hervor und schaute meine Mutter vorwurfsvoll an.

»Wir werden schon eine Lösung finden, mach dir mal nur keine Sorgen.«

»Dass sie ausgerechnet jetzt stirbt, wo die ganze Welt nach Róbert sucht«, sagte Elínborg verschwörerisch.

Die Tür ging auf, das Glöcklein bimmelte, und der ehemalige Schulrektor Sigfús kam in den Laden. Seine beiden Skistöcke machten Klickgeräusche auf dem Boden. Er war schon sehr alt und sehr hochgewachsen und deshalb krumm wie eine Banane und stützte sich immer auf zwei Skistöcken ab, damit er nicht umkippte.

»Guten Tag allerseits«, sagte er mit heiserer Stimme, obwohl er gar niemanden gesehen haben konnte, so schwer tat er sich, die Hände aus den Skistockschlaufen zu bekommen.

»Guten Tag, Sigfús«, sagte Yrsa und seufzte in einem fort: »Ich frage mich, was hier in Raufarhöfn eigentlich vor sich geht! Einfach tot, schrecklich. Hulda hat gesagt, man habe Magga auf dem Küchenboden gefunden.«

»Was war auf dem Küchenboden?«, fragte Sigfús, stellte die Skistöcke neben dem Eingang ab, nahm einen Einkaufskorb vom Stapel und schaute sich um.

»Nicht *was*, sondern *wer*«, erklärte Elínborg mit lauter Stimme.

»Wer?«, fragte Sigfús.

»Magga«, gab Elínborg zurück.

»Was ist mit ihr?«

»Tot.«

»Magga? Baldursdóttir? Þórbergs Witwe?«

»Sie hat früher bei der Post gearbeitet«, sagte Yrsa.

»Na, ich weiß schon, dass sie bei der Post gearbeitet hat!« Sigfús schaute Yrsa beleidigt an.

»Vielleicht wurde sie erwürgt!«, sagte ich und jetzt wurde ich von allen angeschaut.

»Sag nichts mehr«, sagte meine Mutter, so dass nur ich es hören konnte, aber ich musste es dann doch erläutern:

»Ich weiß es von der Polizei.«

»Erwürgt? Wieso überrascht mich das jetzt nicht?«, sagte Elínborg. »Einfach nur schrecklich.«

Yrsa sagte, sie hätte im Fernsehen gesehen, dass es Zeitpunkte im Jahr gebe, wo viel gestorben werde, und das sei nicht immer erklärlich.

»Es gibt für alles eine Erklärung«, sagte Sigfús, der sich endlich im Gespräch zurechtfand. »Die Leute sterben in der Weihnachtszeit und im Frühling, wenn Wetterumbruch angesagt ist. Meine Mutter und mein Bruder starben, als –«

»Sterben ist nicht dasselbe wie umgebracht zu werden«, unterbrach ihn Elínborg und hatte recht.

»Wie ist das denn bei euch im Krankenhaus?«, fragte Yrsa meine Mutter, die darauf den Kopf hin und her wiegte. Es war eine gute Frage. Ich hätte von meiner Mutter eigentlich gerne eine Antwort gehört, aber sie wandte sich mir zu.

»Was willst du lieber, Popcorn oder Chips?«

»Popcorn und Chips«, sagte ich.

Meine Mutter lächelte irgendwie erleichtert und steckte Popcorn und Chips in den Einkaufskorb.

»Ich denke, wenn sich die Leichen häufen, können wir mit Sicherheit sagen, dass das Sterben in Raufarhöfn nichts mit dem Wetterumbruch zu tun hat.« Das war Elínborg, versteckt hinterm Regal. Meine Mutter seufzte und presste die Lippen zusammen.

»Gibt es denn einen Zusammenhang zwischen Róbert und Magga?«, fragte Yrsa in die Runde.

»Das nennt man eine Verschwörung«, ergänzte Sigfús.

Elínborg fühlte sich verpflichtet, der Frage auf den Grund zu gehen.

»Schaust du denn keine Krimis?«, fragte sie.

»Man kann auch zu viele Krimis schauen«, murmelte meine Mutter.

Yrsa schaute Elínborg erwartungsvoll an.

»Magga und Róbert waren früher ein Paar!«, sagte Elínborg und machte eine dramatische Pause. »Darum sind so einige Theorien möglich. Die wollten sogar heiraten, denn Magga war schwanger von ihm. Nun ja, zumindest ihre Eltern wollten, dass geheiratet wurde, ob Magga oder Róbert das wollten, sei dahingestellt.«

»In neunundneunzig Prozent der Morddelikte geht es um Liebe und Leidenschaft«, sagte Sigfús, der inzwischen beim Fleischkühlschrank angekommen war und eine tiefgekühlte Schafskopfhälfte in den Einkaufskorb legte. »Opfer und Täter kennen sich meistens.«

»Aber hier kennen sich doch alle!«, stellte Yrsa ganz erschrocken fest.

»Aber nicht alle waren ein Paar«, sagte Elínborg.

»Was ist mit dem Kind passiert?«, fragte meine Mutter, die nun doch ein wenig am Gespräch interessiert zu sein schien.

»Sie hat es verloren«, gab Elínborg zur Antwort.

»Oh!«, sagte meine Mutter traurig, aber Elínborg schaute sie nur misstrauisch an.

Ich versuchte mir Magga und Róbert als Paar vorzustellen. Es gelang mir trotz allen Anstrengungen nicht. Aber da fiel mir plötzlich ein:

»Magga hat mir noch gesagt, dass Róbert früher ein ganz Hübscher gewesen sei.«

»Siehst du?«, sagte Elínborg. »Vielleicht hat sie es nie richtig verkraftet. Sie hat ja auch gar nicht geweint, als ihr Þórberg gestorben ist.«

Meine Mutter hatte inzwischen Vanilleeis, Gurken, Popcorn, Chips, Milch und Brot in den Einkaufskorb gepackt und stellte ihn auf den Tresen.

»Wir würden gerne bezahlen«, sagte sie, als hätte sie es plötzlich sehr eilig.

Yrsa schaute sie komisch an, begann dann aber, die Preise in die Kasse einzutippen. Ich legte noch einen Schokoladenriegel dazu und schaute schnell weg.

»Was hat sie denn sonst noch gesagt?«, fragte mich Elínborg. Sie gesellte sich zu uns, war offenbar auch fertig. In ihrem Einkaufskorb lagen aber nur zwei Tomatenpüreedosen.

»Du brauchst nicht zu antworten«, sagte meine Mutter, und Elínborg schloss daraus:

»Wenn keine Fragen mehr gestellt werden dürfen, weiß man, dass etwas nicht in Ordnung ist.«

»Sie hat ganz viele Sachen gesagt«, sagte ich darum, und es stimmte ja auch.

»Arme Magga«, sagte Yrsa und vertippte sich, musste wieder von vorne beginnen.

»Vielleicht hat sie zu viel gewusst«, sagte Elínborg und schaute mich dabei noch immer an.

»Nein«, sagte ich. »Sie hat viel geredet.«

»Dasselbe«, sagte Elínborg.

»Nicht dasselbe«, sagte ich.

»Rede wenig, höre mehr, das Plaudern bringt dir wenig Ehr«, rief Sigfús vom Gefrierschrank aus.

»Reden ist Silber, Schweigen ist Gold«, sagte Yrsa.

»Wüste Rede, wüste Ohren«, murmelte meine Mutter.

⌘

12

Sæmundur

Ich wachte ziemlich früh auf, obwohl es noch nicht einmal acht Uhr war. Dafür gab es zwei Erklärungen. Erstens: Ich hatte so tief geschlafen, dass ich einfach ausgeschlafen war. Zweitens: Ich spürte, dass meine Mutter nicht mehr da war. Jetzt bemerkte ich die Stille. Auch die Wolken hingen reglos, und das Meer lag frohlockend matt da. Also verputzte ich zwei Schalen Cocoa Puffs und ein paar Stücke Gammelhai, packte Dörrfisch, eine Tafel Schokolade und eine Flasche Cola in meinen wasserdichten Seesack, stülpte meine Wollmütze über, schulterte Großvaters Flinte und ging runter an den Hafen. Die Fahrzeuge der Rettungswache standen vor dem Gemeindehaus, einige Motoren brummten zufrieden vor sich hin, auch wenn niemand in den Fahrzeugen saß, drinnen fand vielleicht eine Versammlung oder eine Informationsveranstaltung statt, und bestimmt gab es Kaffee. Es sah fast so aus wie früher, als im Gemeindehaus noch etwas los war, Theatervorführungen oder sogar Kinofilme. Das war, als ich noch ein Kind war. Damals war auch die Polizeistation im Keller des Hauses untergebracht, was sehr praktisch war: Wenn es oben Radau gab, mussten die Betrunkenen nur die Treppe runter.

Unten am Hafen klopfte ich ans Fenster des Bürocontainers. Sæmundur öffnete das Fenster, und ich sagte ihm, dass ich rausfahren wollte, was er eine gute Idee fand. Er trat zu mir ins Freie, sog die kalte Luft ein und gab mir, nachdem er eine Weile gewittert hatte, so dass ich seine behaarten Nasenlöcher sehen konnte, grünes Licht. Er meinte, das Wetter werde ruhig bleiben, möglicherweise werde es ein paar Schneeflocken geben, aber das sei kein Grund zur Sorge, und er versprach, den Gabelstapler und den Anhänger bereitzuhalten.

»Sæmundur«, fragte ich ihn dann, weil ich mich wieder an unser Gespräch vor ein paar Tagen erinnerte. »Bist du ein Kommi?«

Sæmundur schaute mich überrascht an.

»Wieso fragst du?«

»Einfach so.« Ich wusste eigentlich selber nicht, wieso ich ihn danach gefragt hatte.

»Seh ich etwa aus wie ein Kommunist? Dazu bin ich doch viel zu alt, und dazu fehlt mir ein Schnurrbart!«

Das leuchtete mir ein, obwohl ich nicht gewusst hatte, dass Kommunisten Schnurrbärte trugen.

Ich ging in meine Halle, ließ Sæmundur draußen vor seinem Container stehen und zog meinen schwarz-gelben Floating-Anzug an, der zugleich eine Schwimmweste war. Wenn ich damit ins Wasser fiel, konnte ich nicht untergehen. Und der Anzug hielt mich warm. Ich war aber noch nie ins Wasser gefallen.

Ich fischte die frischen Köderstücke aus der Salzwasser-Cognac-Essig-Marinade und füllte einen ganzen Eimer. Ohne Köder fängt man nichts, denn kein Hai hängt sich freiwillig an einen Haken, aber manchmal gelang es den Haien, oder auch anderen Fischen, die Köderstücke abzunagen, und darum musste ich immer wieder neue Stücke an die Haken machen.

Draußen hatte es nun tatsächlich wieder zu schneien begonnen, aber nur leicht. Ich schleppte den Eimer zum Pier, wo meine Petra vertäut lag. Sie war jetzt mein Boot. Ich hatte sie von Großvater übernommen. Baujahr 1959, also fast doppelt so alt wie ich, aber noch immer schlank und rank. Acht Meter lang, fünf Tonnen schwer und so stark wie fünfundvierzig Pferde. Das muss man sich einmal vorstellen! Ein 1980er Volvo-Motor. Nach dem Ölwechsel lief er wortwörtlich wie geschmiert. Petra war zufrieden. Ich kontrollierte meine elektronischen Geräte, den Funkpeiler, meinen Satellitenkompass, mein Echolot und mein GPS, machte die Leinen los und legte ab, tuckerte gemächlich zum Hafen hinaus, winkte Hafenmeister Sæmundur zu, der wieder vor seinen Container getreten war und mir ebenso zuwinkte. Ich musste lachen. Ich mochte Sæmundur. Er war einer der wenigen, die Großvater gemocht hatten.

Bald bog ich um das Kap Höfði, an den Vogelfelsen und am Holm vorbei, wo die Eissturmvögel segelten und sich die Kormorane in Pose warfen, als machten sie ein Fotoshooting. Ich ließ die Häuserreihe von Raufarhöfn hinter mir und zielte mitten auf das graue, endlose Meer, das heute ganz sanft dalag und nur leicht wogte. Meine Haifischleine war zwölf Seemeilen nordöstlich vom Hafen entfernt. Die Fahrt dahin dauerte also etwa eineinhalb Stunden. Früher war ich mit Großvater nur ein paar Minuten unterwegs zur Langleine, sie war hier ganz in der Nähe des Kaps. Man konnte die Bojen vom Leuchtturm aus sehen, und manchmal, bei ruhigem Wetter, konnte man sogar erkennen, wenn ein Hai dranhing. Damals machten das auch noch andere: Jón, der nach Grindavík gezogen war, Ingvar, den es nicht mehr gab, und Hafenmeister Sæmundur höchstpersönlich, der eigentlich pensioniert sein sollte. Warum es keine Haie mehr in der Bucht gab, war allen ein Rätsel, und ich glaube, das weiß selbst heute noch niemand. Es ist aber eher unwahrscheinlich, dass wir die Bucht leergefischt hatten, denn ganz früher, also vor etwa zwei- oder dreihundert Jahren, wurden hier noch viel mehr Haie gejagt, als es noch keinen Strom gab. Früher brauchte man nur die Leber vom Hai, und den ganzen Rest schmiss man wieder ins Meer. Aus der Leber wurde Tran gewonnen, und der Lebertran wurde nach Europa verschifft, wo man die Straßen der Städte beleuchtete. Diesen Gedanken fand ich verrückt. Ich meine, ein Grönlandhai, der hier oben im Norden in mehreren hundert Metern Tiefe lebt, in totaler Dunkelheit, dann aus dem Meer gezogen wird und Licht in die Straßen europäischer Großstädte bringt!

Ich wurde bald hungrig und verdrückte die ganze Tafel Schokolade. Weil ich so in Gedanken war, war ich etwas vom Kurs abgekommen und korrigierte ihn. Mit Großvater hatte ich manchmal die Schule geschwänzt, um aufs Meer zu fahren, ich war überzeugt, dass ich viel eher aufs Meer gehörte als ins Schulzimmer. Ich denke, Großvater glaubte das auch. Ich bin ein geborener Jäger wie er. Auch Soldaten sind in gewissem Sinne Jäger, wie mein amerikanischer Vater einer war. Und darum ist es völlig logisch, dass ich das Jagen im Blut hatte.

Als ich zehn Jahre alt war, feuerte ich zum ersten Mal in meinem Leben einem Hai eine ganze Ladung Schrot in den Kopf. Großvater hatte mich zwar vor dem Rückschlag gewarnt, aber ich landete dann doch auf dem Hintern, aber der Hai war betäubt, und das war die Hauptsache. Früher fuhren wir manchmal mit drei Haien im Schlepptau zurück in den Hafen, da gab es ordentlich zu tun, und natürlich war immer ein gewisser Konkurrenzkampf zwischen uns Haifischfängern, und wer leer zurückkam, musste Bemerkungen über sich ergehen lassen. Aber Ingvar erwischte uns einmal ganz schön, als er sein Boot nur ganz langsam durchs Wasser pflügen ließ, so dass wir glaubten, er schleppe einen großartigen Fang in den Hafen. Und als wir alle ganz gespannt auf dem Pier auf ihn warteten, fragte er uns, warum wir denn so guckten, und da standen wir schön blöd da, und darum erzählte er noch lange von den Gesichtern, die wir angeblich gemacht hatten, vor allem »der da!«, und dabei pflegte er auf mich zu zeigen. »Der guckte so!« Und dann sperrte er Augen und Mund auf, bis ihm der Speichel aus dem Mund tropfte, obwohl ich gar nicht so behindert gucke, aber lustig war es trotzdem, und ich lachte meistens am lautesten.

Mit der Zeit verschoben wir die Leinen weiter nach draußen, und Ingvar, der einen ganzen Sommer lang kein einziges Tier gefangen hatte, gab auf und fand eine Anstellung bei Róbert McKenzie auf dem Trawler. Sæmundur, der sowieso schon alt war und keine Kinder hatte, hörte dann auch auf. Er sagte, die kümmerlichen Haifischfänge haben möglicherweise mit der Klimaerwärmung zu tun. Das Meer werde wärmer, das könne man messen, das sei einfach so, und das gefalle dem Grönlandhai überhaupt nicht. Darum müssten wir immer weiter raus in kühlere Gewässer, und er wäre nicht überrascht, wenn auch ich bald keinen einzigen Hai mehr aus dem Meer ziehen würde. Aber daran wollte ich gar nicht denken, denn das war mein Beruf, etwas anderes zu machen, konnte ich mir gar nicht vorstellen.

Petra schnitt zügig durchs glatte Wasser und machte kleine Wellen. Nun begann es richtig zu schneien, die Flocken fielen leise aufs Wasser und lösten sich da sofort auf, wurden selber Wasser und dadurch Teil des Meeres. Hier draußen ist die Natur so vollkommen wie sonst nirgendwo. Der Schneefall wurde ganz dicht, ich war plötzlich in einer völlig anderen Welt, denn alles um mich herum war in Bewegung, ich sah aber keine fünf Meter weit. Es gab nur noch mich und Petra. Ich stellte mir vor, dass die Schneeflocken Planeten waren und ich auf Petra mit Lichtgeschwindigkeit durchs Weltall flog. Auf dem GPS sah ich genau, wo ich mich befand, obwohl bald alles um mich herum genau gleich aussah. Weiß gibt es in ganz vielen Farben. Aber plötzlich nahm der Schneefall ab. Ich fuhr durch den letzten Schleier wie durch einen Vorhang, stand jäh auf der beleuchteten Bühne, aber ohne Publikum und ohne Lampenfieber. Die Welt war jetzt ganz still und ausgeschlafen, ausgeschneit, wie frisch erschaffen. Großvater hatte dieses Wetter geliebt. Ich konnte es ihm jeweils ansehen, auch wenn er es nicht zugab. Bei solchem Wetter sagte er dann meistens kein Wort, stopfte sich eine Pfeife und starrte mit einem zufriedenen Gesichtsausdruck aufs Wasser, obwohl er noch überhaupt nicht wusste, ob die Haie angebissen hatten oder nicht. Manchmal stellte er den Motor ab, wenn wir bei den Leinen waren, vor allem, wenn er eine Schnapsflasche dabeihatte, obwohl er manchmal Mühe hatte, den

Motor wieder anspringen zu lassen. Und dann, wenn der Motor tatsächlich nicht mehr anspringen wollte und nur Furzlaute von sich gab, lachte Großvater, so dass ich nie Angst auf dem Meer hatte, selbst als wir einmal stundenlang Richtung Nordpol abdrifteten und von Ingvar zurück in den Hafen geschleppt werden mussten. Großvater liebte diese Stille, und manchmal sagte er, es sei ihm unerklärlich, wie es die Leute in einer Stadt aushielten, wo es nie still war. Man könne nur dann sein Herz hören, wenn es so still sei wie hier draußen. Manchmal machte er ein Nickerchen, und dann schnarchte er so laut, dass es nicht mehr still war.

Wenn meine Petra sinken würde, würde ich einfach nur auf dem Wasser dümpeln, an Ort und Stelle warten, bis Rettung käme. Schließlich wusste ich, wie man ein Notsignal sendete. Es gab keinen Grund zur Sorge. Hier draußen war ich sowieso ganz alleine. Niemand konnte mich hören, niemand konnte mich beobachten. Aber einsam war ich nie, und Angst hatte ich auch keine. Meine Mutter war früher sehr dagegen, als ich anfing, alleine rauszufahren, nachdem Großvater zu schwach für Bootsfahrten geworden war. Aber Mütter haben immer Angst um ihre Söhne. Das ist normal. Und deshalb brauchte ich mich auch nicht darum zu kümmern. Auf dem Meer fühlte ich mich viel sicherer als bei einer Tanzveranstaltung oder in Maggas Auto. Hier musste ich mich nicht anstrengen, durfte sein, wer ich war und wie ich war. Und irgendwie war ich dadurch anders, als wenn ich bei einer Tanzveranstaltung oder in Maggas Auto war.

Nicht alle Menschen sind gerne alleine. Ingvar zum Beispiel war nie gerne alleine. Er nahm immer seinen Hund mit aufs Meer, und als sein Hund gestorben war, nahm er die Katze mit, bis er wieder einen neuen Hund hatte, denn die Katze mochte das Meer eigentlich nicht, auch wenn sie die Möwen beobachten und anfauchen konnte. Wegen diesen Möwen war man nie richtig alleine hier draußen. Mit denen konnte man sich sogar unterhalten, auch wenn sie keine Antwort gaben und dich nur anguckten. Aber sie hörten einem doch manchmal zu, das sagte zumindest Großvater, der sich immer gerne mit den Möwen unterhielt, ja, eigentlich mit allen Tieren, die ihm begegneten; Möwen und Papageitaucher, Hunde und Katzen, Schafe und Pferde, sogar Hummeln, für die er immer aufmunternde Worte hatte.

Bald sah ich meine Boje, deren Standort ich auf meiner Seekarte mit den entsprechenden GPS-Koordinaten vermerkt hatte. Ich bin noch nie weiter hinausgefahren als bis zu meiner Langleine. Wieso sollte ich auch? Ich bin ein Haifischfänger, kein Seefahrer. Und weiter draußen ist auch nur Wasser, das sieht man auf der Karte. Und das hatte ich so mit Mutter abgemacht. Das war unser Deal.

Ich ließ mein Boot bei der Boje zum Stillstand kommen, den Motor ließ ich aber im Leerlauf tuckern, damit mir nicht dasselbe passierte wie damals, als ich mit Großvater zum Nordpol abtrieb. Ich zog die Boje mit dem Gaff aus dem Wasser und legte das triefende Seil auf die Motorwinde, setzte diese in Gang und rollte es neben mir auf, damit es später keine Verwicklungen gab. Bis das eine Ende der Langleine endlich oben war, verging fast eine halbe Stunde. Vielleicht würde ich die Leine auf zweihundertfünfzig Meter Tiefe runterlassen müssen, wenn ich hier keine Haie mehr fing. Die Heilbutt-Schleppnetze der Trawler gingen am tiefsten, und sie hatten am häufigsten Haifische im Beifang.

Endlich kam der erste Haken hoch, der Köder war noch genauso dran, wie ich ihn vor ein paar Tagen angesteckt hatte. Ich zog ihn vom Haken und schmiss ihn ins Meer. Die Möwen stürzten sich darauf, hackten ihre Schnäbel ins Fleisch, und vorbei war's mit dem Frieden. Jetzt musste man sich auch nicht mehr mit ihnen unterhalten wollen, denn sie hatten nur noch Augen für meine marinierten Köder. Aber die Möwen störten mich nicht. Es war trotzdem stiller als in einer Stadt. Und ich konnte mein Herz hören. Es knurrte mich an. Und dann merkte ich, dass es mein Magen war, der mich da anknurrte, nicht mein Herz. Der nächste Haken kam hoch, der nächste Köder, wenn auch von den Fischen angeknabbert, und der nächste Haken, und der nächste, zehn Haken insgesamt, aber kein Haifisch. Es war nicht weiter schlimm. Geduld ist die wichtigste Tugend des Jägers. Ich nahm das nicht persönlich. Ich fuhr oft ohne Fang zurück in den Hafen, das war inzwischen ganz normal, und daran gewöhnte man sich. Letztes Jahr fing ich insgesamt fünf Haie. Und das war kein schlechtes Jahr. Ich hatte noch immer etwa fünfzehn Kilo vom letztjährigen Fang. Ich steckte fortlaufend neue Köderstücke an die Haken und ließ sie an der Leine in die Tiefe gleiten, sagte den Möwen auf Wiedersehen und tuckerte mit kommender Flut die eineinhalb Stunden zurück nach Raufarhöfn, und damit mir nicht langweilig wurde, sang ich, und zwar so laut, dass ich sogar den Motor übertönte. Das machte ich manchmal, selbst wenn ich keinen Hai im Schlepptau hatte.

Es hörte mich ja keiner. Es wusste niemand, dass ich singen konnte. Nicht einmal Nói wusste es, obwohl ich von ihm wusste, dass er elektronische Musik machte und auch dazu sang. Er hatte ein paar Lieder auf Youtube, aber nicht sehr viele Views. Damit es immer wieder neue Views gab, klickte ich seine Songs gelegentlich an.

Es fing nun wieder an zu schneien. Je näher ich dem Land kam, desto schlechter wurde die Sicht. Plötzlich war alles nur noch weiß um mich herum, die Flocken waren dick und schwer, und ich musste den Schnee von den Scheiben mit der Hand wegmachen, bis meine wollenen Handschuhe ganz klumpig waren, denn die Scheibenwischer funktionierten seit letztem Herbst nicht mehr. Fast hätte ich den Holm mit den Kormoranen übersehen, ich hatte wegen der Scheibenputzerei einfach nicht richtig aufgepasst. Ich musste den Kurs schleunigst korrigieren, und als ich schnittig in den Hafen einkam, war ich noch immer viel zu schnell unterwegs, weil ich irgendwie nicht ganz bei der Sache war, so dass ich schließlich um ein Haar den Pier rammte. Sæmundur, der am Hafen auf dem Gabelstapler saß, obwohl er sich doch denken konnte, dass ich viel zu früh wieder zurück war und demnach keinen Hai im Schlepptau hatte, sprang herunter, riss die Mütze vom Kopf und fuchtelte mit den Armen. Aber ich rammte den Pier nicht, stupste nur die Autoreifen am Rand, die den Aufprall abfingen. Wenn ich mich nicht festgehalten hätte, wäre ich aber hingefallen.

»Hey, hey, hey, nur langsam, junger Mann!«, rief Sæmundur und kam auf mich zugelaufen. Ich tat, als wäre nichts passiert, warf ihm die Leine zu, damit Sæmundur meine Petra vertäuen konnte. Er grinste. Ich glaube, er vermisste die guten alten Zeiten, als hier unten am Hafen noch allerhand los war.

»Ich habe nichts gefangen«, sagte ich und reichte ihm den leeren Eimer.

»Nein?«, sagte Sæmundur, obwohl er natürlich wusste, dass ich nichts gefangen hatte. »Wenigstens hast du dich da draußen nicht verirrt«, sagte er. Auch hier habe es geschneit, aber der Schnee werde bestimmt nicht lange liegenbleiben, denn bald drehe der Wind auf Südost und bringe Regen mit sich, dann sei der Schnee im Nu wieder weg, und vielleicht finde man dann Róbert.

Ich bin vergesslich. Und das ist eine meiner Schwächen. Ich kann wichtige Sachen einfach so vergessen. Vor allem, wenn ich aufs Meer fahre. Als würde das Meer alle Erinnerungen schlucken, oder als würde sich das Gehirn wegen seiner Größe ausweiten, und die Erinnerungen sind dann tief drin verborgen wie eine Flaschenpost im Ozean. Darum erinnerte ich mich erst wieder im Hafen, dass nach Róbert gesucht wurde.

»Vielleicht kann man dann den Eisbären besser sehen, wenn der Schnee weg ist. Aus der Luft«, sagte ich.

»Du und deine Eisbären!« Sæmundur lachte. »Glaubst du noch immer, dass ihn ein Eisbär gefressen hat?«

»Nein!«, rief ich. »Ich habe dich nur auf den Arm genommen!«

Wir lachten, und Sæmundur schüttelte den Kopf. Dann schaute er gedankenverloren aufs Meer, fragte, was bloß aus Raufarhöfn geworden sei, doch ich wusste es nicht, aber ob er überhaupt eine Antwort von mir erwartete, wusste ich auch nicht, darum packte ich meinen Kram zusammen und kletterte an Land.

»Wusstest du, dass Róbert seine Quote nach Dalvík verkaufen wollte?«, fragte Sæmundur und schaute mich an. »Als hätten die Dalvíkinger nicht schon reichlich Fangquoten gehamstert. Als genügte es nicht, dass wir hier alles verloren haben! Weißt du, wie es hier zugegangen ist? Ach Quatsch, dazu bist du viel zu jung. Damals hat es dich noch gar nicht gegeben. An manchen Tagen haben wir den Fisch vierundzwanzig Stunden am Tag gelandet, Haie waren nur Beifang. Guck mal, da drüben, gleich unterhalb der alten Schmelze, war ein Bootssteg, auf den wir so viel Salz für die Heringsfässer häuften, bis er zusammenkrachte und das ganze Salz ins Meer fiel. Zuerst fluchten wir, dann lachten wir, denn jetzt wussten wir endlich, warum das Meer so salzig ist! Und heute? Schau dich um! Du bist neben Siggi, Einar und Jú-Jú bald der letzte Mohikaner, der hier noch ein Boot hat und es auch benutzt.«

»Was ist ein Mohikaner?«, wollte ich von Sæmundur wissen.

»Das ist ein Indianer. Die Amerikaner haben sie alle umgebracht.«

»Es gibt aber noch immer Indianer.«

»Aber keine Mohikaner mehr. Und uns gibt es bald auch nicht mehr. Eine himmeltraurige Sache ist das. Und dann geben sie uns in Reykjavík einen Stempel als gefährdete Gemeinde, große Worte auf weißem Papier, aber nur weil du einen Patienten an eine Maschine anschließt, wird er längst nicht gesund. Er stirbt dann einfach nicht. Und dieser Schafsbock von McKenzie will auch noch die Quote verramschen, damit er sein idiotisches Touristenprojekt vollenden kann. Hat er es denn noch nicht eingesehen? Wir sind ganz einfach zu weit weg! So ist das. Und auch wenn es ihm gelingt, mit diesem arktischen Steinhaufen ein paar Touristen anzulocken, so wäre er noch immer der Einzige, der davon profitiert. Arbeitsplätze für die Anwohner schafft er damit auch nicht, wenn nur Polen und Rumänen hier oben leben wollen.«

»Und Litauer«, sagte ich.

»Und Litauer«, knirschte Sæmundur. »Wenigstens jemandem gefällt es hier noch.«

Am Abend rief mich meine Mutter an.

»Kalli minn«, sagte sie. »Erschrick nicht!« Weshalb ich natürlich erschrak. Mein erster Gedanke war: Großvater ist gestorben. Doch bevor ich meine Mutter fragen konnte, sagte sie mir, dass Birna, die Polizeikommissarin, ihr eben mitgeteilt habe, dass Magga erstickt sei, und zwar – ich dürfe mich aber wirklich nicht erschrecken – an einem Stück Gammelhai.

Meine Mutter sagte noch ein paar Sachen, aber ich hörte gar nicht mehr zu. Ich wusste nämlich nicht recht, was ich denken sollte oder wie ich mich zu fühlen hatte; eigentlich war es mir ziemlich gleichgültig, was mit Magga passiert war. Denn wenn jemand tot ist, ist es doch auch egal, wie derjenige gestorben ist, denn es gibt ihn dann ja nicht mehr. Ich war in erster Linie froh darüber, dass Großvater nicht gestorben war. Aber ich verstand schon, dass die Sache nun irgendwie mit mir zu tun hatte, da ich Magga den Gammelhai geschenkt hatte, sie ihn sich aber selber in den Mund gestopft hatte, was nun wirklich nicht meine Schuld war, und das sagte ich auch meiner Mutter, und sie bestätigte das, doch ich hörte, dass sie den Tränen nahe war, was ich völlig übertrieben fand. Frauen sind immer so übertrieben! Und darum hatte ich nun wirklich keine Lust mehr, die Sache noch länger zu besprechen, sagte schließlich »Bless« und beendete den Anruf. Und kaum war meine Mutter weg, kam ich ins Grübeln, denn so was könnte ja eigentlich auch mir passieren, ich meine, an einem Stück Gammelhai zu ersticken. Und meistens war ich ganz alleine zu Hause, niemand würde mir helfen können, und ich würde einfach so ersticken wie Magga, völlig lautlos, denn wenn einem etwas im Hals stecken bleibt, kann man es auch niemandem sagen. Erst würde es still werden, und dann dunkel. Aber wer würde mich denn finden?

Plötzlich wusste ich, was ich tun würde, wenn ein Stück Gammelhai in meiner Luftröhre steckte. Ich würde Nói auf Messenger anrufen! Und der würde mit ein paar Mausklicks Hilfe organisieren. Er könnte sich wahrscheinlich in die Küstenwache hacken und den Hubschrauber persönlich aufbieten. Und darum klickte ich Nói auf Messenger an. Er war natürlich in ein Multiplayer-Spiel verwickelt, aber er unterhielt sich trotzdem mit mir, und es gelang ihm tatsächlich, mich zu beruhigen, denn er fand die ganze Sache mit Magga sogar lustig, und er erinnerte mich daran, dass ich ihm einmal gesagt habe, ich würde Magga überhaupt nicht mögen, und darum könne ich nur froh sein, dass sie gestorben sei.

»Win-win«, sagte er, und das verstand ich nun überhaupt nicht, aber Nói heiterte mich trotzdem auf. Er sagte, ich habe den perfekten Mord begangen. Ein Mord, der so perfekt sei, dass selbst der Mörder nicht wisse, dass er der Mörder sei.

Nói konnte manchmal ganz schön heftig sein. Aber vielleicht war er so, weil er wegen seiner Krankheit den ganzen Tag in seinem Zimmer hocken musste, nicht nach draußen gehen konnte, keine richtige Arbeit hatte und darum nur seine Eltern zu Gesicht bekam.

Ich erzählte ihm dann, wie ich mir ausgemalt hatte, selber an einem Bissen Gammelhai zu ersticken, was ja möglich sein könnte, und Nói strickte den Gedanken weiter, meinte, es müsse ja nicht unbedingt Gammelhai sein, es könnte auch ein Stück Pizza sein. »Oder Popcorn«, ergänzte ich, aber Nói sagte, dass man an Popcorn nicht ersticken könne, das sei wissenschaftlich ganz unmöglich. Aber er fand meine Idee, ihn anzurufen, gut, er würde dann Hilfe anfordern. Er fand tatsächlich einen internen Internetlink der Küstenwache, wo er genau sehen konnte, wo sich der Hubschrauber gerade befand, und er guckte auch gleich, denn es interessierte ihn einfach: Der Hubschrauber war nördlich von Grímsey, also etwa dreißig Minuten von Raufarhöfn entfernt – er würde zu spät kommen. Ich wäre längst mausetot. Das sah auch Nói ein, weshalb er ein wenig googelte und mir dann ein paar Tipps gab, wie ich so was überleben konnte. Sich auf eine Stuhllehne fallen lassen, sagte er. Oder auf allen Vieren auf dem Boden kauern und sich auf den Bauch plumpsen lassen, Arme nach vorne gestreckt. Er war aber nicht ganz zufrieden mit dem Suchresultat, darum scrollte er weiter.

»Nach draußen laufen, einfach dahin, wo Leute sind«,

sagte er schließlich. »Dich auf keinen Fall in einen Raum zurückziehen, wo dich niemand bemerkt.« Das wäre ja auch sinnvoll, sagte er, wunderte sich aber, dass offenbar viele Leute, die plötzlich nicht mehr atmen können, sich beschämt in einem WC einschließen, wo sie dann ganz alleine sterben. »Jeder stirbt einsam«, schloss er daraus, und er hatte recht, wie man in den letzten Tagen hatte sehen können. Magga starb ganz einsam in ihrer Küche, und Róbert hatte man noch nicht einmal gefunden. Ihre Einsamkeit war fast ansteckend.

»Bitch, motherfucker!«, brüllte Nói plötzlich und bearbeitete seinen Controller. »Ich kill dich, du asshole!« Aber sein Wutausbruch nützte nichts. Er war in seinem Multiplayer-Spiel abgeknallt worden, hinterrücks, da konnte er jetzt nichts mehr machen, und darum verwarf er nur die Hände, sagte noch »see you later, dude!«, und brach das Messenger-Gespräch ab.

So was kam manchmal vor. Jetzt musste man Nói auch gar nicht weiter belästigen wollen. Jetzt brauchte er einfach seine Ruhe. Und die gönnte ich ihm, denn ich war sein bester Freund.

⌘

13
Fass

Der nächste Tag war völlig verrückt, und ich über-
lebte ihn wahrscheinlich nur, weil der davor so ruhig und ereignislos verlaufen war und ich mich gut erholt
hatte, denn auf dem Meer kann man den Kopf ausleeren.
Die Ereignisse überstürzten sich, und das war man hier in
Raufarhöfn wirklich nicht gewohnt. Der Tag war so verrückt, dass er sogar zu einer eiligst einberufenen Dorfver-
sammlung führte.

Ein lauer Südostwind machte dem Schnee zu schaffen,
wahrscheinlich hatte es in der Nacht geregnet, rings um
Raufarhöfn war alles braun und nass, nur wenige Schnee-
flächen hielten sich hartnäckig. »Typisch Islandwinter«,
hatte meine Mutter früher erklärt. »Am Tag schneit's, und
in der Nacht regnet's. Völlig geisteskrank.«

Jetzt, wo der Schnee weg war, suchte die Rettungswache
noch einmal nach Róbert. Man setzte Drohnen und auch
Hunde ein, die kreuz und quer die Gegend um den Arctic
Henge und das Dorf abschnupperten, wo Róberts Geruch
sowieso überall war, aber man fand nichts außer seiner getönten Multifunktionalbrille, gar nicht weit weg von der
Blutlache, und eine Socke. Es war nicht viel, und es war
nicht Róbert, aber es waren Hinweise darauf, dass Róbert
wahrscheinlich nicht mehr lebte.

Wie Magga ja auch. Tot. An diesen Umstand musste ich mich erst noch gewöhnen, denn jetzt konnte mich Magga nicht mehr nach Húsavík fahren, weil sie an einem Stück Gammelhai erstickt war, das ich ihr gegeben hatte. Ich hatte plötzlich Angst, dass ich Großvaters Sterben verpassen würde. Ich wollte bei ihm sein, wenn er starb, an seiner Seite. Unbedingt.

So fing der Tag also an, und ich hatte gleich ein ungutes Gefühl. Ich dachte viel über Magga nach, und obwohl ich sie nicht auf dem Küchenboden hatte liegen sehen, so hatte ich doch ein ganz deutliches Bild vor meinen Augen.

Von meinem Zimmerfenster aus sah ich, dass Autos vor Maggas Haus standen. Angehörige wahrscheinlich. Gegen zehn Uhr gab es einen Aufruhr unten am Hafen, denn der Hubschrauber der Küstenwache flatterte neben dem Holm nur wenige Meter über dem Wasser. Das sah ich vom Stubenfenster aus. Die Kormorane hatten sich verabschiedet. Ein Mann wurde wie eine Spinne am Faden an einem Seil nach unten gelassen, Siggis Boot nur ein paar Meter davon entfernt. Ich zog mich an, volle Ausrüstung, Cowboyhut, Sheriffstern, Mauser und alles, und eilte hinunter an den Hafen.

»Eine Seemine«, vermutete Sigfús, der sich auf seine Skistöcke abstützte und viel über den Zweiten Weltkrieg wusste. Einige Leute hatten sich unten am Hafen versammelt. Óttar war da, Hafenmeister Sæmundur sowieso, der Automechaniker Steinarr, meine Nachbarin Elínborg und ein gutes Dutzend weitere Leute, auch einige von der Rettungswache. Kinder waren keine da, die waren wohl in der Schule, guckten aber bestimmt vom Schulzimmerfenster aus zu. Man grüßte sich, man unterhielt sich, und man gab Sigfús recht. Eine Seemine konnte nicht ausgeschlossen werden. Deshalb der Hubschrauber. Sæmundur hatte einen Feldstecher dabei, den er schließlich weiterreichte. Ich besaß auch einen Feldstecher. Er war in meinem Kutter, also ging ich ihn schnell holen, guckte hindurch und war plötzlich ganz in der Nähe des Hubschraubers. Den Leuten berichtete ich, was ich sah. Óttar fragte mich, ob er den Feldstecher mal ausleihen dürfe, doch ich ignorierte ihn, denn ich musste doch den Leuten sagen, was ich sah. Zudem glaubte ich nicht, dass der Dampftopf wusste, wie man den Feldstecher handhabe. Schließlich war er früher auf dem Schiff nur Koch gewesen. Steinarr fand es lustig, dass ich meinen Feldstecher nicht hergeben wollte, und informierte Óttar, dass ich eben der Feldstecher-Experte sei, was ja auch irgendwie stimmte.

Der Mann am Seil machte eine ganze Weile nichts, baumelte nur knapp über dem Wasser, Siggi wahrte mit seinem Kutter einen Sicherheitsabstand, trieb nur an der Stelle. Er hielt sich den Arm schützend vors Gesicht, denn der Hubschrauber stäubte das Wasser ganz schön auf. Siggi hatte also irgendetwas mit der ganzen Sache zu tun, und Sæmundur konnte bestätigen, dass Siggi vom Lumpfischfang zurückgekehrt sei und etwas im Wasser gefunden habe, auch eine ganze Weile an der Stelle verharrt habe. Zuerst habe er geglaubt, Siggi habe einen Motorschaden, aber das war nicht der Fall gewesen, denn Siggi habe ihm über Funk mitgeteilt, dass er einen schwarzen Behälter im Wasser bemerkt habe, worauf er ihm geraten habe, dem Behälter bloß nicht zu nahe zu kommen, denn es könnte sich um eine Seemine handeln. Sigfús nickte heftig, machte ein paar ganz kleine Schritte, klickte mit den Skistöcken auf dem Asphalt und befand, Sæmundur habe richtig reagiert.

Aber nicht alle waren einverstanden. Elínborg zweifelte an der Vermutung, denn man erkenne eine Seemine, wenn man eine sehe, wie sie sagte, worauf sie gefragt wurde, ob sie denn schon einmal eine Seemine im Wasser habe schwimmen sehen, was sie beleidigt verneinte, und darum bestand die Möglichkeit einer Seemine weiterhin.

»Recht wahrscheinlich eine Seemine«, wiederholte Sigfús nun schon zum zehnten Mal, hob sogar einen seiner Skistöcke und zeigte damit aufs Meer. Und dann erinnerte er uns daran, dass vor ein paar Jahren in der Hólsvík, also da, wo Róbert seinen Golfplatz hatte, eine Seemine aus dem Zweiten Weltkrieg angespült worden war.

»Zweihundertfünfundzwanzig Kilo TNT in einem rundlichen Behälter. Mit Noppen.« Sigfús zeichnete mit dem Skistock die Größe der Mine in die Luft. Magnús' Schwägerin Ragna habe die Bombe auf einem Spaziergang entdeckt, erzählte er uns weiter, obwohl wir alle die Geschichte gut kannten, es hatte dann ja auch in der Zeitung gestanden. Die Mine sei wohl ein Überbleibsel der Briten, die während des Krieges im Nordosten Islands einen Teppich aus Seeminen gelegt hätten, der ihnen dann selber zum Verhängnis geworden war. »Ein englisch-amerikanischer Kriegsschiff-Konvoi war da Richtung Westen unterwegs«, erzählte Sigfús, und alle hörten zu, denn die Geschichte war wirklich gut. Ich kannte sie auch schon. »Neunzehn

Schiffe, bei schlechtem Wetter, schlechter Sicht, Nebelregen und steifem Nordostwind.« Wir scharten uns ganz dicht um Sigfús, denn der Hubschrauber machte einen Höllenlärm. »Ein Missverständnis, eine falsche Position, ein Eisberg, der für eine Landspitze gehalten wurde, und Bumm! Es regnete Metall, Feuer und Wasser. Das erste Schiff wurde fast entzweigerissen, legte sich auf die Seite, von brennendem Öl umgeben, sank aber schnell, und mit ihm die halbe Besatzung. Bumm! Eine zweite Explosion. Ein zweites Kriegsschiff drohte zu sinken, die Besatzung rettete sich auf ein Rettungsboot, und Bumm! Feuer und Rauch und Nebel, vorne und hinten und zu allen Seiten.«

»Selber schuld«, sagte Elínborg.

»Tja, so ist Krieg nun mal«, erklärte Sigfús und ereiferte sich: »Der Konvoi wusste nichts von den Seeminen, glaubte, von deutschen U-Booten angegriffen zu werden, man schoss also mit schwerem Geschütz auf Schatten im Nebel, streute Wasserbomben, Wassersäulen schnellten in die Höhe, Blitze im Nebel, brennendes Wasser. Wenn eine Seemine explodiert, explodieren durch den Druck weitere Seeminen in der Nähe.«

»Kettenreaktion«, sagte einer von der Rettungswache. »Wie Dominosteine.«

»Wie viele sind da eigentlich ums Leben gekommen?«, fragte ein anderer, der nicht von hier war.

»Viele«, sagte Sigfús dunkel.

»Wenigstens hatten die Haie etwas zu futtern!«, sagte Elínborg, worauf einige die Köpfe schüttelten und sich von ihr abwandten. »Was denn!«, sagte sie. »Stimmt doch, nicht wahr, Kalmann?«

Ich musste lachen, denn es stimmte. Haie fraßen so ziemlich alles.

Aber es war dann doch keine Seemine bei uns in der Bucht, denn der Mann am Seil wurde hochgezogen, und Siggi fischte den schwarzen Behälter mit großer Mühe aus dem Meer und tuckerte sodann in den Hafen. Der Hubschrauber machte sich davon, verschwand bald am Horizont, und darum wurde es wieder ruhiger in Raufarhöfn. Ich musste an Nói denken, der mir wahrscheinlich genau hätte sagen können, wohin der Hubschrauber flog.

Wir warteten ungeduldig, bis Siggi endlich im Hafen eingetroffen war. Sæmundur holte einen Krug Kaffee und frittierte Kleinur, und darum war die Stimmung recht gut. Ein paar weitere Leute kamen, der Dichter Bragi zum Beispiel.

»Genossen!«, sagte er zur Begrüßung.

»Achtung, jetzt wird's gleich poetisch!«, warnte Steinarr, aber Bragi sagte nichts.

Auch Nadja und ihr Freund Darius tauchten am Hafen auf, aber sie blieben etwas abseits stehen, als gehörten sie nicht dazu. Nadja bemerkte mich und winkte mich herüber, aber weil ich stehen blieb, kam sie schließlich zu mir und bat, meinen Feldstecher ausleihen zu dürfen. Ich zeigte ihr, wie man ihn den Augen anpasste und das Bild scharf machte. Leider blieb sie dann nicht bei mir stehen, sondern ging mit meinem Feldstecher zurück zu ihrem Freund, der ihn dann auch benutzte, obwohl er dazu überhaupt keine Erlaubnis von mir bekommen hatte. Er guckte eine ganze Weile und besprach sich dabei mit Nadja, aber ich konnte weder hören, was sie sagten, noch hätte ich es verstanden.

Schließlich kam Nadja wieder zu mir rüber, wahrscheinlich um mir den Feldstecher zurückzugeben. Sie lächelte mich schon von weitem an, und Óttar sagte, meine Herzallerliebste komme, worauf ich rot wurde, was mich ziemlich ärgerte.

»Kalli, du bist ja ganz rot im Gesicht!«, sagte er neckisch. Wieso hatte er es auf mich abgesehen? Normalerweise war er immer ganz nett mit mir, vor allem dann, wenn ich im Hotel zu Abend aß. »Geht's dir nicht gut?«

»Lass ihn in Frieden«, sagte Bragi, der plötzlich neben mir stand.

Fast wünschte ich mir, dass Nadja nicht zu mir gekommen wäre, weil ich mich jetzt so schämte, denn alle schauten mich grinsend an, aber wegschicken wollte ich sie auch nicht, schließlich hielt sie meinen Feldstecher in ihren Händen, die immer ganz gepflegt waren trotz der vielen Arbeit im Hotel. Fast hätte ich mir gewünscht, ihn ihr nicht ausgeliehen zu haben. Frauen können einem richtige Probleme machen!

Die Leute um mich herum lauschten amüsiert.

»Danke, Kalmann«, sagte Nadja und überreichte mir den Feldstecher. »Ich muss gehen. Viel zu tun in Hotel. So viel!« Sie schaute mich entschuldigend an, als wäre sie gerne noch eine Weile bei mir stehen geblieben, um sich mit mir zu unterhalten, was mich irgendwie stolz machte. Jetzt war Óttar bestimmt eifersüchtig, doch ich vermutete, dass Nadjas Freund Darius noch eifersüchtiger wurde, und tatsächlich rief er nun Nadjas Namen, weshalb ich ihm einen Blick zuwarf, doch er hatte sich schon umgedreht und machte sich Richtung Hotel davon.

»Aber willst du denn nicht wissen, was im Behälter ist?«, fragte ich Nadja.

Sie kam mit ihrem Gesicht ganz nahe, ihre Lippen berührten schließlich fast mein linkes Ohr.

»Du musst mir erzählen, was drin ist«, flüsterte sie, so, dass es niemand sonst hören konnte. Ich nickte ihr verschwörerisch zu. »Versprochen?« Sie lächelte mich noch einmal an, traurig irgendwie, wie man jemanden anschaut, den man nie wiedersehen wird, weshalb ich nicht wusste, was ich jetzt sagen sollte. Ich starrte sie wohl nur ziemlich bescheuert an. Dann drehte sie sich um und lief ihrem Freund hinterher, der schon einen ganzen Steinwurf von uns entfernt war und nicht einmal auf seine Freundin wartete.

Wenn Nadja meine Freundin gewesen wäre, hätte ich immer auf sie gewartet. Selbst bei Sturm und Regen oder wenn ich hungrig gewesen wäre. Denn das würde sich dann lohnen. Ich schaute ihr nach, bis sie im Hotel verschwunden war. Vielleicht hatte ich trotz allem Chancen bei ihr. Ich war ganz aufgeregt, und damit Óttar keine weiteren Bemerkungen machen konnte, drehte ich ihm den Rücken zu. Ich freute mich, dass ich Nadja wiedertreffen würde, sogar einen richtigen Grund hatte, obwohl ich keine Ahnung hatte, was sich in dem mysteriösen Behälter befand. Aber ich malte mir schon jetzt aus, wie das Gespräch verlaufen würde: Ich würde zu ihr ins Hotel gehen, und sie würde irgendetwas arbeiten und mir vorschlagen, ihr nach draußen zu folgen, denn sie wollte eine rauchen, und ich würde ihr folgen, und sie würde sich draußen eine Zigarette anzünden, und ich würde sagen: »Du wirst nicht

214

glauben, was in dem Behälter ist!«, und ich würde einen Moment abwarten, und Nadja würde sagen, »Was denn? Sag schon!« – »Nichts!«, würde ich sagen, weil ich zum jetzigen Zeitpunkt noch gar nicht wusste, was sich in dem Behälter befand, und überhaupt wäre es sehr lustig gewesen, wenn wirklich nichts in dem Behälter gewesen wäre und man den Hubschrauber unnötigerweise nach Raufarhöfn bestellt hätte und die ganzen Leute unten am Hafen vergebens auf ein Großereignis gewartet hätten. Nadja würde lachen und Rauch in den Himmel blasen und auch mir eine Zigarette anbieten, und ich würde meinen Cowboyhut etwas in den Nacken schieben und mit ihr eine rauchen, und unsere freien Hände würden sich zufälligerweise berühren, aber sie würde die Hand nicht wegziehen, sondern mit ihrem kleinen Finger meinen kleinen Finger ganz sanft festhalten, und dann würden sich alle unsere Finger gegenseitig berühren, sich so verstricken, und Nadja würde mich angucken, mit so Augen, und ich würde mich zu ihr beugen, und wir würden uns küssen, und sie würde ihre Hand in meine Hose stecken und »wow« sagen, und ich wäre etwas verlegen, aber sie würde mich auffordern: »Du darfst mich ruhig anfassen«, und ich würde ihre Brüste berühren, und –

»Kalmann!«

Fast ließ ich meinen Feldstecher fallen. Schafbauer Magnús Magnússon schaute mich komisch an. Er musste wohl eben erst zu uns gestoßen sein, denn vorher war er noch nicht da gewesen. Er war eigentlich nicht zu übersehen, er war groß und massig und trug immer denselben gestrickten Pullover. Magnús fragte mich, ob ich Köderfleisch brauche, denn er habe einen alten Gaul, den er abtun müsse. Aber ich brauchte kein Köderfleisch, hatte momentan genug, fing sowieso nichts, und darum schüttelte ich den Kopf, und weil es noch ein paar Minuten dauerte, bis Siggi mit seinem Kutter endlich eintraf, versuchten wir uns zu unterhalten, aber es klappte irgendwie nicht, weil ich noch ganz heiß war und in Gedanken schon auf dem Weg zu Nadja, weshalb wir schließlich nur schweigend nebeneinander standen und Siggi zuschauten, wie er langsam in den Hafen tuckerte.

Das halbe Dorf wartete nun wie ein Empfangskomitee auf dem Pier und blickte ins offene Boot. Siggi hatte wieder zwei ganze Schüttgutcontainer voll Lumpfische gefangen, und dafür wurde er auch gelobt, aber wirklich interessant war das schwarze Fass, das da auf den Planken stand. Steinarr sagte ganz enttäuscht, das sei aber keine Seemine, worauf alle lachten, aber Sigfús warf ein, dass man nie sicher sein könne, wir sollten trotzdem vorsichtig sein, denn wenn Sprengstoff im Fass sei, flöge plötzlich halb Raufarhöfn in die Luft, und auch das fanden die Leute lustig, ich fand das sogar so lustig, dass ich fast ins Wasser fiel, doch Schafbauer Magnús Magnússon bekam mich gerade noch am Ärmel zu fassen und sagte: »Aufgepasst, Junge!« Er roch nach Schaf. Die meisten Leute hatten mein Missgeschick nicht bemerkt, denn die Aufmerksamkeit galt nur dem Fass. Sæmundur scherzte, dass es ein Glück für Island wäre, wenn halb Raufarhöfn in die Luft flöge. Die Latteschlürfer in Reykjavík wären bestimmt erleichtert! Und auch das fanden die Leute lustig, selbst Bragi lächelte, aber es wurde nicht mehr ganz so laut gelacht, denn nun galt es, das leicht verbeulte Fass zu inspizieren. Aber erst wurde es auf den Pier gehievt, dann wurde darüber diskutiert, ob man es öffnen oder damit warten solle, bis die Polizei eintreffe, Birna sei nämlich schon informiert worden und aus Kópasker unterwegs. Ein paar weitere Leute von der Rettungswache, die die Sucherei nach Róbert offenbar aufgegeben hatten, gesellten sich zu uns. Ich kannte ihre Gesichter, aber nicht ihre Namen. Einer sagte, wir müssten davon ausgehen, Róbert in dem Fass vorzufinden, aber nicht unbedingt an einem Stück, und die Reaktionen waren eine Mischung aus Entsetzen und Gelächter, was ganz komisch war, doch nun war die Stimmung eine völlig andere, sie war bedrückt, und plötzlich war man gar nicht mehr so erpicht darauf, das Fass zu öffnen. Birna treffe bestimmt jeden Moment ein, versicherte Sæmundur, aber Siggi brummte ungeduldig, verkündete, dass er das Fass jetzt einfach öffnen werde, schließlich habe *er* es gefunden, und was man aus dem Meer fische, gehöre einem, und überhaupt, das sei das Gesetz, und wenn die Sache mit Róbert nicht passiert wäre, würde man nicht so ein Drama veranstalten, dann würde es keinen Schwanz interessieren, was im Fass zu finden sei, immerhin treibe alles Mögliche da draußen rum, und er bereue es jetzt auch, das Fass nicht schon auf dem Boot aufgemacht zu haben, denn wenn er gewusst hätte, dass die Bewohner von Raufarhöfn ein Haufen Dramaqueens seien, die wegen Treibgut gleich die Polizei verständigten, hätte er gar nicht erst davon erzählt! Und er habe sowieso keine Zeit, schließlich habe er zwei ganze Schüttgutcontainer voll Lumpfische gefangen, und das gäbe zu tun.

Niemand erhob Einspruch. Er erhielt sogar Zustimmung, und man fand es nur logisch, dass der Finder seinen

Fund selber inspizierte, also machte sich Siggi daran, den Verschluss des Fasses zu lockern, was ganz einfach war, denn das Fass schien gar nicht so lange im Meer verbracht zu haben, war fast wie neu, nur leicht verbeult eben.

Niemand sagte ein Wort. Drei Dutzend Leute und kein Pieps. Das muss man einmal gehört haben! Fast musste ich laut lachen, so aufgeregt war ich. Ich trat ganz nah ans Fass heran, musste dazu auch ein paar Leute wegschieben, denn so eine seltene Überraschung wollte ich mir nicht entgehen lassen. Es passierte ja sonst nicht viel in Raufarhöfn! Siggi nahm den Deckel ab, legte ihn sachte zu Boden und schaute dann ins Fass hinein. Ich sah durchsichtiges Plastik, und etwas war in das Plastik eingewickelt, das seltsam roch. Und jetzt gaben die Leute komische Laute von sich, einige machten ein paar Schritte rückwärts, andere vorwärts, es kam Bewegung in die Versammlung. Ich wurde sogar ein wenig herumgeschubst. Siggi zückte ein Fischermesser und schnitt das Plastik kurzerhand auf. Meine erste Vermutung war: Brokkoli. Gemüse für Yrsas Laden. Aber meine Vermutung war falsch, denn Bragi, der offenbar so etwas schon einmal gesehen hatte, stellte fest:

»Marihuana! Sweet Mary Jane! Ein ganzes Fass voll!«

»Ich habe mit dem Dreck nichts zu tun!«, rief Siggi, verwarf die Hände, kletterte zurück auf seinen Kutter und machte Arbeiten, die er sowieso machen musste. Aber der Trubel auf dem Pier ging nun so richtig los, alle redeten kreuz und quer, alle drängten sich um das Fass, aber Sæmundur schloss den Deckel wieder und sagte:

»Jetzt macht mal Platz!«

Einer von der Rettungswache schlug vor, dass man vielleicht ein Foto machen solle, damit die Polizei wusste, dass man nichts angefasst oder entwendet habe, den Ist-Zustand dokumentieren, und darum nahm Sæmundur den Deckel wieder ab, und einige zückten ihre Mobiltelefone und machten eifrig Fotos, teilten sie auch gleich mit ihren Freunden auf dem Internet. Und darum waren viele in Island über diesen Fund informiert, bevor Birna in Raufarhöfn eingetroffen war.

Sæmundur machte den Deckel wieder zu und sagte, dass keiner das Fass anfassen solle, denn sonst würde die Polizei alle möglichen Fingerabdrücke finden, und Óttar sagte, dass Siggis Fingerabdrücke auf dem ganzen Fass verteilt waren, worauf Siggi von seinem Kutter zu uns auf den Pier hochrief, dass er das Fass nur zufälligerweise gefunden habe, Sæmundur könne das bestätigen, schließlich habe er ihn sofort verständigt, und überhaupt habe es wie eine Seemine ausgesehen, weil es verkehrt herum im Wasser getrieben sei. Aber jemand sagte, Siggi solle sich nicht aufregen, ihm gehörten jetzt fünfzig Kilogramm Marihuana, er solle sich einfach einen Joint drehen und relaxen! Und damit war die Stimmung wieder gut hier am Hafen, es wurde gelacht, und Späße wurden gemacht, der Schrecken war plötzlich verflogen. Vielleicht war man einfach froh darüber, Róbert nicht zerstückelt im Fass vorgefunden zu haben. Aber die Schätzung, dass fünfzig Kilogramm Marihuana im Fass seien, wurde sogleich angezweifelt, denn es sei ein Sechzig-Liter-Fass, wie Óttar wusste. Auch Sæmundur sagte, dass das Fass keine vierzig Kilo schwer sein könne, schließlich hätten sie das Fass zu zweit auf den Pier hochhieven können. Also fassten Sæmundur und Óttar an und stellten das Fass auf die Waage vor Sæmundurs Container, wo normalerweise der Fischfang gewogen und registriert wurde. Sie ignorierten irgendwie, dass sie das Fass eigentlich nicht hätten anfassen sollen, wegen der Fingerabdrücke. Aber ich hielt mich da raus und guckte einfach zu, denn ich wollte mich wirklich nicht ein drittes Mal verdächtig machen.

Wie sich herausstellte, war das Bruttogewicht vierunddreißig Kilo, was die Leute veranlasste, das Gewicht des Fasses zu schätzen, bis Siggi die Leute daran erinnerte, dass das Taragewicht in den Fassboden gestanzt war, aber Sæmundur ging jetzt dazwischen und sagte, wir sollten das verdammte Fass endlich in Ruhe lassen, und mehr hörte ich nicht, denn ich hatte so ein Fass schon einmal gesehen, und zwar ganz genau so ein Fass, aber ich wusste überhaupt nicht mehr, wo. Dann fiel mir ein, dass ich Nadja mitzuteilen hatte, was sich in dem Fass befand, und darum ließ ich die Hälfte der Bewohner von Raufarhöfn zurück und eilte rüber zum Hotel, hatte schon ein Kribbeln im Bauch. Es war die Vorfreude. Nadja würde große Augen machen. Ich beeilte mich, und Bragi rief mir noch hinterher: »Wohin denn so eilig, junger Mann?« Aber ich hatte keine Zeit für Erklärungen. Ich musste mein Versprechen halten. Aber damit war der verrückte Tag noch längst nicht zu Ende.

14

Arctica

Ich betrat das Hotel beim Haupteingang. Das Gebäude stammte noch aus den Zeiten des Heringsbooms, und als der Hering weg war, beschloss man, aus dem Gebäude, das bisher Arbeiter beherbergt hatte, ein Hotel für Touristen zu machen. An den Wänden hingen viele Schwarzweißfotografien aus den Zeiten des Heringsbooms. Da waren all die Schiffe zu sehen, die dichtgedrängt im Hafen lagen, Seite an Seite, so dass man über die ganze Bucht hätte spazieren können, ohne nasse Füße zu bekommen. Auch das Hotelgebäude war im Hintergrund einiger Bilder zu erkennen. In der Hotellobby standen noch so ein paar alte Holzfässer, in denen der gesalzene Hering in alle Welt verschifft worden war. Am Tresen der Rezeption war ein Fischernetz gespannt, worin sich Seesterne verfangen hatten. Da und dort waren Bojen zur Dekoration angebracht, und in einige waren sogar Glühbirnen hineingeschraubt, so dass sie leuchteten.

In der Lobby war niemand. Im Restaurant war auch niemand. Keine einzige Menschenseele. Ich blickte durch ein Fenster zum Hafen hinunter. Da standen die Leute noch immer um das mysteriöse Fass herum und unterhielten sich, lachten und schüttelten die Köpfe. Man hatte den Kaffeekrug und die leeren Plastikbecher darauf abgestellt, als wäre es ein Stehtischchen.

»Nadja!«, rief ich, aber niemand gab Antwort. Vielleicht war sie in der Küche, also ging ich in die Küche; Óttar war ja noch immer unten am Hafen. Auch die Küche war menschenleer. Ich ging die Treppe hinunter in den Keller zum Wäscheraum. Ich kannte mich im Hotel recht gut aus, eigentlich wie in den meisten Häusern in Raufarhöfn. So viele sind es ja nicht. Die Türen stehen hier immer offen. Niemand schließt ab, bis auf die alten Fabrikhallen, wo die Kinder von rostigen Treppen stürzen können. Auch die Autos sind nie abgeschlossen. In einigen stecken sogar die Zündschlüssel.

Unten im Keller war niemand. Als ich die Treppe hochkam, vernahm ich das Wummern des Küstenwache-Hubschraubers, das ich inzwischen gut kannte. War er schon wieder zurückgekehrt? Im Hotelrestaurant guckte ich aus dem Fenster und sah, dass unten am Hafen gerade ein Polizeiauto vorfuhr. Birna war also wieder im Dorf und konnte sich nun um das Drogenfass kümmern. Ich war froh, dass sie wieder da war. Ich nahm die Treppe zu den Zimmern. Bestimmt war Nadja mit Putzen beschäftigt.

»Nadja!«, rief ich. Der Lärm war nun ziemlich laut. Der Hubschrauber landete wohl direkt vor dem Hotel. Das ganze Haus begann zu zittern.

»Nadja!« Ich brüllte.

Eine Tür ging auf, und ein Kopf erschien im Korridor, dunkles Haar, schlankes Gesicht, fragender Blick. Ich kannte die Visage. Sie gehörte dem Touristen, der in Húsavík an *meinem* Tisch gesessen hatte! Ob er mich erkannte, wusste ich hingegen nicht. Schließlich hatte ich jetzt meinen Cowboyhut auf, und auf dem Korridor war es recht dunkel.

»What is happening?«, fragte er, aber ich hatte Wichtigeres zu tun, als ihn über die Lage in Raufarhöfn zu informieren.

»Hast du Nadja gesehen?«

»What?«

»Nadja. Beautiful woman. Wo?« Der Mann war schwer von Begriff. Also versuchte ich es noch mal. Diesmal lauter. »Nadja. Lady! Where, where, where!« Ich vermutete, dass er mich jetzt endlich erkannte, denn er schaute mich irgendwie völlig ungläubig an.

Die Fenster zitterten. Der junge Mann machte seinen Mund wieder zu, drehte sich um und verschwand im Zimmer. Ich hörte, wie er sich mit einer Frau unterhielt. Ich warf einen Blick ins Zimmer, um sicherzugehen, dass sich Nadja nicht bei ihm befand. Sie war aber nicht im Zimmer, nur die Freundin, die ich auch schon in Húsavík gesehen hatte, aber diesmal war sie nur leicht bekleidet, steckte in ihren Outdoor-Hosen und einem roten BH. Sie hatte recht kleine Brüste, etwa wie Äpfel. Ihr Haar war lockig und fiel ihr fast bis auf die Brüste. Ihr Freund hatte sich einen Pullover übergezogen und schob mich zurück auf den Korridor, zog die Tür vor meiner Nase zu, so dass ich seine Freundin nicht mehr sehen konnte.

»What the fuck is going on?«, fragte er, diesmal ziemlich unfreundlich.

Touristen können einem schon auf den Geist gehen. Aber vielleicht konnte er mir bei der Suche behilflich sein.

»Komm mit!«, sagte ich darum und gab ihm mit Handzeichen zu verstehen, dass er mir folgen sollte. Er folgte mir tatsächlich. Wir gingen die Treppe runter, der junge Tourist schräg hinter mir.

»Halloooooooo!«, brüllte ich, so laut ich konnte. Der Lärm des Hubschraubers war ohrenbetäubend. Das Haus hob fast ab. Nadja war nun vielleicht in der Lobby, weil sie den Hubschrauberlärm auch bemerkt haben musste, also bedeutete ich dem Touristen, mir zu folgen. Wir eilten schräg durch die Lobby und stießen die Tür beim Haupteingang auf. Keine gute Idee. Der Wind, den die Rotorblätter verursachten, fegte uns fast von den Füßen. Zu spät versuchte ich, meinen Cowboyhut auf dem Kopf festzuhalten. Schon hatte er sich verabschiedet und trudelte zurück in die Lobby. Staub wirbelte mir ins Gesicht und brannte in meinen Augen, ich konnte gar nicht anders, als sie zuzumachen, aber ich hatte eben noch bemerkt, dass vor dem Hoteleingang schwarzgekleidete Männer standen. Das fand ich seltsam. Ich hielt die Hand schützend vor meine Augen und blinzelte in den Staub. Die Männer waren vermummt und trugen Waffen, die man sonst nur in Filmen zu sehen bekommt, weil die eigentlich niemand hat. Die nennt man halbautomatische Schnellfeuerwaffen.

Klar. Im Nachhinein weiß man immer alles besser. Diese Männer waren von der staatspolizeilichen Spezialeinheit und darum eigentlich die Guten. Aber ich erschrak so sehr, dass ich einfach instinktiv reagierte und zurück ins Hotel flüchtete, meinem Cowboyhut hinterher, dabei aber den Touristen so arg anrempelte, dass er mit mir in der Lobby zu Boden fiel.

»Mach die Tür zu!«, brüllte ich, aber der nutzlose Junge machte nichts dergleichen, blieb einfach auf dem Boden liegen und hatte die Hände am Hinterkopf, bereit, festgenommen zu werden. Vielleicht hatte er mich gar nicht gehört. Wind und Staub schlugen uns noch immer entgegen, und darum war es schwierig, einen klaren Gedanken zu fassen. Ein paar der eingerahmten Schwarzweißfotografien fielen zu Boden, die aufgehängten Bojen schaukelten. Ich rappelte mich auf, um die Tür zuzumachen. Meine Hüfte schmerzte, weil ich wohl seitlich auf meine Mauser gefallen war. Der Gurt war etwas verrutscht, und ich befürchtete, dass ich durch den Sturz die Pistole beschädigt hatte. Darum zog ich sie aus dem Halfter und lehnte mich dabei schräg gegen den Wind. Ich hatte ja gar nicht bemerkt, dass einige der vermummten Polizisten mit den Schusswaffen im Anschlag in die Lobby gestürmt waren.

»Fallen lassen! Fallen lassen!«, brüllten sie, und ich wünschte, ich hätte meine Pistole gleich fallen gelassen, aber ich war so überrascht, denn aus dem Augenwinkel bemerkte ich weitere vermummte Gestalten, die durch die Hintertür ins Hotel eingedrungen waren und nun durch das Restaurant kamen, mit den Waffen im Anschlag, wie im Film irgendwie, und so waren ich und der Tourist völlig umzingelt. Chancenlos. Ich war so perplex, dass ich versteinerte und nicht tun konnte, was die Vermummten von mir verlangt hatten. Der Tourist aber streckte seine Glieder von sich, und zuerst glaubte ich, sie hätten ihn abgeknallt, und darum wurde mir wirklich angst und bange. Die Sache war ernst.

»Fallen lassen! Fallen lassen!«, brüllten sie noch immer, und Peng!, explodierte vor mir eine Handgranate, so dachte ich zumindest, aber es war natürlich keine Handgranate, sondern eine Rauchpetarde, die mir aber irgendwie die Sinne raubte. Der Rauch hüllte uns ein, biss im ganzen Gesicht, und weil die Petarde neben dem Touristen explodiert war, begann er nun haltlos zu schreien, und zwar auf Ausländisch, weshalb ihn niemand verstehen konnte, was in dieser Situation auch niemandem weiterhalf, und plötzlich rammte mich ein kräftiger Mann der Spezialeinheit von hinten und wuchtete mich ziemlich geübt auf den Boden. So was hatte der wahrscheinlich schon mal gemacht. Und da lag ich, hustend und mit tränenden Augen, die Mauser hatte ich nicht mehr in der Hand, aber ich sah sie noch über den Boden unter eine Kommode schlittern, auf welcher immer Kaffee und Tee bereitstanden. Auch heute. Der Spezialeinheitler drehte meine Arme auf den Rücken und stützte sich mit dem Knie auf mir ab. Das tat ziemlich weh, und wenn ich versuchte, mich zu bewegen, schmerzte es noch mehr, und darum begann nun auch ich zu schreien. Ich lag neben dem Touristen, wir schauten uns an und brüllten gleichzeitig aus voller Kehle. Aber nicht sehr lange, denn bald bekamen wir wegen dem blöden Rauch fast keine Luft mehr, und so ging unser Gebrüll in Husten über.

Aber es war dann alles gar nicht so schlimm. Die Rauchpetarde wurde nach draußen geworfen, und jemand schaltetet den Feueralarm wieder aus, den ich bisher noch gar nicht wahrgenommen hatte. Es wurden Fenster geöffnet, und der Rauch verflog dank dem Wind, den der Hubschrauber verursachte. Der Spezialeinheitler lockerte den Griff und setzt mich auf meinen Hintern, denn Birna war plötzlich da und sagte den Männern, dass sie die Falschen verhaftet hätten. Aber ganz so einfach ließen sie uns nicht gehen, mich und den Touristen, schließlich hatten wir Widerstand geleistet, aber auch da gelang es Birna, ein Wort für mich einzulegen, und sie erklärte, wer ich war, wie ich war und dass keine Gefahr von mir oder meiner Spielzeugpistole ausging. Ich glaube, die Leute von der Spezialeinheit merkten dann selber, dass sie es ein wenig übertrieben hatten. Auch dem Touristen gelang es zu beweisen, dass er wirklich nur ein Tourist war. Er wurde zu seinem Zimmer eskortiert, und ich habe weder ihn noch seine Freundin jemals wiedergesehen. Diejenigen, die man hatte verhaften wollen, nämlich die Litauer, also Nadja, Darius und alle, hatten sich längst davongemacht, weshalb die Vermummten eiligst in den Hubschrauber kletterten und sich laut knatternd vom Acker machten. Birna und ein paar Polizisten aus Akureyri und Húsavík blieben zurück. Das alles dauerte nur wenige Minuten, aber ich war so geschlaucht, als hätte ich den ganzen Tag Köderstücke zersägt. Ich war völlig fertig.

Es wurde ruhiger in der Lobby. Birna setzte mich an einen Tisch im Restaurant, nahe am Fenster, servierte mir eine Flasche Cola und setzte sich mir gegenüber. Erst als ich die Flasche in den Händen hielt, merkte ich, wie sehr ich zitterte und wie ich schwitzte, dabei war mir eiskalt. Meine Augen brannten, und meine Hüfte schmerzte. Was sollte der Scheiß? Unten am Hafen waren die meisten Dorfbewohner verschwunden, denn die Polizei war aufmarschiert; vier Beamte in zwei Polizeiautos. Sie sperrten den Hafen mit gelbem Plastikband ab und schickten nun auch Sigfús weg. Nur Sæmundur und Siggi blieben in der Nähe.

»Es tut mir sehr leid, dass du zwischen die Fronten geraten bist, Kalmann«, sagte Birna. »Immer zur falschen Zeit am falschen Ort! Wie machst du das nur?« Sie versuchte zu lächeln, doch sie war nicht sehr überzeugend. »Was machst du überhaupt hier im Hotel?«

Ich wusste, dass ich ihr nicht hätte antworten müssen, denn meine Mutter war nicht da, und ohne meinen Vormund musste ich überhaupt nichts sagen, das war das Gesetz.

»Ich habe Nadja gesucht«, sagte ich.

»Warum?«

»Ich habe ihr versprochen zu sagen, was wir im Fass gefunden haben.«

»Wieso hast du ihr das versprochen?«

»Sie konnte nicht so lange warten, bis das Fass geöffnet wurde. Sie musste arbeiten gehen. Sie hat immer viel zu tun.«

Birna nickte, als würde sie mir glauben.

»Und? Hast du Nadja gefunden?«

»Nein!«, sagte ich, und nun war ich fast den Tränen nahe, denn irgendwie ging heute alles schief. »Sie war wie vom Erdboden verschluckt, sie war weder in der Küche noch im Waschraum. Ich habe überall gesucht! Weißt *du*, wo sie ist?«

Birna schüttelte müde den Kopf.

»Sie kann nicht sehr weit sein, nicht wahr? Wir werden sie bestimmt bald finden. Hat sie dir denn nicht gesagt, wohin sie will?«

Ich dachte angestrengt nach. Ich wollte Birna wirklich helfen, konnte aber nicht.

»Zurück ins Hotel«, sagte ich schließlich, aber allmählich wurde mir klar, dass sie mich angelogen hatte.

Birna nickte, musterte mich eine Weile, sagte, ich solle sitzen bleiben, sie komme gleich wieder, sie müsse einen Anruf machen, und ging.

Die Polizisten am Hafen schauten sich nun das Fass genauer an, machten Fotos und luden es dann in einen Lieferwagen. Birna setzte sich wieder zu mir und steckte ihr Mobiltelefon weg.

»Hör mal, Kalmann, du kannst nicht einfach bewaffnet durch die Straßen spazieren und den Leuten Angst machen.«

»Ich mache niemandem Angst«, wehrte ich mich.

»Das hätte böse enden können heute, verstehst du? Wenn ich nicht da gewesen wäre …«

Ich dachte an meine Mutter.

»Ist doch mir egal«, sagte ich.

Birna schaute mich mit einem schiefen Lächeln an.

»Da draußen sind Leute vom Fernsehen. Ich schlage vor, du machst keine Interviews mehr, einverstanden?«

Ich nickte, aber damit wollte sich Birna nicht zufriedengeben.

»Nimm den Hinterausgang, ja?«

»Kein Grund zur Sorge«, sagte ich.

»Gut. Geh nach Hause, und ruf deine Mutter an. Sie macht sich bestimmt Sorgen.«

Ich nickte zwar, aber ich gab Birna zu verstehen, dass ich noch einen Moment sitzen bleiben wollte, schließlich zitterten meine Hände noch immer. Birna ließ mich, und als ich endlich alleine im Hotel war, legte ich mich vor der

Kommode flach auf den Boden und fischte meine Mauser darunter hervor. Sie war zum Glück noch heil. Natürlich war sie noch heil. Sie hatte immerhin ein paar Kriege überstanden. Ich stellte mir vor, wie ich die Spezialeinheitler in eine wilde Schießerei verwickelt hätte, duckte mich hinter einem Heringsfass, zielte auf die Tür und sagte Peng! Peng! Peng! Aber dann ging die Tür plötzlich auf, weil die Reporter ins Hotel drängten, ob sie nun die Erlaubnis von der Polizei bekommen hatten, oder nicht. Also eilte ich geduckt durch die Lobby und fand im Restaurant hinter dem Büffetttisch Deckung. Es waren aber nur zwei Reporter, und ich erkannte sie auch sofort: der Glatzkopf mit Fliege und der hochgewachsene Kameramann. Sie hatten mich nicht bemerkt. Ich blinzelte unter dem Tisch hervor und nahm erst den Reporter, dann den Kameramann ins Visier. Peng, peng! Ich hätte sie einen nach dem anderen abknallen können.

»Kalmann?«, rief der Reporter vom Staatsfernsehen. Ertappt kroch ich unter dem Tisch hervor und rannte so schnell ich konnte davon, flüchtete durch die Küche und den Vorratsraum zum Hinterausgang und stürzte ins Freie. Draußen schlich ich mich ums Hotel, so würde ich sie abhängen.

Die Flucht gelang. Sie erwischten mich nicht, schauten mir nur kopfschüttelnd hinterher. Mann, war das aufregend! Ich jauchzte lauthals, rannte durchs Dorf und fühlte mich richtig gut, wie ein richtiger Filmheld. »Yeah, bitches!« Aber plötzlich wurde mir schwindlig. Meine Glieder wurden mit jedem Schritt schwerer, ich war plötzlich total müde. Meine Beine trugen mich fast nicht mehr. Als ich beim Häuschen angekommen war, wurde mir schlecht, und ich kotzte neben den Eingang. Kurz und heftig. Dann rettete ich mich mit letzter Kraft hinein. Ich glaube, auch Filmhelden würden blöd dastehen, wenn sie von der Spezialeinheit überrumpelt und zu Boden gedrückt worden wären, entsicherte halbautomatische Schnellfeuerwaffen im Nacken und alles. Die in Hollywood wissen aber gar nicht, wie das richtige Leben ist. Nämlich genau so: zum Kotzen.

⌘

15

Halldór

Die ganze Einwohnerschar hatte sich im Gemeindesaal versammelt. Das gab es sonst nur zur Opferfeier
Þorrablót, zum Nationalfeiertag und zu den selten gewor-
denen Theaterveranstaltungen. Halldór war damit beschäftigt, weitere Stühle aufzureihen, denn offenbar hatte er nicht
geglaubt, dass alle einhundertdreiundsiebzig Einwohner
auftauchen würden – minus die Schulkinder und Kleinkinder natürlich, also etwa einhundertfünfundfünfzig Leute.

»Kalli, hilf mir mal mit den Stühlen!«, rief er, und ich
half ihm mit den Stühlen, denn er schwitzte schon. Meine
Hände zitterten jetzt nicht mehr, ich war nach dem Schreck
im Hotel wieder funktionstüchtig, hatte zu Hause *The
Biggest Loser* geschaut und fühlte mich erleichtert. Auf
der Bühne hatte Halldór einen langen Tisch aufgestellt,
dahinter saßen alle, die etwas zu sagen hatten: Birna von
der Polizei, uniformiert, Arnór von der Rettungswache,
in voller Ausrüstung, und zwischen ihnen Hafdís von der
Gemeindeverwaltung, schön angezogen und geschminkt,
irgendwie ganz professionell und überhaupt nicht nervös.
Die Medienleute waren nicht eingeladen, was ich gut fand.
Hafdís blickte nicht so ernst wie Birna oder Arnór, sondern lächelte. Dabei war die Spannung im Saal greifbar. Ich
selber war ja auch aufgeregt. Ich wollte nichts verpassen,

weshalb ich mich dann bald auf einen freien Stuhl in der zweiten Reihe setzte, obwohl noch immer Leute in den Saal strömten, die noch keinen Stuhl hatten, aber ich ignorierte Halldór, der mich entrüstet anguckte und die Hände verwarf. Noch immer baumelte die Lichterkettendeko von der letzten Opferfeier über unseren Köpfen, was die ganze Bewohnerschaft in Feststimmung versetzte, obwohl es ja eigentlich nichts zu feiern gab. Man begrüßte sich, unterhielt sich und lachte.

Hafdís klatschte in die Hände und erklärte die Informationsveranstaltung für eröffnet, denn es war acht Uhr, und sie hatte schließlich allen per sms mitgeteilt, dass die Veranstaltung um acht Uhr beginnen werde, und wer jetzt zu spät komme – und das waren doch noch einige, Schafbauer Magnús Magnússon zum Beispiel oder der Dichter Bragi, der aber immer zu spät kam –, wer also zu spät komme, komme eben zu spät. Sie stellte sich, Birna und Arnór vor, die links und rechts von ihr auf der Bühne waren, sagte, dass wir, die Leute im Saal, die Möglichkeit bekommen würden, Fragen zu stellen, sie wolle aber versuchen, die Veranstaltung so kurz wie möglich zu halten, und darum wolle sie jetzt gleich Birna das Wort übergeben, die uns über die Geschehnisse des Tages informiere.

Jetzt wurde es still im Saal, alle, die da sein wollten, waren da, und Birna wurde richtig nervös. Ich sah es ihr an, denn ich wusste ja, wie sie war, wenn sie nicht nervös war. Sie rutschte auf ihrem Stuhl herum, büschelte ihre Papiere, die sie vor sich auf dem Tisch liegen hatte, fummelte an ihrer Uniform, öffnete endlich den Mund, aber man verstand sie fast nicht, bis jemand weiter hinten brüllte »lauter bitte!«, und das warf sie ein wenig aus dem Konzept, weshalb sie noch einmal von vorne begann, aber lauter und mit hochrotem Kopf.

»Wie alle wissen, wird Róbert McKenzie seit dem Morgen des neunzehnten März vermisst. Er wurde zuletzt im Hotel Arctica gesehen, wo er das Gebäude um neun Uhr morgens verlassen hat, leichtbekleidet und betrunken. Gegen fünfzehn Uhr hat Kalmann Óðinsson, der sich auf der Melrakkaslétta auf Fuchsjagd befand, eine Blutlache im Schnee entdeckt und sogleich Hafdís, äh, Helgadóttir informiert, aber zu dem Zeitpunkt galt Róbert McKenzie noch nicht offiziell als vermisst, also wurde die Polizei auch nicht eingeschaltet. Der –«

»Wer hat Róbert zum letzten Mal lebend gesehen?«, fragte Elínborg, die schräg vor mir in der ersten Reihe saß. Sie hatte eine laute Stimme. Birna schaute erschrocken in die Runde, wollte etwas entgegnen, aber Hafdís kam ihr zuvor:

»Fragen bitte erst am Schluss!«

»Ist schon in Ordnung«, sagte Birna und schaute nach Worten ringend auf ihre Papiere. »Äh … Nadja Staiva, die im Hotel arbeitete, hat ihn das Hotel verlassen sehen. Sie räumte zu dem Zeitpunkt das Frühstück ab.«

»Die Litauerin!«, bemerkte Elínborg, verschränkte die Arme und hatte keine weiteren Fragen.

»Birna, bitte schön«, sagte Hafdís und gab ihr das Zeichen fortzufahren.

»Eben … Nun. Die Polizei wurde dann am frühen Nachmittag des zwanzigsten März informiert, und am späten Nachmittag wurde die Blutlache, die leider zugeschneit war, forensisch gesichert und untersucht und in der Abenddämmerung eine erste Suchaktion in Zusammenarbeit mit der Rettungswache gestartet.« Birna blickte Arnór an. Der nickte und hob die Hand zum Gruß.

»Nichts gefunden«, sagte er.

Ein unterdrücktes Kichern ging durch die Menschenmenge. Arnór blickte aber ganz ernst und, weil seine Aussage die Leute amüsierte, auch ein wenig verwirrt. Birna fuhr fort:

»Eine DNA-Probe ergab, dass es sich tatsächlich um Róbert McKenzies Blut handelt, zudem fanden wir Stofffasern, die zu seinen Kleidern gehörten, eine Socke sowie seine Brille, aber die Spurensuche war schwierig, weil die Stelle zugeschneit und völlig zertrampelt war.«

Einige Leute blickten mich an, aber ich wusste nicht, wieso, und darum wurde ich wahrscheinlich rot.

»Es ist leider alles, was wir von ihm gefunden haben, aber angesichts der geschätzten Menge Blut im Schnee und im Boden ist es sehr unwahrscheinlich, wenn auch nicht ausgeschlossen, dass Róbert McKenzie noch am Leben ist. Es wird momentan von einem Tötungsdelikt ausgegangen.«

Jetzt glotzten einige Leute Dagbjört an, die ziemlich weit hinten völlig versteinert dasaß, ihren Mann mit Krawatte neben sich, der ihre Hand hielt. Er warf mir einen Blick zu, als ich noch immer zu ihr guckte, obwohl sich inzwischen alle wieder umgedreht hatten. Dagbjört starrte geradeaus, ignorierte alle. Birna fuhr fort:

»Arnór wird uns darüber informieren, wie umfassend die Suche war, aber zwei Sachen möchte ich noch erwähnen. Der Tod von Margrét Baldursdóttir hat nichts mit der

Sache zu tun.« Birna schaute in die Runde, um sich zu vergewissern, ob auch wirklich alle zugehört hatten. »Magga ist leider an einem Essensbissen erstickt, und weil sie alleine in ihrem Haus war, hat ihr niemand helfen können. Ich denke, alle Gerüchte über einen möglichen Zusammenhang mit Róbert McKenzies Verschwinden sind damit hinfällig. Ich, äh, danke euch für die zahlreich eingegangenen Anrufe. Wir können aber nur den Hinweisen nachgehen, die auch handfest sind oder eine gewisse Begründung haben.«

Jetzt ging ein Murmeln durch die Gemeindehalle, weshalb Birna ein paar Sekunden wartete, bis es wieder still war. Einige guckten mich wieder an, und zwar nicht gerade freundlich.

»Ruhe bitte!«, rief Hafdís. Sie machte das wirklich gut.

Birna holte Luft.

»Was heute passiert ist, der Drogenfund und die deswegen lancierte Aktion der Spezialeinheit, kann aber sehr wohl etwas mit Róbert McKenzies Verschwinden zu tun haben, doch bestätigen können wir das noch nicht. Damit es ganz deutlich gesagt ist …« – und jetzt war wieder totale Stille im Saal –, »… es ist noch nicht bestätigt. Sigurður Dagsson, also Siggi, hat heute ein Fass in der Bucht gefunden und das einzig Richtige gemacht, nämlich die Polizei verständigt.«

»Sæmundur hat dich verständigt, nicht ich«, rief Siggi. »Ich habe bloß Sæmundur verständigt.«

»Stimmt!«, rief Sæmundur.

Birna tat, als hätte sie es nicht gehört.

»Leider ist das Fass dann geöffnet worden, bevor die Po-

236

lizei eingetroffen ist, und ich möchte an dieser Stelle unterstreichen, dass mögliche Beweismittel, Funde jeglicher Art, gesichert werden müssen, bis die Polizei eintrifft!«

Einige Leute im Saal schüttelten den Kopf. Jemand sagte, dass Beweismittel keine Stehtischchen seien, was Gelächter auslöste.

»Ruhe!« Hafdís hatte heute wirklich keinen Sinn für Humor.

Birna fuhr fort:

»Es stellte sich heraus, dass im Fass knapp zwanzig Kilogramm Marihuana und rund fünf Kilogramm Amphetamine waren. Wie gesagt, es konnte bis jetzt kein Zusammenhang mit Róbert McKenzies Verschwinden festgestellt werden, aber da so ein ähnliches Fass vor etwa einem Jahr in Reykjavík im Zusammenhang mit einem litauischen Drogendealer konfisziert wurde, konnten wir –«

Jetzt gingen Birnas Worte im Gemurmel unter. Diesmal gelang es Hafdís nicht, die Leute still zu machen, was ich lustig fand und darum laut lachen musste.

»Leute!«, rief sie. »Leute!« Sie verwarf die Hände. Birna machte ein müdes Gesicht.

»Gehören die Litauer der Mafia an? Hier, in Raufarhöfn?«, rief Elínborg völlig empört und übertönte dabei ganz Raufarhöfn.

Jetzt wurde es wieder ruhiger im Saal, denn es war eine gute Frage.

»Das können wir momentan nicht bestätigen, aber –«

»Habt ihr die Litauer gefasst?«

Arnór musste plötzlich grinsen und hielt sich die Hand vor den Mund. Hafdís versuchte es noch einmal:

»Jetzt seid mal ruhig! Lasst Birna ausreden, dann könnt ihr Fragen stellen!«

Birna nickte ihr dankbar zu.

»Ja, die vier Hotelangestellten konnten oben auf der Fünfundachtzig bei den Kratern von der Spezialeinheit aufgehalten und gefasst werden.«

»Das sind keine Krater«, hörte man Sigfús sagen.

»Werden sie verdächtigt, Róbert umgebracht zu haben?«, fragte jemand.

»Zum jetzigen Zeitpunkt wird niemand verdächtigt, da wir nicht wissen, wo Róbert ist oder ob er wirklich umgebracht worden ist, aber eigentlich werden alle verdächtigt, die mit ihm zu tun hatten. Darum –«

»Gehören die vier Litauer der Mafia an?«

»Das können wir beim derzeitigen Kenntnisstand nicht bestätigen.«

»Hat man die Litauer verhört?«

»Wir sind dabei, die Litauer zu verhören, aber ich kann euch dazu keine weiteren Informationen geben.«

Die Leute waren mit Birnas Antworten gar nicht zufrieden. Es wurde rege diskutiert, und es wollte auch niemand von Arnór hören, wo die Rettungswache überall gesucht hatte, denn sie hatten Róbert sowieso nicht gefunden. Die Leute interessierte viel eher, ob Róbert mit der litauischen Mafia unter einer Decke gesteckt hatte und wieso man diese Litauer so lange unter uns geduldet hatte. Elínborg sagte, man hätte verhindern müssen, dass Róbert in die ganze Sache hineingezogen wurde und dass man die Litauer zu einem Geständnis zwingen müsse, dann sei der Fall nämlich gelöst.

»Es gibt Methoden!«, rief sie.

Hafdís gelang es doch noch einige Male, den Saal zur Ruhe zu bringen, aber mehr Informationen waren von Birna nicht zu bekommen. Wichtig sei, wie sie abschließend sagte, dass Róbert so schnell wie möglich gefunden werde.

Die Veranstaltung dauerte eine ganze Stunde, im Saal wurde es richtig warm, die Fenster waren beschlagen, auch wenn Halldór alle Fenster, die man aufmachen konnte, geöffnet hatte. Einmal wurde es aber noch unangenehm, denn Yrsa vom Laden fragte, ob man ausschließen könne, dass sich hier ein Eisbär rumtreibe, worauf Birna dann doch noch lächelte und sagte, dass sie das mit gutem Gewissen ausschließen könne. Jetzt schauten mich wieder ganz viele Leute an, und ich hörte auch meinen Namen im Gemurmel. Das gefiel mir nicht, und darum sagte ich, dass Eisbären von Grönland nach Island schwimmen können, aber das hörten nur diejenigen, die in meiner Nähe saßen. Unterstützen wollte mich aber niemand, und alle schauten wieder nach vorne.

Als die Veranstaltung beendet war, half ich Halldór, die Stühle wegzuräumen. Nicht weil ich ihm helfen wollte, sondern weil auch Dagbjört mithalf. Sie fühlte sich wahrscheinlich als Lehrerin verpflichtet. Sie belohnte mich mit einem Lächeln, sagte, es sei lieb von mir zu helfen, und ich war so stolz, dass ich gleich vier Stühle aufeinanderstapelte und hinter die Bühne schleppte. Normalerweise trägt man nämlich nur drei Stühle aufs Mal, aber wer stark ist, kann auch vier Stühle tragen.

Ich wunderte mich, dass Dagbjört überhaupt zu der Veranstaltung gekommen war, schließlich ging es um ihren Vater. Und sie war überhaupt nicht traurig.

»Hast du schon einen Hai gefangen?«, fragte sie mich.

»Nein, noch nicht«, sagte ich und war ein wenig beleidigt. »Ich habe ja erst wieder angefangen.«

»Ach so«, sagte Dagbjört und lächelte.

»Bist du nicht traurig?«, fragte ich sie.

Sie schnappte nach Luft.

»Wieso fragst du das?«

»Weil dein Vater tot ist.«

»Kalli! Fass mal mit an!« Halldór stand auf der Bühne und wartete bei den Tischen auf mich. Bevor ich auf die Bühne klettern konnte, um ihm zu helfen, sagte Dagbjört:

»Vielleicht lebt er ja noch.«

»Das glaube ich nicht«, sagte ich.

»Kalmann!«, brüllte Halldór. »Komm jetzt!«

Ich mag es nicht, wenn man mich anbrüllt. Schließlich führte ich mit Dagbjört ein ganz normales Gespräch. War er etwa eifersüchtig?

»Wieso glaubst du das nicht?«, fragte Dagbjört und war irgendwie bleich.

Ich war verwirrt. Hatte sie denn nicht zugehört?

»Aber das Blut!«, sagte ich. »So einen Blutverlust … Hat Birna ja selber gesagt! Und Birna ist von der Polizei.«

Dagbjört stellte den Stuhl, den sie in den Händen hielt, wieder auf den Boden.

»Man hat ihn noch nicht gefunden«, sagte sie tonlos.

»Kalli! Lass die arme Dagbjört in Ruhe!«

Ich warf Halldór einen Blick zu.

»Wem gehört eigentlich das Hotel, wenn Róbert tot

ist?«, fragte ich Dagbjört. Eigentlich wollte ich sie das gar nicht fragen, aber irgendwie war eine Sicherung durchgebrannt, als mich Halldór so angebrüllt hatte.

»Ist schon gut!«, sagte Dagbjört in Richtung Halldór. »Kalmann ist nur neugierig.« Und zu mir: »Daran will ich gar nicht denken.«

»Dann bist du reich«, informierte ich sie.

Dagbjört schaute mich an, drehte sich um und ging. Ich schaute ihr hinterher.

»Idiot!«, sagte Halldór.

Als Dagbjört den Saal verlassen hatte, packte ich einen Stuhl und schleuderte ihn durch den ganzen Saal in Halldórs Richtung. Der Stuhl prallte scheppernd an die Bühne, und ich sah noch, wie Halldór einen Sprung nach hinten machte, dann stürmte auch ich aus dem Saal und nahm Halldórs Gefluche gar nicht mehr wirklich wahr. Erst als ich draußen war, blieb ich stehen, denn es waren noch immer einige Leute vor dem Gemeindehaus versammelt und unterhielten sich, und ich erkannte auch Dagbjört, die bei ihnen stand und von Óttars Frau Ling umarmt wurde.

»Kalmann«, sagte der Sportlehrer Marteinn. »Was hast du eigentlich im Hotel zu suchen gehabt, als die Spezialeinheit die Litauer verhaften wollte?«

Ich schaute ihn an. Alle, die bei ihm standen, schauten mich an. Mir wurde klar, dass die Veranstaltung hier draußen von ein paar wenigen weitergeführt wurde. Es war wahrscheinlich besser, wenn ich nichts sagte, denn bisher war ich nur ausgelacht worden, wenn ich etwas gesagt hatte.

»No comment«, sagte ich und blieb stehen. Ich hätte

eigentlich gehen wollen, aber ich war wie angenagelt. Die Leute tauschten Blicke aus.

»Was meinst du damit?«, fragte Marteinn und verschränkte die Arme. »Hast du etwas zu verbergen?«

»No comment!«, wiederholte ich und merkte ja selber, dass ich es ziemlich laut gesagt haben musste, denn Marteinn trat einen Schritt zurück und ließ seine Arme gleich wieder hängen.

»Jetzt bleib mal ganz ruhig, ich habe ja nur eine Frage gestellt!«, sagte er.

»Es geht dich einen Dreck an!«, brüllte ich.

»Kalmann!«

War denn das ganze Dorf plötzlich gegen mich? Was hatte ich denn verbrochen?

»Kalmann, komm!« Dagbjört rief meinen Namen, ich hatte sie zuerst gar nicht gehört. Ich starrte nur ganz eindringlich den Sportlehrer an, der manchmal im Hotel Arctica auf den Putz haute, und darum hätte ich ihn genauso fragen können, was er ständig im Hotel zu suchen hatte, denn Sportlehrer sollten eigentlich keinen Alkohol trinken, das weiß doch jeder, das ist einfach so. Und das hätte ich ihn auch fast gefragt, aber nun packte Dagbjört meine Hand und zog mich weg, über den Parkplatz zur Straße, weg von den Leuten, ließ gar keinen Widerspruch zu. Sie sagte ganz leise, es tue ihr leid, dass sie vorher so reagiert habe, aber sie wisse ja selber nicht, was sie glauben solle. Sie hoffe, dass ihr Vater noch lebe, denn wenn es keine Beweise gebe, müsse man davon ausgehen, dass eine Person noch am Leben sei. Und sie sagte all das ganz leise zu mir, während sie mich wegführte. Und ich beruhigte mich einfach ganz augenblicklich, denn ich hatte noch nie mit Dagbjört Händchen gehalten, und sie hatte mir noch nie Worte ins Ohr geflüstert, und darum wurde mir ganz warm, und ich überlegte mir, was ich sagen sollte, denn eigentlich war ich überhaupt nicht derselben Meinung. Das konnte sie nämlich grad vergessen, dass ihr Vater noch lebte. Das wusste ich ja. Und das wollte ich ihr auch sagen. Aber dann erinnerte ich mich plötzlich daran, dass ich sie zu beschützen hatte, sie vor allem Bösen abschirmen musste, das hatte ich ja auch versprochen. Sie ließ mich plötzlich auf der Straße stehen, sagte, sie müsse jetzt nach Hause und ich solle mich auch auf den Nachhauseweg machen.

»Bless, Kalmann.« Sie küsste mich auf die Wange, und weg war sie. Und ich stand da, ganz alleine, schaute ihr hinterher, wie sie nach Hause ging, schaute zurück zum Gemeindehaus, war aber zu weit entfernt, um von den Leuten da angepöbelt zu werden, und darum schüttelte ich schließlich nur den Kopf, schaute hoch in den Sternenhimmel und bemerkte Nordlichter. Ziemlich schöne sogar. Darum brüllte ich, so laut ich konnte:

»Nordlichter!«

Jetzt schauten auch die Leute vor dem Gemeindehaus in den Himmel. Ich ging dann aber nach Hause, denn ich war überhaupt nicht in Nordlicht-Stimmung. Ich klappte meinen Laptop auf und rief Nói an, denn ich wollte ihm von der Versammlung erzählen. Doch Nói war irgendwie schlecht drauf, ging gar nicht ein auf das, was ich ihm erzählte, war auch nicht in ein Multiplayer-Spiel verwickelt, sondern saß einfach nur da, irgendwie gekrümmt, aber seinen Kopf sah ich trotzdem nicht. Sein Pullover schien eine

Nummer zu groß. Bald kam seine Mutter ins Zimmer und sagte, Nói müsse sich hinlegen und jetzt sei es genug mit dem Computer. Dass Nói ihren Befehl einfach so befolgte, überraschte mich. Er sagte auch gar nicht auf Wiedersehen, sondern brach das Messenger-Gespräch einfach ab, verschwand von meinem Bildschirm, und darum saß ich da und fühlte mich leer, denn eigentlich hätte ich jetzt einen Freund gebrauchen können, und darum weiß ich auch gar nicht, wie lange ich einfach vor meinem Laptop hockte. Ich kam erst dann wieder zu mir, als Blut auf meine Hose tropfte, und als ich das nasse Blut auf meiner Haut spürte, merkte ich, dass ich meinen Handrücken wundgekratzt hatte.

⌘

16

Jagd

Nachdem ich mich verarztet hatte, legte ich mich
schlafen. Eigentlich kam es nur selten vor, dass ich
vor dem Zubettgehen nicht fernguckte. Aber ich war kein
Kind mehr, und Erwachsene können auch mal nicht fernsehen. Darum war ich am nächsten Morgen ziemlich gut
ausgeschlafen, aber ich beschloss trotzdem, den Tag so zu
verbringen, dass ich nicht ständig Leuten begegnete. Ich
wollte meine Ruhe haben. Das Wetter war hervorragend,
fast ein wenig frühlingshaft, nur wenige Wolken hingen am
Himmel. Schäfchen in Reih und Glied. Der Nebel, der bei
Tagesanbruch in der Bucht gelegen hatte, verflüchtigte sich
nun. Feucht und matt lag das Gras zwischen den Steinen,
ganz schattige Stellen ausgenommen, war der Schnee weg.
Die Blutlache beim Arctic Henge war wohl im Boden ver-
sickert. Also packte ich Schokolade und Dörrfisch in meinen Rucksack, setzte meinen Cowboyhut auf und legte
meinen Pistolengürtel um. Hinter dem Gemeindehaus
kletterte ich den Hang hoch, drehte mich noch einmal um,
überblickte Raufarhöfn, das nach dem Trubel erstaunlich
ruhig dalag. Nichts war dem Dorf anzusehen, denn Hubschrauber und Spezialeinheitler hinterlassen keine Spuren.
Ich zog los, querfeldein Richtung Nordwesten, kletterte
über die Fundamente der alten Britenanlage, bog bei den

Sendemasten Richtung Norden ab, marschierte in gutem Abstand am Arctic Henge vorbei und weiter über die Tundra der Melrakkaslétta, ziellos irgendwie, aber ich folgte meinem Instinkt, meinem Bauch, und ich war überzeugt, dass mich mein innerer Kompass zu Schwarzkopf führen würde. Ganz bestimmt würde ich Schneehühner sehen, denn während dieser Jahreszeit waren die Männchen noch immer im weißen Wintergefieder und ganz einfach auf der braunen Ebene zu erkennen. Die Weibchen hatten schon braune Flecken im Gefieder, damit sie besser vor den Falken getarnt waren. Die Männchen opferten sich also für die Weibchen, damit wenigstens der Nachwuchs gesichert war. Es ist das Gleichgewicht der Natur. Da kann man nicht daran rütteln. Das ist einfach so. Frauen und Kinder zuerst. Das Lieblingsgericht der Falken ist Schneehuhn, und wenn es nur wenige Schneehühner gibt, gibt es wenige Falken, weil sie dann nichts zu futtern haben. Und wenn es wenige Falken gibt, gibt es mehr Schneehühner. Und wenn es mehr Schneehühner gibt, gibt es mehr Falken. Und dieses Beispiel könnte man bestimmt auf uns Menschen übertragen, aber mir fällt grad nicht ein, wie.

Tatsächlich flatterte schon bald ein Schneehuhnpaar aufgeregt davon, und ich wunderte mich einmal mehr über die beschränkten Flugkünste und ihr rülpsendes Gurren, das sie über weite Distanzen verriet. Die Natur macht es den Falken und den Polarfüchsen sehr einfach. Falken sah ich aber keine, und auch Schwarzkopf ließ sich nicht sofort blicken, aber Kurzschnabelgänse und Singschwäne, die wahrscheinlich eben erst in Island eingetroffen waren, gab es doch schon einige.

Ich ging zu den Seen hoch, die vor kurzem noch zugefroren und mit einer Schneeschicht bedeckt gewesen waren. Jetzt glitt auf einem ein Singschwanpärchen – es sind immer dieselben Pärchen, jedes Jahr. Darum sind Schwäne so romantische Tiere. Sie bleiben sich und ihrem Seelein treu. Manchmal wünschte ich mir, ich wäre ein Schwan.

Ich setzte mich auf einen Stein, die warme Sonne im Gesicht, aß Schokolade und dachte nach. Ich hätte mich gerne ins Gras gelegt, doch der Boden war noch immer feucht und kalt. Von hier aus konnte ich Raufarhöfn nicht mehr sehen. Nur noch Moos, braunes Gras und Steine, geschmückt mit Flechten, so weit das Auge reichte. Wenn ich nicht den Arctic Henge in weiter Ferne gesehen hätte, hätte ich genauso gut auf einem anderen Planeten sein können. Alleine in dieser Landschaft zu sitzen war wie auf dem Meer sein, aber ganz anders. Die Melrakkaslétta hob und senkte sich, wogte wie flache Wellen, obwohl sie natürlich ganz starr war. Einer der grünen Seen lag zu meinen Füßen. In diesen Seen gab es Fische. Früher ging ich oft mit Großvater angeln, wir standen in unseren Hüftstiefeln im Wasser, das in der Mitternachtssonne goldig schimmerte, stundenlang, ohne zu reden, einfach nur dastehen und angeln, und manchmal kamen wir spät nach Mitternacht mit einem halben Dutzend Seesaiblingen zurück. Das ist Glückseligkeit.

Ich hatte Nói einmal den Vorschlag gemacht, mich im Sommer in Raufarhöfn zu besuchen, dann würde ich ihn zum Angeln mitnehmen, was er aber abgelehnt hatte, denn angeln sei langweilig. Dabei hätte es ihm ganz bestimmt gefallen, schließlich hatte er mir einmal seinen Traum verraten, irgendwo in Kanada oder Alaska in einer Hütte zu leben und nur von der Natur zu leben, völlig unabhängig von seiner Mutter. Aber mit Internetanschluss und modernen Schusswaffen und viel Whiskey.

Als ich so dasaß und aufs Wasser schaute, bemerkte ich plötzlich eine Bewegung auf der gegenüberliegenden Seeseite. Ich hielt den Atem an. Es war Schwarzkopf, der sich da geduckt herumtrieb. Tatsächlich. Er musste mich schon lange bemerkt haben, denn er schaute recht misstrauisch zu mir, ging ein paar Meter am Seeufer entlang, blieb stehen, schaut wieder zu mir rüber und wiederholte das Ganze. Ich bewegte mich nicht, blieb völlig reglos, und schließlich blieb auch Schwarzkopf stehen, den Kopf gesenkt, die Beine stramm und etwas gespreizt, bereit zur Flucht, als erwartete er von mir, dass ich etwas machte. Also machte ich etwas.

Die Distanz über den See war knappe fünfzig Meter, mit der Schrotflinte hätte ich ihn vielleicht erwischt, wenn auch nicht töten können, weil die Schrotkügelchen zu gestreut gewesen wären. Aber ich hatte die Flinte sowieso nicht dabei, darum griff ich ganz langsam an mein Pistolenhalfter, wie in Superzeitlupe, so dass der Fuchs unmöglich eine bedrohliche Bewegung ausmachen konnte. Tatsächlich wandte er sich ein wenig von mir ab und schnupperte am Krähenbeerengestrüpp, trottete dann wieder am Seeufer entlang, völlig entspannt, als glaubte er nicht mehr, dass ich etwas machen würde, hielt dann aber trotzdem wieder inne und guckte zu mir rüber, als traue er mir doch nicht ganz. Inzwischen hatte ich die Mauser in meiner Hand, sie war entsichert. Mein rechter Zeigefinger am Abzug, den

Arm gestreckt, visierte ich ihn übers Korn an, ein Auge zu, atmete flach, atmete ein, atmete aus. Schwarzkopf guckte mich völlig nichtsahnend an. Er hatte keine Angst vor mir. Er schaute mich an, als dulde er mich hier oben, als wüsste er ganz genau, wer ich war. Und darum fiel es mir so schwer, ihn zu töten. Nein, abdrücken wäre falsch gewesen. Mein Bauchgefühl sagte mir das.

Großvater hatte mich gelehrt, wie man auf sein Bauchgefühl hört und auch darauf vertraut. Er meinte sogar, mein Bauch wisse meistens, was Recht und was Unrecht sei. Ich müsse einfach meine Bauchgefühle verstehen lernen. Dann wollte er von mir wissen, wo ich in meinem Körper Trauer empfand. Ich solle einfach mit dem Finger auf die Stelle zeigen. Gar nicht so einfach, wie man denkt! Zuerst zeigte ich auf meinen Kopf, weil ich dumm war und glaubte, dass sich alles im Kopf abspielt. Man würde ja denken, dass dort, wo das Gehirn ist, alles passiert! Denn der Kopf ist das Steuerhäuschen, da sitzt der Fahrer und steuert. Wenn niemand den Motor anspringen lässt, dann passiert rein gar nichts. Da nützt dir der stärkste Motor nichts. Und darum kann man ohne den Kopf zum Beispiel keinen Schnee schaufeln oder traurig sein. Das versuchte ich Großvater zu erklären, er war aber nicht zufrieden mit meiner Erklärung, sagte, ein Fahrer könne nichts machen, wenn der Motor einen Schaden habe. Dann nütze es auch nichts, wenn man einfach den Fahrer auswechsle. Ich sollte nicht da hinzeigen, wo ich glaubte, dass sich das Gefühl für Trauer befinde, sondern dahin, wo ich es fühlte, und wir würden es gleich noch einmal versuchen, was mich etwas nervös machte, aber Großvater sagte, ich brauchte nicht nervös zu sein und ich solle jetzt meine Augen zumachen. Und er wartete, bis ich die Augen fast wieder aufmachte, weil ich wissen wollte, ob er überhaupt noch da war. Zugleich versuchte ich herauszufinden, wo die verflixte Trauer steckte, wenn nicht in meinem Gehirn. Aber ich fand sie nicht, und ich wurde darum noch nervöser und wollte eigentlich nicht mehr mitmachen, doch Großvater beharrte darauf, dass ich die Augen auf keinen Fall öffnete, und dann erinnerte er mich daran, dass bald Weihnachten sei, und darum vergaß ich völlig, dass ich die Trauer hätte suchen sollen, aber Großvater fragte mich, ob ich mich auf Weihnachten freute – dumme Frage! Ich solle ihm nun zeigen, wo sich das Gefühl befand, und ich zeigte, ohne zu überlegen, auf meinen Bauch, denn da kribbelte es mich, und Großvater lachte und klatschte in die Hände.

»Da ist die Vorfreude, das Glück!«, bestätigte er.

Ich war so erleichtert! Ein Stein fiel mir vom Herzen. Und nun war ich bereit, weitere Gefühle aufzuspüren. Die Trauer, wie sich herausstellte, steckte in meiner Brust, die Liebe war auch in meinem Bauch und die Wut in meinen Armen. Die Sehnsucht fand ich nicht, weil ich nicht genau wusste, was Sehnsucht war, aber Großvater war nun zufrieden mit den Resultaten und erklärte mir, dass eben nicht alles oben im Kopf sei, dass nicht alles so einfach sei, wie man glaube. Der Grönlandhai, erklärte er mir, habe praktisch kein Gehirn, bloß Verbindungen von den Augen zur Wirbelsäule, aber das bedeute überhaupt nicht, dass der Grönlandhai dumm sei oder keine Gefühle empfinde.

Ich fand das ungeheuer. Ein Grönlandhai sollte auch Gefühle haben? Ist er traurig da unten auf dem Meeresboden in der Dunkelheit? Ist er einsam? Oder ist er glücklich? Hat er Freunde? Kann er verliebt sein? Hat er Angst, wenn er von uns an die Wasseroberfläche gezogen wird?

»Haben Fische Angst?«, fragte ich meinen Großvater, und er dachte eine Weile nach, sagte, dass er noch nie von einem Fisch gehört habe, der freiwillig in den Rachen eines Grönlandhais oder in ein Fischernetz geschwommen sei, und er denke, dass es auch nie einen geben werde. Und ich muss ihn etwas verwirrt angeguckt haben, denn er sagte, er wisse es eigentlich auch nicht, aber er glaube es. Sein Bauch sage es ihm, nicht sein Kopf, und es sei wichtig, auf den Bauch zu hören, denn der Kopf habe sehr wenig mit Gefühlen zu tun, und Gefühle seien überlebenswichtig, sonst würden wir unseren Kopf aus reiner Neugier in den Rachen eines Löwen stecken. Und das ergab Sinn.

Wenn Großvater jetzt hier oben bei mir gewesen wäre, hätte er nichts gesagt. Er hätte einfach nur reglos neben mir gesessen und hätte Schwarzkopf mit zusammengekniffenen Augen zugeschaut. Er hätte mir nicht gesagt, dass ich mich beeilen oder schießen müsste. Keine Chance. Er hätte mich machen lassen, denn er hätte gewusst, dass ich es schon richtig machte, auch wenn ich nicht so gescheit war wie er. Gute Bauchgefühle hatten wir beide.

Vielleicht schaute mich der Fuchs so seelenruhig an, weil auch er spürte, dass ich ihm nichts Böses wollte. Vielleicht erkannte er mich wirklich. Vielleicht hatte er mir auch einen Namen gegeben wie ich ihm. Schließlich hatte er mich bestimmt schon einige Male über die Melrakkaslétta wandern sehen und hatte mich singen hören. Wir schauten uns also nur an, bestimmt ein paar Sekunden oder auch mehr, ich zielte mit meiner Mauser auf ihn, ich dachte an Großvater und sagte:

»Peng.«

Auf dem Nachhauseweg kam ich an Bragis Haus vorbei. Und weil ich zu seinem Stubenfenster guckte, in der Vermutung, den Dichter am Fenster stehen zu sehen, bemerkte ich gar nicht, dass er draußen neben dem Eingang stand und eine Pfeife rauchte.

»Kalmann!«

Ich erschrak und blieb natürlich stehen, schaute mich nach Bragi um. Der schmunzelte, zog an seiner Pfeife, paffte zufrieden, als hätte er mich wirklich erschrecken wollen. Seine Lippen waren rot geschminkt.

»Hallo«, sagte ich und dachte an meinen Großvater, der früher auch Pfeife geraucht, sich aber nie die Lippen geschminkt hatte. Vielleicht werde ich auch Pfeife rauchen, wenn ich so alt wie Bragi sein werde, aber die Lippen werde ich mir nie schminken.

Bragi zeigte mit der Pfeife auf mich. Seine Fingernägel waren heute schwarz lackiert, und er war in Plauderstimmung.

»Nichts geschossen heute?«

»Nein.«

»Das nennt man einen bewaffneten Spaziergang.«

»Ich glaube schon.«

»Nur ein harmloser Spaziergang. Gut so«, sagte Bragi. »Heute ist kein Tag für … so was …« Er hielt mitten im Satz inne, runzelte die Stirn, als suchte er nach Worten, doch dann steckte er sich lediglich die Pfeife wieder zwischen die Zähne.

Er war ganz elegant gekleidet, total altmodisch, ein gestreiftes Hemd, eine braune Weste, rote Hosenträger, schöne dunkelgrüne Hosen. Fehlte nur noch ein Hut. Der hätte nämlich seine zerzauste Frisur verstecken können.

Auch Bragi betrachtete mich.

»Das war ein verrückter Tag gestern, nicht wahr? Filmreif.«

»Ja«, sagte ich und spürte den Spezialeinheitler auf mir knien.

»Du hast das Mädchen gemocht, nicht wahr? Nadja?«

Ich zuckte mit den Schultern und schaute zu Boden.

»Komm rein. Ich mach dir einen Kaffee«, sagte Bragi, drehte sich um und ging ins Haus.

Jetzt konnte ich also gar nicht mehr nein sagen, und einfach weggehen wäre unhöflich gewesen, also zog ich beim Eingang meine Schuhe aus und folgte ihm ins Haus. Ich war nicht zum ersten Mal in meinem Leben in seinem Haus, denn früher begleitete ich meine Mutter, wenn sie in Bragis Bibliothek Bücher auslieh. Die beiden unterhielten sich immer, aber damals begriff ich noch nicht, worüber gesprochen wurde. Aber jetzt war ich schon seit Jahren nicht mehr in seiner Bibliothek gewesen, und darum war es irgendwie wieder wie zum ersten Mal, weil ich mich verändert hatte und nicht mehr derselbe Mensch war. Sein Haus ist in den 60er Jahren gebaut worden, ganz flach, eingeschossig, große Fenster und Teppichböden. Aber viel freien Platz gab es auf dem Teppich nicht. Auf dem Boden stapelten sich Kartons voller Bücher, die Wände waren mit

Bücherregalen verbaut, und auf den meisten Stühlen und Sesseln lagen Bücher, aber nicht nur Bücher, sondern auch Zeitungen und Videokassetten, Lampen und Küchengeräte. Auf den Fensterbänken und zwischen den Stühlen standen Pflanzen. Sehr viele Pflanzen. Es war auch richtig warm im Haus. Und feucht. Die Fenster waren an den Rändern beschlagen, und zwischen den Fensterscheiben schimmerte es an einigen Stellen grün. Neben der Stubentür stand ein Schreibtisch, der schwer beladen mit einem alten Computer und weiteren Büchern war.

Bragi war in der Küche verschwunden, aber auch da lag viel Kram rum. Ich konnte einen Blick in sein Schlafzimmer werfen, denn die Tür stand weit offen, und es war das unordentlichste Zimmer, das ich je in meinem Leben gesehen habe.

»Ich muss wieder gehen«, sagte ich. »Bless!«

»Du bleibst jetzt schön da!«, rief Bragi, kam in die Stube, räumte ein paar Bücher von einem Sessel und sagte: »Setz dich! Ruh dich aus!«

Ich setzte mich, aber an Ausruhen war nicht zu denken. Bragi blieb stehen und schaute auf mich runter, als überlegte er sich, was er mit mir machen sollte. Dann ging er wieder in die Küche, ließ mich einfach sitzen. Nach einer Weile kam er mit einem Stück Kuchen auf einem Teller zurück, gab mir den Teller und setzte sich an seinen Schreibtisch. Er nahm ein Buch vom Stapel, drehte es in den Händen und beugte sich nahe an den Computerbildschirm.

»All diese Schachteln«, seufzte er. »Sie wurden mir einfach so zugeschickt, als hätte ich Verwendung für diesen Kram, dabei habe ich gar nicht darum gebeten. Oder willst du dieses Buch lesen?« Er schaute sich wieder die Titelseite an »*Kan du høre mosset visker?* Eine Schnulze, und erst noch auf Dänisch. Kannst du Dänisch?«

Ich schüttelte den Kopf.

»Ich auch nicht, for helvede!«, donnerte Bragi. Fluchen auf Dänisch konnte er offenbar. »Jetzt muss ich den ganzen Quatsch im System aufnehmen, die Bücher mit Nummern versehen und einplasten. Wir haben ja nichts Besseres zu tun hier oben, nicht wahr?«

Ich war froh, nicht in einer Bibliothek arbeiten zu müssen. Es klang nämlich ganz schön anstrengend.

Bragi zeigte mit seinem schwarzen Zeigefingernagel aufs Büchergestell neben mir.

»Siehst du die ganze Reihe Bücher hier? *Die Saga vom Eisfolk.* Diese Bände werden noch immer gelesen. Sie würden eigentlich für eine Dorfbibliothek genügen.«

Ich hatte noch nie ein Buch gelesen, aber ich wollte nicht, dass Bragi es merkte, weshalb ich gar nichts sagte, sondern nur in den Kuchen biss. Es war ein steintrockener Schokoladenkuchen. Bragi wandte sich wieder seinem Computer zu. Ich horchte auf, denn ich vernahm das Fauchen der Espressokanne aus der Küche, doch Bragi war so in seine Arbeit vertieft, dass er es wohl gar nicht hörte, und darum sagte ich:

»Der Kaffee ist fertig.«

»For helvede!«, sagte Bragi erneut und schlurfte in die Küche.

Ich atmete gepresst aus, fragte mich, wie ich aus dem Haus flüchten konnte. Denn mein Bauchgefühl gab mir Signale.

»Ich habe dich gesehen, Kalmann!«, rief mir Bragi aus der Küche zu. »An jenem Tag. Im Schnee. War ganz schön anstrengend, die Sache!«

Ich hielt die Luft an, wartete darauf, dass er fortfuhr, aber Bragi machte eine Pause, darum biss ich wieder in den Kuchen, denn je eher ich ihn gegessen hatte, desto schneller war ich hier wieder weg.

»Hast du mich denn nicht gesehen?« Bragi kam mit zwei Tassen Kaffee zurück in die Stube. »Du musst mich doch bemerkt haben, nicht wahr? Du bist ja direkt an mir vorbeigerannt.«

Damit ich den Kaffee entgegennehmen konnte, stellte ich den Kuchen auf einen Bücherstapel. Bragi grinste:

»Wenigstens dazu sind diese Bücher noch zu gebrauchen.« Er setzte sich wieder an seinen Computer. »Wir sind uns sehr ähnlich, Kalmann, auch wenn man das auf den ersten Blick gar nicht sieht.« Es war, als unterhielte sich Bragi mit dem Computer. »Du bist jung. Ich werde alt. Du bist kräftig, ein Jäger. Ich bin das nicht. Aber wir beide sind anders, du und ich. Zwei, die nicht hierhergehören, den Touristen Angst einjagen. Zwei, die nicht in *sein* Bild gepasst haben. So ein Schwachsinn. Dabei sind wir Schutzgeister, du und ich, weißt du, was das ist?« Bragi schaute mich unverhofft direkt an.

Mir wurde heiß. Hier drinnen war es heiß. Und ich wollte gehen.

»Geister sind tote Menschen«, sagte ich.

»Nicht unbedingt. Manchmal schon. Schutzgeister können auch Drachen oder Riesen sein, aber eben manchmal in menschlicher Form, getarnt, verstehst du?«

Ich nickte, denn ich wollte keine weiteren Erklärungen von ihm aufgetischt bekommen.

»Keine Sorge. Du musst dir darüber nicht den Kopf zerbrechen«, murmelte Bragi und nahm das nächste Buch zur Hand. »*Frihedens kirsebær*. Na, das ist mal ein gutes Buch.«

Ich schlürfte den Kaffee, obwohl mir Bragi weder Milch noch Zucker angeboten hatte.

»Ich will jetzt gehen«, sagte ich.

Bragi lehnte sich in seinem Stuhl zurück und musterte mich.

»Du brauchst dich nicht vor mir zu fürchten. Wir sind Komplizen. Wir stecken unter einer Decke, verstehst du?«

»Ich fürchte mich nicht vor dir«, sagte ich.

Bragi schmunzelte.

»Nein, du bist eben ein Schutzgeist. Du bist der Sheriff. Und du hast vor niemandem Angst. Dank dir können die Leute unbesorgt in ihren Bettchen schlummern oder die Eisfolk-Schnulzen lesen. Dank dir braucht sich niemand vor den Eisbären und den Frostriesen zu fürchten.«

Ich stellte die Kaffeetasse neben den Kuchen und sagte:

»Ich gehe jetzt.« Und dann ging ich, zog meine Schuhe an und stolperte ins Freie.

»Keine Sorge, Kalmann!«, rief mir Bragi hinterher. »Wenn du nichts sagst, werde ich auch nichts sagen. Versprochen!«

Ich eilte nach Hause, war plötzlich so erschöpft wie an jenem Tag, als ich Hafdís von der Blutlache erzählt hatte, als der ganze Stress seinen Anfang genommen hatte. Ich ließ mich mit einem Seufzer auf die Couch fallen, schaltete den Fernseher an und war erleichtert, als Dr. Phil den Zuschauern Ehetipps gab, die ich aber gleich wieder vergaß, was nicht so schlimm war, weil ich nicht verheiratet bin.

Ich versuchte Nói anzurufen, und ich hätte mich auch gar nicht mit ihm über Bragi oder Róbert McKenzie unterhalten wollen. Hätte ihm einfach nur beim Computerspielen zuschauen wollen. Aber Nói war offline. Das kam manchmal vor. Kein Grund zur Sorge. Also versuchte ich ihn auf Facebook zu erreichen. Sein Account war aber gelöscht. Oder gesperrt. Jedenfalls gab es ihn auch da nicht mehr. Und das fand ich dann doch etwas seltsam, aber ich machte mir nicht viel mehr Gedanken darüber. Noch nicht.

⌘

17

Hand

Ein paar Tage verstrichen, etwa drei oder vier, ohne dass man Róbert McKenzie gefunden hätte. Ich musste mich auf der Fuchsjagd etwas erkältet haben, denn ich fühlte mich abgekämpft, und darum ging ich nicht zu Maggas Beerdigung, die sowieso nicht in Raufarhöfn statt-fand, sondern in Akureyri, wo ja auch ihr Mann begraben lag. Meine Mutter ging aber hin, und sie rief mich später auch an, erzählte mir, dass man Magga kremiert habe, also verbrannt, und das fand ich nur logisch, denn niemand hätte einen so schweren Sarg zum Grab tragen wollen.

Ich hatte mich in meinem Häuschen verkrochen und beobachtete vom Stubenfenster aus, was im Dorf vor sich ging. Die Rettungswache zog schließlich ab, und auch Birna ließ sich nur noch selten blicken. Dabei war jetzt in ganz Island wieder Ruhe eingekehrt. Die Staatsoberhäup-ter hatten sich zu ihrem Gipfeltreffen getroffen, die Fotos und Filmaufnahmen des Händeschüttelns waren überall und immer wieder zu sehen, und die Staatsoberhäupter strahlten, als hätten sie im Lotto gewonnen. Sie sprachen von einem gewaltigen Durchbruch, und alle waren froh, dass sich die Staatsoberhäupter nicht mehr gegenseitig um-bringen wollten, und auch der Präsident von Island war auf einem der Fotos mit den wichtigen Männern zu sehen, und er war der Glücklichste von allen, strahlte, als hätte er Geburtstag. Vielleicht hatte er Geburtstag.

Normalität kehrte auf der Insel ein. Die Tage blieben sturmfrei, Jú-Jú gelang es, einige Tonnen Kabeljau zu landen, fast jeden Tag. Ich hörte jeweils das Biepen des Gabelstaplers, wenn er rückwärtsfuhr, und es biepte oft da unten am Hafen. Dutzende Möwen kreisten aufgeregt über den Schüttgutcontainern und bedienten sich, bevor die Container ins Gefrierhaus gekarrt werden konnten. Eine Weile glaubte ich sogar, dass man die Sache mit Róbert jetzt einfach vergessen würde, denn die meisten Menschen haben nur ein Kurzzeitgedächtnis, wie Großvater oft zu sagen pflegte. Ich versuchte einige Male Nói zu erreichen, doch er blieb weiterhin offline, was ich nun wirklich langsam seltsam fand.

Schließlich wurde es Zeit, dass ich mit neuen Köderstücken zu meiner Leine rausfuhr. Ich hatte lange genug auf der Couch gelegen.

Auf dem Wasser hatten Großvater und ich so viele Stunden miteinander verbracht, dass die Erlebnisse irgendwie Teil des Wassers geworden waren, Spuren hinterlassen hatten, auch wenn man die Spuren mit bloßem Auge nicht sehen konnte. Ich hörte Großvaters Worte und roch seinen Pfeifenrauch.

Wie immer hörte ich auf mein Bauchgefühl, bevor ich ablegte. Wettervorhersagen sind für den Kopf. Unten am Hafen stehen, aufs Wasser gucken, in den Himmel blinzeln und auch mal die Augen schließen ist genauso wichtig.

Sæmundur und der Hauswart Halldór standen vor dem Container und unterhielten sich. Sie waren verwandt, und darum machten sie das manchmal; trafen und unterhielten sich, wo sie gerade standen, manchmal mitten auf der Straße. Sæmundur gab mir eine Fahrtgenehmigung, sagte, unsere Bäuche seien derselben Meinung.

»Fahr nur, Kalli minn«, sagte er, und dass er hier sein werde, wenn ich wiederkomme. »Ich bin sowieso immer hier, wo sollte ich denn sonst sein?«

Ich wusste es nicht. Darum sagte ich auch nichts, obwohl mich Halldór etwas mürrisch anschaute. Offenbar hatte ich die beiden bei einem Gespräch über das Gipfeltreffen der Staatsoberhäupter unterbrochen, denn Halldór fuhr fort:

»Und jetzt frag ich dich: Wer bezahlt den ganzen Spaß?«

Hatte er mich gefragt?

»Der Steuerzahler, wie immer!«, antwortete sich Halldór gleich selber. Er hatte also nicht mich gefragt.

»Das ist immer so«, sagte Sæmundur und zwinkerte mir zu. »Nichts ist gratis auf dieser Welt.«

Halldór ging gar nicht darauf ein, erzählte, dass die Vorbereitungen sehr teuer gewesen waren. Die Sicherheitsdienste, die Scharfschützen auf den Dächern, schusssichere Fahrzeuge, die man extra nach Island hatte einfliegen müssen, Straßensperren, Verkehrsbehinderungen, alle isländischen Sicherheitskräfte, Küstenwache, dazu vierhundert Mann Begleitung für die Staatsoberhäupter, ein paar Hundert Journalisten aus aller Welt, nur für eine Fotogelegenheit, ein Händeschütteln und sonst nichts.

Halldór schüttelte missfällig den Kopf. Sæmundur wandte sich wieder mir zu.

»Kalmann«, sagte er. »Wir können froh sein, in Raufarhöfn zu leben. So ein Theater wird es hier oben nie geben.

Na, mal abgesehen davon, dass die Spezialeinheit kürzlich das Hotel gestürmt hat.«

»Haben die wirklich mit halbautomatischen Schusswaffen auf dich gezielt?«, fragte mich Halldór. »Ich meine, das ist doch völlig übertrieben!«

»Ich will jetzt gehen«, sagte ich und ging. Weil ich ein paar Minuten bei den beiden verloren hatte, hatte ich das unangenehme Gefühl, zu spät zu kommen, was natürlich Unsinn war, denn Zeit spielt auf dem Wasser keine Rolle. Dennoch kam mir die Fahrt hinaus zur Leine länger vor als sonst. Die Ungeduld kribbelte in meinen Beinen.

Im Nachhinein wusste ich natürlich, dass ich den Hai gespürt haben musste, der an meinem Haken hing, und dass ich ihn aus seiner misslichen Lage befreien musste. Ich ließ Petra im Alleingang tuckern, trat ins Freie, schaute gespannt in Fahrtrichtung und versuchte, meine Boje frühzeitig zu erspähen. Ein lauer Wind machte die Meeresoberfläche unruhig, und Petra musste unzählige kleine Wellen erklimmen, aber das machte ihr Spaß. Besser, als sich im Hafen zu langweilen.

Endlich kamen wir an, die Melrakkaslétta in weiter Ferne, der Arctic Henge ein Kieselsteinmonument am Horizont. Endlich zog ich die Leine hoch, Haken um Haken. Die Möwen freuten sich über die Köderstücke.

Neun Haken und kein Hai. Schon glaubte ich, dass mich mein Bauchgefühl an der Nase herumgeführt hatte, aber dann sah ich den großen Grauen durchs Wasser schimmern, ein heller Schatten, der aus der Schwärze des Meeres auftauchte. Es war nun bestimmt nicht der erste Grönlandhai, den ich aus dem Wasser zog, und es war auch nicht der größte, obwohl er eine stattliche Länge von etwa fünfzehn oder sechzehn Fuß hatte und wohl eine ganze Tonne wog, doch wie gewohnt bekam ich diesen Glücksrausch, den ich so mag. Das ist dann im ganzen Körper. Dann gebe ich lustige Jauchzer von mir und bin zugleich froh, dass es niemand hört.

Ich zog den Hai so weit ich konnte mit der Winde aus dem Wasser, bis mein Boot ganz schief stand, so dass ich aufpassen musste, nicht ins Wasser zu fallen. Der Hai bewegte sich nur träge im Wasser. Ein seltsamer, langsamer Überlebenskampf, wie ein Yogatänzer in Zeitlupe.

Ich entnahm der Flinte meines Großvaters die Patrone, das muss man so prüfen, und steckte die Patrone zurück in die Kammer. Dann hakte ich das Gaff im Maul des Tieres ein, zog den Kopf mit ganzer Kraft ein paar Zentimeter aus dem Wasser, so dass ich dem Hai die Mündung der Flinte zwischen die Augen halten konnte – und drückte ab. Peng. Ich jagte ihm aus der Hüfte eine Ladung Schrot in den Kopf, und damit war ein fünfhundertzwölfjähriges Leben frühzeitig beendet.

Wenn man eine Tonne am Kutter hängen hat, dauert die Fahrt zurück in den Hafen länger. Anstatt der eineinhalb Stunden dauert sie zwei bis drei Stunden. Es kommt auch ein wenig aufs Wetter an. Aber der Wind stand gut, die Flut kam, Petra ritt munter auf den Wellen, und so schaffte ich es in wenig mehr als zwei Stunden.

Am Hafen erwartete mich Sæmundur, als sei er an Ort und Stelle stehen geblieben, schließlich hatte er auf seinem Computer gesehen, wo ich mich befand. Er wusste genau, dass ich einen Fang gemacht hatte, denn er hatte nicht nur den Gabelstapler bereit, womit wir den Hai aus dem Wasser heben konnten, sondern auch den kleinen Anhänger aus Holz, worauf wir die Fleischstücke laden würden. Er winkte mir schon von weitem zu und schien genauso erfreut über den Fang zu sein wie ich.

»Gratuliere, der erste Hai des Jahres! Ein Prachtkerl«, rief er zufrieden, und wieder: »Ein Prachtkerl!« Dabei hatte er den Hai noch gar nicht richtig gesehen.

Wir banden uns Schürzen um und stülpten uns Gummihandschuhe über, banden dem Hai ein Seil um die Schwanzflosse und hievten ihn mit dem Gabelstapler aus dem Wasser. Auf dem Kai ließen wir ihn nur knapp über dem Boden baumeln, spuckten in die Handschuhe und machten uns, ohne große Worte zu verlieren, an die Arbeit. Sæmundur hätte mir nicht helfen müssen, er war schließlich der Hafenmeister, aber es war gerade wenig los im Hafen von Raufarhöfn: Jú-Jú waren noch gut zwei Stunden weit weg auf dem Wasser, Einar war eben erst rausgefahren, und Siggi verpackte seinen Kaviar. Andere Leute kamen hinzu, ein paar Kinder auf ihren Fahrrädern und Pensionäre, darunter der Automechaniker Steinarr, der seit seiner Pensionierung aus Eisenabfällen Skulpturen anfertigte, die wie Trolle aussahen. Sigfús war auch da, klapperte ganz aufgeregt mit seinen Skistöcken und gratulierte mir sogar. Die Kinder riefen »Wooow!«, und machten große Augen. Sie kamen uns etwas zu nahe, bis ihnen Sæmundur befahl, Abstand zu halten, schließlich hantierten wir beide mit scharfen Messern, die so groß waren wie kleine Macheten. Etwas später stieß auch Bragi zu uns, der vom Fang Wind bekommen haben musste. Er war bleich und hatte dunkle Augenringe, aber er zwinkerte mir vielsagend zu. Er trug lederne Handschuhe, weshalb man nicht sehen konnte, in welcher Farbe seine Fingernägel lackiert waren. Ich hatte gar keine Zeit, mich an den komischen Besuch bei Bragi zu erinnern, denn ich war so stolz. Ich musste immer wieder jauchzen, so stolz war ich, aber ich wollte nicht, dass es die Leute bemerkten, weshalb ich mein Gesicht in den Händen verbarg. Ich war so erleichtert! Mein erster Hai in diesem Jahr!

»Stich dir bloß kein Auge aus!«, rief Sæmundur. Aber ich passte schon auf, weil ich wohl wusste, dass die Messer, die er mir mitgebracht hatte, Biss hatten.

Zuerst schnitten wir dem großen Grauen den Kopf ab. Die Kinder durften ihn sich nebenan ein wenig genauer anschauen. Ganz vorsichtig berührten sie mit den Fingerspitzen die Zahnreihen und kreischten. Óli kauerte am Boden und schaute dem Hai ganz tief in sein Auge.

»Hey, baby!«, rief er. Die Kinder lachten, die Erwachsenen schmunzelten.

Wir schnitten die Rücken- und Bauchflossen ab, warfen sie auf den Anhänger. Die verkaufte ich Eysteinn, der in Vopnafjörður auch Haie fing, und er verkaufte die Flossen nach Japan oder China. Da machen sie Suppe draus, die so teuer ist wie ich weiß nicht was. Dann positionierten wir eine Plastikwanne unter dem Hai, ich kletterte auf den Rand der Wanne und schlitzte den Haibauch auf. Ich steckte meine behandschuhten Hände in den Bauch und ließ die Innereien in die Plastikwanne klatschen. Die Leber war stattlich, ich würde sie nach Reykjavík verkaufen, wo Lebertrankapseln daraus gemacht wurden. Besonders spannend war es, zu sehen, was in so einem Haimagen zu finden war. Die Gaffer waren auch neugierig und traten näher. Ich zog die Wanne unter dem Hai hervor, ging in die Hocke und schnitt den Magen auf. Da war allerhand Unerkennbares, Verdautes, Halbverdautes, aber dazwischen lag, grauweiß-gelblich, völlig aufgeweicht und aufgedunsen, eine Menschenhand.

Mit dem Messer in der Hand trat ich einen Schritt zurück, schaute auf meine Handschuhe, denn im ersten Moment glaubte ich, ich hätte mir versehentlich die Hand abgesäbelt. Der Schreck fuhr durch die Leute. Die Kinder schrillten.

Dann Stille.

Dann Sæmundur:

»Teufel! Das ist Róberts Hand. Róberts rechte Hand!«

Und jetzt war der Frieden in Raufarhöfn wieder verpufft, das wusste ich gleich, und das Geschwafel ging von vorne los, aber ich fand, es war nur logisch und das einzig Richtige, die Hand etwas genauer unter die Lupe zu nehmen, zumindest aus dem Mageninnern zu befreien, und weil es schließlich mein Hai war, war es irgendwie auch meine Hand. Aber kaum fasste ich sie an, ging das Gebrüll los, als wäre ich dabei, die größte Dummheit meines Lebens zu begehen.

»Lass die Hand fallen, du Idiot!«, schrie jemand, und ich weiß gar nicht mehr, wer es war, es könnte Sigfús gewesen sein. Egal. Ich war so beleidigt, dass ich die Hand erst recht nicht fallen ließ, sondern ein wenig hochhob, vor mein Gesicht hielt und genauer betrachtete.

Sie war aufgedunsen, hatte alle möglichen Farben, von Gelb bis Violett, unter den Fingernägeln doch eher Schwarz. Sie wies ganz eindeutig Bissspuren auf, aber sie war unterhalb des Handgelenks sauber abgesägt.

»Nicht anfassen, du Idiot!«

»Mann! Bist du völlig bescheuert?«

»Leg die Hand zurück! Weißt du nicht mehr, was Birna gesagt hat?«

Mehrere Leute brüllten mich an. Ich hielt den Kopf gesenkt und bewegte mich nicht. Schaute nur zu Boden. Aber in mir schlängelten sich die Innereien, und mein Gehirn schwoll an, so dass es kaum noch Platz in meinem Kopf hatte. Es half nicht, dass noch lauter gebrüllt wurde. Ich stand bloß so da, mit der Hand in der einen und der Machete in der anderen Hand und überlegte mir, wenn auch nur während einer Sekunde, ob ich ein paar Kehlen durchschneiden sollte, weil dann Ruhe gewesen wäre. Ich bin eigentlich ein friedliebender Mensch, zumindest hatte ich es meine Mutter einige Male sagen hören und andere auch, aber ich glaube, es fehlte sehr wenig. Glücklicherweise kam jemand dazwischen, nämlich Bragi, der Dichter. Er stellte sich vor mich, schirmte mich ab, sagte leise, ja freundlich sogar, aber doch ziemlich bestimmt, dass ich Róberts Hand zurück in die Wanne legen solle, denn die Polizei müsse sie sich angucken, das werde immer so gemacht, Spurensicherung, sagte er, und da machte es klick, denn er hatte natürlich vollkommen recht. Bei so einem Leichenteilfund muss man die Fundstelle absichern, bis die Polizei eintrifft, das ist das Gesetz, und manchmal kommt es sogar vor, dass die Polizei Spuren sichert, bis der Kommissar eintrifft, der dann total sauer ist, weil sogar die Polizisten lausige Arbeit geleistet haben. Das kannte ich aus dem Fernsehen, und darum wusste ich auch gleich, wovon Bragi sprach. Bragi war bestimmt gut über solche Sachen informiert, da er in seinem Leben alle Bücher aus seiner Bibliothek gelesen hatte. Vielleicht war es auch sein Geruch nach Pfeifenrauch, der mich beruhigte, keine Ahnung. Jedenfalls warf ich die Hand zurück in die Plastikwanne, dass es spritzte und die Leute entsetzte Töne von sich gaben. Dann wurde ganz viel gesagt, ich hörte aber gar nicht zu, sondern machte mich am Hai zu schaffen. Unter den Kindern wurde es jetzt laut, denn sie hatten inzwischen Einseinszwei angerufen, wollten mit der Polizei verbunden werden und erklärten lauthals, was und wen sie gefunden hatten und wo sie sich befanden, was eine Weile dauerte, denn zwei Knaben und ein Mädchen brüllten gleichzeitig ins Mobiltelefon, und sie sprachen auch davon, dass ich die Hand angefasst hatte, und offenbar wurde gefragt, wer *ich* sei, denn sie sagten, ich sei der behinderte Haifischjäger, worauf Sæmundur den Kindern das Telefon aus den Händen riss und das Gespräch mit dem Notruf übernahm, aber der Schaden war schon angerichtet, ich war wieder sauwütend, spürte es in all meinen Gliedern, und irgendwie wurde alles dumpf und still, bis auf meinen Puls, der mir in den Ohren pochte, und ich begann, den Hai zu zerlegen, schnitt große Stücke, schnitt auch einen Schlitz in die Haut, damit man die Stücke besser greifen konnte, und warf sie auf den Anhänger, und weil Sæmundur nun mit der Polizei sprach, hinderte mich niemand daran, so dass ich fast den ganzen Hai zerlegt hatte, bis die Polizei eintraf. Birna war nicht dabei, es waren zwei Polizisten, die ich nicht kannte. Männlich. Und sie warfen sich Blicke zu. Aber weil Sæmundur ein gutes Wort für mich einlegte und sich eindringlich mit den Polizisten unterhielt, war ich schließlich fertig. Dann stand ich wieder einfach da, verschwitzt, schnell atmend, und in meiner Hand hielt ich eine kleine Machete. Die Fleischstücke durfte ich leider nicht in den Gefrierraum karren, wegen der Spurensicherung, wie sie sagten, und Sæmundur fragte, wie lange das Fleisch da so stehen bleiben müsse, denn ewig könne das nicht da liegenbleiben, und die Polizisten versprachen, sich zu melden, sobald das Fleisch in den Gefrierraum gebracht werden könne.

»Kalli minn, dein Messer«, sagte Sæmundur und streckte mir seine Hand entgegen. Dann schickte er mich nach Hause.

Aber wie sich herausstellte, war ich der Einzige, der nach Hause geschickt wurde. Alle anderen blieben unten am Hafen, wenn auch mit etwas größerer Distanz zur Wanne mit den Haiinnereien. Darum fühlte ich mich wie ganz früher, als ich zu Bett geschickt wurde, während Mutter und Großvater noch in der Küche saßen und sich bei einem Glas Wein über Dinge unterhielten, die mir nicht zu Ohren kommen durften. Ich hätte natürlich auch sonst wo hingehen können, aber ich war noch immer ziemlich wütend, und darum ging ich nach Hause und machte da ein paar Sachen kaputt: Geschirr, einen leeren Blumentopf und einen Stuhl. Mit dem abgebrochenen Stuhlbein schlug ich ein paar Mal auf mein Schienbein, spürte aber nichts. Ich zerriss mein Hemd, so dass die Knöpfe zu Boden prasselten, und mein T-Shirt riss ich auch gleich entzwei. Und ich machte mit meiner Faust ein Loch in die Wand. Das tat dann doch weh, auch wenn die Wand nur mit einer Gipsplatte verkleidet war, aber ich wurde wütend auf die Wand, und schon hatte sie vier Löcher, und meine Hand blutete. Das tat dann gut. Mit dem Blut entwich die Wut, denn sie ist in den Armen und in den Händen.

Plötzlich hörte ich ein Wummern, das ich natürlich sofort dem Hubschrauber der Küstenwache zuordnen konnte. Ich humpelte zum Fenster. Der Hubschrauber flog im Tiefflug über Raufarhöfn hinweg und landete unten am Hafen, ganz draußen auf dem Pier. Und so konnte man gut sehen, wer aus dem Hubschrauber stieg und dem Pier entlang zur Wanne eilte. Birna und einige Männer. Halleluja! Der ganze Zirkus ging von vorne los!

Ich stand mit brennenden Augen am Fenster und brüllte mir die Seele aus dem Leib. Niemand hörte mich. Die Leute besprachen sich, etwas wurde in eine Tüte gesteckt und zum Hubschrauber gebracht. Zwei weitere Männer, in Taucheranzüge gekleidet, kletterten aus dem Hubschrauber und hüpften ins Wasser. Die Polizisten stiegen in mein Boot und schnüffelten rum.

Birna schaute hoch zu meinem Haus. Ich wusste gleich, dass sie kommen würde. Also verarztete ich meine blutende Wunde, was mir recht gut gelang, aber ganz schrecklich aussah, denn die Pflaster klebten kreuz und quer auf meinen Knöcheln.

Als Birna an die Tür klopfte, verließ mich der Mut. Ich brauchte Verstärkung. Meinen Großvater oder wenigstens meine Mutter. Und darum erinnerte ich mich daran, dass meine Mutter auch dabei sein musste, wenn ich verhört wurde, was Birna ja auch bestätigt hatte. Meine Mutter war mein Vormund. Das war das Gesetz.

Ich blieb im Badezimmer, schaute zu, wie sich die Pflaster mit Blut vollsogen. Hemd und T-Shirt hingen in Fetzen an mir herab. Mein Schienbein pochte. Ich hielt die Luft an. Das kleine Badezimmerfenster war genau neben dem Eingang, und es stand wie immer etwas offen, und deshalb konnte ich Birna zwar nicht sehen, aber keuchen hören, denn sie war ganz schön außer Atem, weil sie sich so beeilt hatte. Sie war nur wenige Zentimeter von mir entfernt, aber mein Haus beschützte mich.

Wieder klopfte sie an die Tür.

»Ich bin nicht da!«, murrte ich.

»Kalmann!«, rief Birna. »Darf ich mich kurz mit dir unterhalten?«

»Keine Chance!«, sagte ich.

»Wieso nicht?«

»Ich will nicht!«

»Aber du kannst mir sicher sagen, wo du die Hand gefunden hast.«

»Im Haimagen!«

»Nein, ach so, ja klar. Ich meine, wo du den Hai gefangen hast.«

»Draußen, bei meiner Leine.«

»Und wo ist deine Leine?«

»Das ist geheim.«

»Kalmann … Es ist wichtig, denn vielleicht finden wir da noch weitere Leichenteile.«

»Du darfst gar nicht mit mir reden«, sagte ich.

»Ich weiß«, seufzte Birna. »Aber das ist jetzt wirklich

wichtig, und ich bin schließlich von der Polizei, und die Polizeiarbeit behindern darf man auch nicht.«

Ich sagte eine ganze Weile nichts. Beinahe hätte ich mein Spiegelbild verprügelt. Aber ich beherrschte mich.

»Weißt du was?«, sage Birna. »Ich habe eine Idee. Wir machen einen Deal. Du musst nur ja oder nein sagen. Dafür musst du nicht rauskommen, in Ordnung?«

Ich seufzte so laut, dass sie es hörte.

»Nun denn, Kalmann. Sind die Koordinaten auf deiner Karte im Boot eingezeichnet?«

»Ja«, sagte ich.

»Ist es der Punkt L eins?«

Ich schwieg.

»Ist da deine Leine? Kalmann?«

»Ja! Ja!«

»Hast du alle Haken überprüft? Ich meine, hängen da möglicherweise noch weitere Haie an den Haken?«

So eine idiotische Frage hatte ich in meinem ganzen Leben noch nie gehört.

»Keine Chance!«

»Ich frage nur.«

»Ich kontrolliere immer alle Haken! Ich bin nicht blöd!«

»Schon gut, Kalmann. Das weiß ich doch. Ich frage ja nur.«

»Du wirst da nichts finden«, sagte ich.

»Wieso denn nicht?«

»Das Meer ist an der Stelle dreihundertzweiunddreißig Meter tief. Die Haie haben ihn längst gefressen.«

»Du hast bestimmt recht. Wir werden den Hubschrauber schicken. Vielleicht sieht der etwas auf dem Wasser treiben.

Wir müssen es einfach versuchen, verstehst du? Protokoll ist Protokoll.«

»Ist das wie Gesetz?«

»So ähnlich, ja.«

Ich sagte nichts, aber wenn etwas das Gesetz ist, kann man nichts machen.

»Na, danke, Kalmann. Und bis später«, sagte Birna und ging weg. Wenige Sekunden später sah ich sie vom Stubenfenster aus zurück zum Hafen laufen. Kurz darauf hob der Hubschrauber mitsamt den Tauchern ab und verließ Raufarhöfn Richtung Nordosten.

Ich fühlte mich ganz ausgelaugt und mies, total einsam, als hätte man mich auf einem Felsen im Nordmeer abgesetzt. Mein Körper wollte wohl wieder krank werden, Gliederschmerzen, Kopfweh, möglicherweise hatte ich Fieber, ganz bestimmt hatte ich Fieber, und darum rief ich meine Mutter an, was ich eigentlich zu vermeiden versuchte, denn Mütter sind manchmal ganz schön aufdringlich und machen immer so ein Drama, aber sie ist schließlich Krankenpflegerin. Ich erzählte ihr, was passiert war, und sie sagte, sie würde noch heute Abend zu mir hochfahren und vor Mitternacht hier sein, was mich beruhigte. Ich meine, richtig enorm beruhigte. Aber ich hatte noch immer den Rest des Nachmittags und den ganzen Abend zu bestreiten, obwohl ich so müde war, dass ich schon um sechs Uhr hätte einschlafen können, aber schlafen wollte ich jetzt noch nicht.

Es gab einiges zu beobachten. Schon bald kam ein ganzer Konvoi angefahren, es latschten an die drei Dutzend Leute der Rettungswache die ganze Strandlänge ab, wo sie erneut zwischen den Steinen Leichenteile zu finden hofften. Sie erklommen Anhöhen und suchten die Strandlinie mit Feldstechern ab, setzten auch Drohnen ein. Ihre Aufmerksamkeit galt ganz eindeutig dem Meer, der Bucht und dem Strand. Die Melrakkaslétta hinter dem Arctic Henge interessierte sie nicht mehr. Der Hubschrauber kam nach zwei Stunden wieder zurück, ging wohl in Húsavík tanken und flog sodann die Strandlinie ab. Erst als es dunkelte, wurde es ruhig. Die Autoflotte der Rettungswache und der Polizei, die beim Hotel aufgereiht gewesen war, hatte sich deutlich verkleinert, einige verließen Raufarhöfn, andere gedachten wohl, die Nacht im Hotel Arctica zu verbringen, auch wenn es eigentlich geschlossen war, aber Óttar musste den Laden geöffnet und mindestens die Betten zur Verfügung gestellt haben. Vielleicht bediente er auch die Bierzapfanlage.

Als es richtig dunkel geworden war, versuchte ich zum einhundertsten Mal, Nói anzurufen. Der hätte sich bestimmt krummgelacht. Aber er war noch immer offline. War ihm etwas zugestoßen? Hatte er wieder operiert werden müssen? Oder wollte er nichts mehr mit mir zu tun haben? Hatte er Computerverbot bekommen? Mir fiel auf, dass ich gar nicht wusste, wie Nói mit vollem Namen hieß. Ich hatte also keine Chance, ihn im Internet oder im Telefonbuch ausfindig zu machen. Ich war verwirrt und enttäuscht, tausend Gedanken jagten sich in meinem Kopf, und das war kein schönes Gefühl. Und darum war ich wirklich froh, als meine Mutter um viertel vor Mitternacht kam. Ich war noch wach. Sie sah müde aus, umarmte mich, sagte, sie brauche Schlaf, und wir legten uns gleich hin, nachdem meine Mutter die Wunden auf meinem Handrücken verarztet hatte. Ich fragte sie dann, wann wir Großvater besuchen würden, aber sie sagte bloß, Großvater müsse warten.

In der Früh riss uns ein Pochen an der Haustür aus dem Tiefschlaf. Meine Mutter stöhnte und sagte, ich solle im Bett bleiben, sie werde sich darum kümmern.

Ich hörte dann, wie der Reporter vom Staatsfernsehen nach mir verlangte, aber meine Mutter war knallhart, sagte ihm klipp und klar, dass sie mein Vormund sei und nicht zulasse, dass mit mir direkt gesprochen werde. Der Reporter ließ aber nicht so schnell locker, und darum dauerte es eine Weile, bis meine Mutter schließlich die Tür vor seiner Nase zuschlug. Und zwar ziemlich fest. Das ganze Haus zitterte!

Wir zogen die Vorhänge zu und frühstückten, ignorierten das Surren meines Telefons und den Lärm aus dem Dorf, Autos, Gehupe, Stimmen, Befehle, warteten, bis es fast zehn Uhr war. Dann zogen wir uns an und fuhren mit dem Auto zum Schulhaus rüber, weil meine Mutter in ein Gespräch mit Birna eingewilligt hatte.

⌘

18

Dagbjört

Ich hockte auf demselben Stuhl vor dem Lehrerpult, in demselben Schulzimmer wie schon einmal, aber diesmal saß meine Mutter neben mir. Den Cowboyhut hatte ich hinter mir auf ein Schülerpult gelegt, mein Sheriffstern glänzte an meiner Brust, aber meine Mauser hatte ich zu Hause gelassen, denn Birna wollte nicht, dass ich bewaffnet durch die Straßen zog. Jemand hatte die Wandtafel sauber gemacht und dabei meine Islandkarte weggeputzt, die ich vor ein paar Tagen hingekreidet hatte.

Ich war nervös. Meine Mutter sagte, ich solle voll und ganz mit Birna kooperieren, aber Birna brachte nichts aus mir raus, das sie nicht schon gewusst hätte. Ich erzählte ihr lediglich, wo ich den Hai gefangen hatte, wie oft ich da rausfuhr, wie ich das überhaupt machte, warum ich den Magen aufgeschnitten hatte und so weiter. Aber ich wollte von ihr wissen, ob ich das Haifischfleisch zurückbekommen würde, doch Birna sagte ziemlich unwirsch, sie wolle niemandem das Fleisch eines Haies zumuten, der einen Menschen gefressen habe. Der Hai lande in der Abfallverbrennung in Húsavík. Punkt.

Das fand ich völlig übertrieben, denn der Hai hatte die Hand doch noch gar nicht verdaut gehabt! Ich war wütend. Es war schließlich mein Hai. Ich hatte ihn gefangen!

»Wird Kalmann wenigstens dafür entschädigt?«, fragte nun meine Mutter. Ich schenkte ihr ein Lächeln. Sie war auf meiner Seite.

Birna war vor den Kopf gestoßen, war sich wahrscheinlich überhaupt nicht bewusst gewesen, dass ich hier einen finanziellen Verlust zu beklagen hatte.

»Sicher«, sagte sie schließlich. Sie werde die Angelegenheit weiterleiten, sobald Normalität in Raufarhöfn eingekehrt sei.

»Und wann dürfen wir Normalität in Raufarhöfn erwarten?«, fragte meine Mutter.

Birna blies Luft zwischen den zusammengepressten Lippen hindurch, wie ein kaputtes Ventil, und sie schaute einfach durch uns hindurch, sah plötzlich so müde aus wie meine Mutter, und als die Luft draußen war, hätte ich fast gedacht, die legt sich gleich hin, aber dann holte sie plötzlich wieder Luft, machte die Augen zu und schüttelte den Kopf.

»Ich weiß es nicht«, gestand sie. »Aber wir tun unser Bestes.«

»Hast du die Dorfbewohner verhört?«

»Verhört? Nein, aber unterhalten habe ich mich mit einigen, und es gibt so viele Zeigefinger wie Dorfbewohner.«

»Und was ist mit den Litauern?«

»Das ist nicht mein Gebiet. Da kooperieren wir mit Interpol. Die vier Litauer haben ein wasserdichtes Alibi, waren den ganzen Tag im Hotel, als Róbert verschwand. Sie hätten ihn unmöglich ermorden und dann beseitigen können.« Birna hielt inne und dachte nach. »Wir können im Moment wohl nur eins ausschließen. Róbert McKenzie wurde ganz sicher nicht von einem Eisbären gefressen.«

Meine Mutter lachte müde, wiegte dann den Kopf hin und her und sagte:

»Róbert hatte gewiss viele Feinde. Und die Litauer würde ich trotz wasserdichtem Alibi genauer unter die Lupe nehmen –«

»Wir betrachten wie gesagt alle Aspekte«, unterbrach Birna meine Mutter und hatte jetzt einen ganz kalten Gesichtsausdruck.

»Da bin ich ganz sicher«, sagte meine Mutter und stand auf. »Raufarhöfn kann dich lieben, oder es kann dir den Tod wünschen, und dazwischen liegt nur ein ganz schmaler Grat.«

Birna legte den Kopf schräg und schaute meine Mutter stirnrunzelnd an. Die Stille im Klassenzimmer war fast nicht zum Aushalten.

»Wie meinst du das?«, fragte Birna.

»Ich meine, dass du Kalmann nun genug Umstände bereitet hast. Komm, Kalli!«

Ich packte meinen Cowboyhut und folgte meiner Mutter. Dabei konnte ich mir ein triumphierendes Grinsen nicht verkneifen. Birna ließ uns ziehen. Meine Mutter sagte nichts, ging im Stechschritt den Korridor entlang dem Ausgang entgegen, ich im Schlepptau hinterher. Weit kamen wir aber nicht, denn mitten auf dem Korridor stand Dagbjört und blickte uns etwas erschrocken entgegen. Meine Mutter verlangsamte ihren Schritt, zögerte kurz und ging dann schnurgerade auf sie zu und umarmte sie. Einfach so. Dagbjört erwiderte die Umarmung, schloss die Augen und presste die Lippen zusammen. Meine Mutter umarmte sie, um ihr Mitleid kundzutun. Und darum stand ich bereit, als meine Mutter fertig war, und umarmte Dagbjört ebenso. Sie erwiderte auch meine Umarmung, schnappte aber kurz nach Luft und lachte sogar ein wenig, denn vielleicht hatte ich sie etwas fest an mich gedrückt. Sie roch ganz anders, als ich es erwartet hatte. Sie roch nach Frau. So erwachsen. Es war das erste Mal in meinem Leben, dass ich Dagbjört umarmte, und ich war überhaupt nicht überrascht davon, wie gut es sich anfühlte. So eine Umarmung hätte ich ihr schon geben sollen, als ich sie vor vielen Jahren die Treppe hinuntergeschubst hatte und sie dann im Spital besuchen musste, um ihr Blumen und eine Zeichnung zu bringen. Mit Blumen und Zeichnungen kann man keine Knochenbrüche heilen. Mit einer festen Umarmung vielleicht schon. Großvater fuhr mich hin, und ich war so froh, dass nicht meine Mutter mich fuhr, denn Großvater hätte mich vor Róbert beschützen können, wenn er da gewesen wäre und mich zu Haifischköder hätte verarbeiten wollen. Aber wie sich glücklicherweise herausstellte, war Róbert nicht da, nur Dagbjörts Mutter war da, die ich übrigens nie im selben Raum mit ihrem Exmann gesehen hatte. Und sie war auch überhaupt nicht wütend, sondern total nett. Sie wies mir einen Stuhl neben Dagbjörts Bett zu. Also setzte ich mich hin und gab Dagbjört die Blumen und die Zeichnung. Sie roch an den Blumen, wie eine Schauspielerin in einem Film roch sie daran, machte kurz die Augen zu und sagte, die Blumen riechen gut, ich solle auch mal riechen, und ich machte es ihr nach und schloss die Augen. Die Blumen hatten tatsächlich einen seltsamen Geruch, aber ich wusste nicht, ob das jetzt ein guter Geruch oder ein komischer Geruch war, aber ich nickte, ich bin ja nicht blöd, ich durfte ihr in diesem Moment keinesfalls widersprechen. Das ist eine Benimmregel. Und dann schaute sich Dagbjört meine Zeichnung an, wofür ich mich schämte, denn Zeichnen war nicht meine Stärke. Und ich wusste auch nie, was ich zeichnen sollte. Dagbjört konnte viel besser zeichnen als ich, aber meine Mutter hatte darauf bestanden, dass ich ihr eine Zeichnung brachte, und Dagbjört legte die Zeichnung weg, ohne etwas zu sagen, das brauchte sie auch gar nicht, ich war schließlich derselben Meinung, und darum kam ich ihr zuvor und sagte, es sei keine sehr gute Zeichnung, worauf Dagbjört nickte. Und dann saß ich einfach nur da, und Großvater unterhielt sich mit Dagbjörts Mutter. Es kam mir vor, als stünde die Welt still. Es waren bestimmt bloß ein paar Minuten, aber mir kamen diese Minuten wie Stunden vor.

Endlich sagte Großvater, ich solle mich von Dagbjört verabschieden, und ich winkte ihr zu, denn ich hatte Angst, sie zu berühren, ich wollte sie nicht wieder verletzen. Dabei hätte ich sie umarmen sollen. Und als wir schon wieder draußen waren, realisierte ich, dass ich mich gar nicht entschuldigt hatte, aber Großvater meinte, manchmal müsse nicht alles gesagt werden. Aber weil ich so ein schlechtes Gewissen hatte, schwor ich, Dagbjört bis zum Ende unserer Lebtage zu beschützen, wenn nötig, auch mit Fäusten. Und das tat ich dann auch.

Und genau daran erinnerte ich mich nun, als ich Dagbjört im Korridor des Schulhauses fest an mich drückte. Ich wollte sie gar nicht loslassen. Meine Mutter strich mir schließlich mit flacher Hand über den Rücken, sagte, ich solle Dagbjört nicht erdrücken, worauf ich von ihr abließ und zu Boden starrte.

»Mütter sind cockblocker«, hatte mir Nói einmal gesagt, und er hatte recht. Dagbjört war aber ganz gerührt und hatte sogar Tränen in den Augen. Sie zückte ein Papiertaschentuch und tupfte sich die Tränen aus dem Gesicht. Ich wünschte, meine Mutter hätte etwas gesagt, etwas Tröstendes, denn mir fiel überhaupt nichts ein, doch sie sagte nichts, schaute nur ganz mütterlich, während sich Dagbjört die Wangen trocknete. Ich fand darum, es lag an mir, etwas zu sagen.

»Wenn du Hilfe brauchst«, sagte ich und deutete mit dem Daumen über die Schulter. »Du weißt ja, wo ich wohne.«

Jetzt lachte Dagbjört ein wenig und brach in Tränen aus, weinte und lachte und alles gleichzeitig, sagte auch mal danke zwischendurch, lächelte mich an und verzog gleich wieder den Mund. Sie vergrub ihr Gesicht im Taschentuch, und jetzt griff meine Mutter ein, breitete ihre Arme aus und drückte Dagbjört erneut an sich.

Ich stand daneben wie der letzte Idiot. Und ich war irgendwie eifersüchtig. Eifersucht sitzt in den Innereien. Fast hätte ich mich aus dem Staub gemacht, denn dieses Weibergeheule war nichts für mich! Dagbjört fasste sich schließlich, trocknete ihr Gesicht mit einem neuen Taschentuch und sagte:

»Ich werde dich vermissen, Kalmann.«

Jetzt war ich überrascht. Und zwar mordsmäßig.

»Gehst du fort?«, fragte ich sie. Dagbjört nickte und kämpfte noch immer mit den Tränen. »Aber wieso denn?«

Sie zuckte traurig mit den Schultern.

»Es gibt hier keine Zukunft für mich, verstehst du?«

Ich verstand nicht. Sie würde nun doch ganz viel Geld erben, da war es doch egal, wo sie wohnte.

»Aber wer ist dann Lehrerin?«

»Die Quote geht nach Dalvík. Papa hat sie kurz vor seinem Tod verkauft. Es war noch nicht offiziell gemacht worden, aber die Verträge sind schon alle unterschrieben. So ist das nun mal. Das Gefrierhaus macht leider zu. Und einige werden wegziehen. Darum macht auch im Juni die Schule zu. Für immer.«

»Und das Hotel?«

Dagbjört zuckte mit den Schultern. Meine Mutter mischte sich in das Gespräch ein.

»Es tut mir so leid!«, sagte sie aufrichtig und strich mit ihrer Hand über Dagbjörts Rücken.

»Kannst du mir eins versprechen, Kalmann?«, fragte mich Dagbjört und schaute mich ganz lieb an. Ich meine, so lieb, dass ich mich grad in sie verliebt hätte, wenn ich es nicht schon seit der Schulzeit gewesen wäre. Aber nun hatte ich einen Kloß im Hals, und darum nickte ich nur. »Versprich mir, dass du weiterhin auf Raufarhöfn aufpasst, ja? Die Leute brauchen dich hier.« Ich nickte und bereute, meine Pistole nicht mitgenommen zu haben, denn schließlich gehörte sie zur Ausrüstung, und irgendwie sah ich jetzt ohne Mauser unprofessionell aus. »Ich muss leider zurück ins Schulzimmer«, sagte Dagbjört entschuldigend. »Sieht man mir an, dass ich geweint habe?«

»Ja«, sagte ich, und zu meinem Erstaunen lachten beide

Frauen, und meine Mutter umarmte Dagbjört noch einmal, jetzt also schon zum dritten Mal, aber Dagbjört musste die Ungerechtigkeit erkannt haben, denn sie umarmte auch mich erneut, doch bevor sie im Schulzimmer verschwand, sagte sie noch:

»Die Beerdigung findet am Freitag um vierzehn Uhr statt.«

»Hier in Raufarhöfn?«, fragte meine Mutter, was eine gute Frage war, und Dagbjört nickte.

»Ich werde da sein!«, versprach ich.

»Danke«, sagte Dagbjört und verschwand in ihrem Schulzimmer.

Ich war ziemlich verwirrt. Beerdigung?

»Hat man ihn denn gefunden?«, fragte ich meine Mutter.

Meine Mutter schnappte erschrocken nach Luft.

»Um Himmels willen, Kalmann«, sagte sie. »Es ist doch wohl klar, dass er tot ist.«

»Aber wir haben ja nur seine Hand gefunden! Ist dann nur seine Hand im Sarg?«

»Kalmann!« Meine Mutter eilte auf den Schulhausausgang zu, ich hinterher.

»Was passiert denn, wenn man die zweite Hand findet? Oder seine Füße? Oder seinen Kopf! Macht man den Sarg wieder auf und legt die Stücke hinein?« Ich fand, das waren gute Fragen, aber meine Mutter wich aus.

»Es ist wichtig, einen Schlussstrich unter die ganze Sache zu ziehen«, sagte sie. Wir traten ins Freie. »Vor allem für die Familie ist es wichtig, sich von Róbert verabschieden zu können, verstehst du?«

Ich glaube, ich verstand.

»Und du?«, fragte ich sie. »Kommst du auch an die Beerdigung?«

Meine Mutter seufzte. »Ich denke schon.«

»Und Großvater?«

»Den lassen wir mal schön aus dem Spiel.«

Wir setzten uns ins Auto und fuhren auch gleich los, denn die Reporter hätten uns bemerken und belästigen können. Beim Wegfahren nahm ich im Augenwinkel eine Bewegung wahr, ich glaubte schon, da oben sitze ein Reporter mit Fotoapparat, aber es war Schwarzkopf, der hinter dem Gemeindehaus auf der Anhöhe stand und zu uns herunterblickte. Während einer knappen Sekunde schauten wir uns an. Dann drehte er sich schnell um und verschwand sogleich aus meinem Blickfeld, tauchte hinter dem Horizont ab, noch bevor ich meine Mutter auf ihn hätte aufmerksam machen können. Darum war ich plötzlich nicht mehr sicher, ob ich ihn mir vielleicht nur eingebildet hatte.

»Du kommst jetzt klar, nicht wahr, Kalli?« Meine Mutter schreckte mich aus meinen Gedanken. Ich nickte. »Und keine Interviews mehr!«

Sobald wir bei meinem Häuschen angekommen waren, machte sich meine Mutter auf den Weg zurück nach Akureyri, und weil es relativ warm war und der Schnee auch auf der Melrakkaslétta praktisch geschmolzen war, entschloss ich mich, auf Fuchsjagd zu gehen – nachdem ich mich etwas ausgeruht hatte. Ich blieb dann aber doch zu lange auf der Couch liegen, vertrödelte den Tag mit Youtube, schaute mir lustige Fail-Videos an, und darum war es dann plötzlich zu spät für eine Jagd. Schwarzkopf musste warten. Aber am nächsten Tag würde ich es ernst meinen.

⌘

19

Spuren

Unten am Hafen sah man nur noch wenige Leute von der Rettungswache. Auch das Staatsfernsehen war wieder abgezogen. Vor dem Hotel standen noch drei Autos, die nicht nach Raufarhöfn gehörten. Alles war fast wieder normal. Wahrscheinlich ging man davon aus, dass nur durch Zufall weitere Körperteile von Róbert gefunden würden, so, wie ich seine rechte Hand gefunden hatte. Wenn überhaupt. Wenn einer zerstückelt im Meer entsorgt worden ist, findet man nicht alle Stücke wieder. Das ist einfach so. Ich hätte den Beamten gleich sagen können, dass da draußen noch einige hungrige Haie rumlungerten. Die hatten sich bestimmt schon um Róbert gekümmert. Fischfutter eben. Mit dieser einen Hand war man aber ganz zufrieden. Wieso hätte man sonst gleich zur Beerdigung geblasen? Wenigstens konnte man nun mit neunundneunzigprozentiger Sicherheit sagen, dass Róbert McKenzie nicht mehr am Leben war. Die Wahrscheinlichkeit, dass er plötzlich auftauchen würde, mit einem Verband am verstümmelten Arm, war eher gering – und ziemlich unheimlich. Ich musste fast ein wenig lachen, als ich mir das vorstellte. Aber ich wusste ja, dass das ganz unmöglich war. Ich war ja nicht blöd. Es war nur ein komischer Gedanke.

Ich dachte die ganze Zeit an Schwarzkopf, er ließ mir

keine Ruhe. Das ist das Jagdfieber in mir. Dagegen nützt kein Tee und kein Quarkwickel. Da kann man nichts machen. Ich musste ihn einfach wieder aufspüren. Seit wir uns tags zuvor am Dorfrand angeschaut hatten, wenn auch nur für eine knappe Sekunde, ließ mich der Gedanke nicht los, dass Schwarzkopf mich auffordern wollte, fast so, als hätte er sagen wollen: »Auf was wartest du denn noch!«

Diesmal nahm ich Großvaters Flinte und ein paar Patronen mit, hoffte, dass Birna mich nicht sehen würde, und wanderte erneut zu den Seen hoch, wo ich ihn am ehesten vermutete. Polarfüchse haben ihr festes Territorium, und darum hatte ich gute Chancen, ihn an derselben Stelle aufzuspüren. Aber ich machte einen Umweg, ich hatte ja Zeit. Das Wetter war keine Bedrohung. Ich kannte mich hier oben so gut aus, dass ich einfach drauflosgewandern konnte, ohne zu überlegen. Ich wusste immer, wo ich war. Wenn ich von einem Schneesturm überrascht worden wäre, hätte ich den Nachhauseweg trotzdem gefunden.

Vielleicht war es ein Zufall, vielleicht führte mich mein Bauch dahin, vielleicht fand ich die Stelle unbewusst – ich weiß es nicht. Aber ich erschrak ein wenig, als ich plötzlich vor der Felsspalte stand, die bis vor kurzem noch bis oben mit Schnee gefüllt und auf der Ebene gar nicht zu erkennen gewesen war. Eigentlich nicht ungefährlich. Vielleicht hätte ich die Leute von der Rettungswache darüber informieren sollen, als sie hier oben ihre Suche durchführten. Aber so weit hinten waren die wohl gar nicht.

Nun war die Felsspalte deutlich erkennbar. Es lag aber noch immer schmutziger Schnee unten, fast drei Meter weit, da, wo die Sonne nicht hinkam. Auf dem Schnee lag

Kleidung, und dazwischen konnte man ganz klar den Lauf eines Revolvers erkennen. Aber man musste schon genau hingucken. Wenn der Schnee ganz geschmolzen war, würden die Sachen im Dunkel der Felsspalte allmählich absinken und verschwinden.

Ich stand eine ganze Weile am Rand und guckte hinunter. Keine Ahnung, wie lange ich so dastand und hinunterguckte, denn manchmal passiert mir das. Ich schalte irgendwie den Kopf ab, und viele haben sich daraus einen Spaß gemacht, vor allem früher.

Aber da oben in der Tundra gab es niemanden, der mich in die Realität zurückkatapultierte. Es gab nur mich. Und als ich mir schließlich einen Ruck gab, um die Jagd auf Schwarzkopf fortzusetzen, hatte ich schon wieder vergessen, was da in der Felsspalte lag.

Ich spürte ihn tatsächlich wieder auf, Schwarzkopf – wenigstens was von ihm übriggeblieben war. Und es war nicht viel. Eigentlich nur sein Kopf und sein buschiger Schwanz. Ein paar Innereien. Mehr nicht. Kein schöner Anblick. Er lag auf dem Moos, als hätte ihn jemand da hin gebettet. Er schaute mich an, und ich schaute ihn an. Tote Augen schauen eigentlich nicht, aber wenn man lange genug hinguckt, sieht man alles Mögliche. Dann blinzelt dich auch mal ein Toter an.

»Hallo, Schwarzkopf«, sagte ich. Ich wusste, dass ich ganz alleine mit ihm hier oben war, und deshalb konnte ich mich mit ihm unterhalten, ohne dafür ausgelacht zu werden. »Was ist denn mit dir passiert? Hat dich eine Schneeeule erwischt?«

Schwarzkopf schüttelte unmerklich den Kopf. Ich kniete mich zu ihm hin und streichelte seine Stirn. Ein Jäger sollte keine Emotionen haben. Er darf schon, es ist nicht verboten, aber es ist leichter, wenn man nicht traurig ist, wenn Tiere sterben. Das ist einfach so. Denn es sterben immer sehr viele Tiere, jeden Tag, vor allem in den Schlachthöfen, aber das sehen nur diejenigen, die da arbeiten. Die letzten zwei Wochen waren eben verrückt gewesen, und darum war ich irgendwie empfindlich. Ich war wirklich sehr traurig, als ich Schwarzkopf so tot da liegen sah. So traurig war ich schon seit langem nicht mehr gewesen. Dabei war ich doch losgezogen, um ihn abzuknallen, aber vielleicht hätte ich gar nie abgedrückt, hätte es nicht übers Herz gebracht und ihn einmal mehr verschont, nur auf ihn gezielt und »Peng« gesagt, ohne abzudrücken.

Nach der Trauer kommt die Wut. Das ist manchmal so, aber nicht immer. Manchmal ist man einfach nur traurig. Aber jetzt wurde ich wütend. Und darum schaute ich mich um, fragte mich, wer Schwarzkopf so übel zugerichtet haben könnte. Ich wollte mich rächen, wusste aber nicht, an wem.

Schließlich verabschiedete ich mich von Schwarzkopf, ließ ihn einfach da liegen, denn andere Tiere würden sich an ihm ernähren können. Das ist die Natur. Darüber muss man nicht traurig sein. Wir alle sind Futter für jemanden.

Also wischte ich mir die Tränen aus den Augen und versuchte, Sinn in dem Ganzen zu finden. Versuchte, Spuren zu finden. Schwarzkopfs Spuren. Wenn ich nämlich nur seine Spuren fand und keine anderen Spuren, konnte ich davon ausgehen, dass ihn eine Schneeeule erwischt hatte.

Oder vielleicht die Raben. Die würden ihn jetzt auch auffressen – oder was von ihm übriggeblieben war. Sie warteten ja schon hungrig bei den Felsen und krunkten. Ich zielte mit der Flinte auf sie, drückte dann aber doch nicht ab.

Im Uferschlamm fand ich Spuren, unten am See. Es waren aber keine Fuchsspuren, sondern bedeutend größere, wenn auch undeutliche. Ich folgte ihnen, bis sie vom See wegführten, direkt ins Krähenbeerengestrüpp, wo ich sie unmöglich weiterverfolgen konnte. Dazu hätte ich einen Jagdhund oder einen Grönlandhai gebraucht. Ich ging zurück zum Seeufer. Es waren keine Pferdespuren, und es waren keine menschlichen Fußspuren, ganz sicher keine Nerzspuren.

Dann vernahm ich einen Laut, der wie das Muhen eines Stieres aus weiter Ferne klang, aber jämmerlicher, fürchterlicher. Ein kehliger Ruf, den der Wind über weite Distanzen trug. Auch die Raben hatten den Laut gehört, blickten in die Richtung und lauschten unruhig.

Und nun bekam ich Angst. Richtige Angst. Die spürt man nur, wenn man glaubt, in Lebensgefahr zu schweben. Sie packt dich am Nacken, die Angst, nistet sich ein, hält dich mit eiskaltem Griff und saugt die Kraft aus deinen Gliedern. Alles wird schwer, wie in einem Albtraum. Ich duckte mich, kontrollierte die Patrone, entsicherte die Flinte und legte an. Zielte ins Leere. Es hatte aber keinen Sinn. Wo nichts ist, kann man auch nichts treffen. Ich drückte trotzdem ab, feuerte eine Ladung Schrot über die Melrakkaslétta. Die Raben flatterten davon.

»Verschwinde!«, brüllte ich. »Komm mir bloß nicht zu nahe, du!«

Ich fragte mich, ob ich am Ende doch noch verrückt wurde oder ob ich mich wirklich in Gefahr befand. Wenn doch nur Großvater bei mir gewesen wäre! Mein Rucksack fühlte sich tonnenschwer an, und der Weg zurück nach Raufarhöfn schien plötzlich doppelt so lang. Aber ich verlor keine Sekunde, lief, so schnell ich konnte, fiel auch zweimal hin, machte mich dabei schmutzig und schlug mir die Handfläche wund. Mein Cowboyhut rutschte mir sogar vom Kopf. Ich schaute mich immer wieder um, ich hatte keine Ahnung, ob ich übertrieben reagierte, aber ich spürte die Angst im Nacken, und wenn man in der Natur ist, muss man auf seinen Instinkt und sein Bauchgefühl hören. Die darf man dann nicht ignorieren, denn mit den Augen sieht man nicht alles.

Ich schaffte es zurück ins Dorf und lief direkt zur Schule, hoffte, dass Birna noch da war, damit ich sie warnen konnte.

Vor dem Schulhausgebäude hielt ich inne, schnappte nach Luft und unterdrückte die aufsteigende Übelkeit. Die Schmerzen in meiner Bauchseite waren heftig, ich spuckte auf den Boden, doch langsam erholte sich mein Körper, die Angst wich, und plötzlich war ich nicht mehr sicher, ob es eine gute Idee war, Birna vor etwas zu warnen, wovon ich selbst nicht wusste, was es war. Ich würde mich wohl wieder zum Affen machen. Die Hände auf meine Oberschenkel gestützt, nach Atem ringend, wurde mir klar, dass die Polizei keine Hilfe war. Ich war der Einzige, der die Gefahr kannte – und bewaffnet war. Ich war der Sheriff von Raufarhöfn, viele nannten mich so, doch jetzt war es meine Aufgabe, mein Amt. Auch Dagbjört hatte mich darum gebeten. »Pass auf Raufarhöfn auf«, hatte sie doch gesagt. Also richtete ich mich wieder auf und versicherte mich, dass meine Flinte schussbereit war – und zog los.

Jemand sagte mir mal, dass jeder eine Bestimmung im Leben habe. Niemand sei zufällig hier. Nichts passiere zufällig. Alles habe einen Grund, eine Bedeutung, einen Sinn. Und in diesem Moment wurde mir bewusst, dass alles seine Richtigkeit hatte. Alles, was bisher passiert war, die ganze Geschichte, war in Ordnung so. Es ist die Unordnung des Lebens. Und wer jetzt denkt, das Leben sei manchmal unordentlich oder ungerecht, der hat ganz recht, denn es muss einfach so sein, sonst wäre es nicht das Leben, sondern ein Film. Aber es war wichtig, dass ich meine Aufgabe erkannte und Verantwortung übernahm. Darum beschloss ich an Ort und Stelle, da, vor dem Schulhaus, die einhundertdreiundsiebzig Bewohner von Raufarhöfn zu beschützen – und wenn ich dabei sterben würde! Es wäre dann einfach so, und es wäre in Ordnung. Also kein Grund zur Sorge.

Ich holte tief Luft. Die Angst verflog. Ich stand mit beiden Füßen auf dem Boden. Der Boden trug mich, und das war schon mal gut. Ich schob meinen Hut zurück, so dass sich meine schweißnasse Stirn abkühlte. Und dann patrouillierte ich durchs Dorf, die Flinte wie ein Soldat geschultert, ging zum Arctic Henge hoch, von wo aus ich die Gegend gut überblicken konnte. Ich begegnete einigen Bewohnern, dem Dichter Bragi zum Beispiel, der im Morgenrock vor seiner Haustür stand, einfach so, ohne eine Pfeife zu rauchen oder eine Tasse Kaffee in den Händen zu halten, als hätte er sich versehentlich ausgesperrt. Er war unrasiert und sah ein paar Jahre älter aus. Er hatte manchmal solche Phasen.

»Bloß keine Dummheiten«, murmelte er und schaute mir hinterher.

Als ich das nächste Mal an seinem Haus vorbeikam, war er darin verschwunden, und ich konnte ihn auch nicht durchs Fenster sehen. Ich bemerkte, wie der Sportlehrer Marteinn ins Gemeindebüro ging, das heute für ein paar Stunden ein Postschalter war, und wenig später mit einem Zehnerpack Bier unterm Arm wieder ins Freie trat. Weil es hier in Raufarhöfn keine staatliche *Vínbúðin* gab, wo man Bier, Wein oder Schnaps hätte kaufen können, konnte man den Alkohol per Post bestellen. Marteinn sah mich auch, blieb kurz stehen, als hätte ich ihn ertappt, ging dann aber gleich weiter. Elínborg kam richtig schnell aus ihrem Haus gelaufen, wollte von mir wissen, wie die Hand ausgesehen habe, ob es wirklich eine Schnittstelle gewesen sei oder ob der Hai die Hand so sauber abgebissen haben könnte, als wäre es eine Schnittstelle.

»Geh ins Haus!«, entgegnete ich barsch, was ihr prompt die Sprache verschlug, und weil ich dann weitermarschierte, ging sie tatsächlich zurück ins Haus. Ich begegnete auch ein paar Pensionierten, die spazieren gingen. Sigfús winkte mir mit einem seiner Skistöcke über die Straße hinweg zu, fuchtelte bedrohlich, dabei war er mir wohlgesinnt. Mit einem Skistock kann man einfach nicht freundlich winken. Kata tuckerte mit ihrem Hündchen auf dem Schoß ein paar Mal die Hauptstraße rauf und runter und schaute mich dabei immer stirnrunzelnd an. Ich winkte ihr zu, hieß sie anhalten. Sie kurbelte die Scheibe runter und blickte mich fragend an.

»Lass Al Capone nicht ins Freie!«, riet ich ihr und ging weiter, denn ich hatte beschlossen, den Leuten keine Details zu verraten und nichts von den Spuren zu erzählen, denn Panikmache half jetzt auch nicht.

Gegen Nachmittag wurde ich dann aber ziemlich müde und hungrig, und darum ging ich für eine Weile nach Hause, verpflegte mich, aß eine ganze Packung Kekse und legte die Füße hoch. Nói war noch immer offline. Er würde sich schon melden, wenn es ihn noch gab. Im Fernsehen schimpfte Dr. Phil mit einer ganz jungen Frau, die ihren Internet-Freund stalkte, machte sie so fertig, bis sie weinte. Das hatte sie bestimmt verdient, denn Dr. Phil hat immer recht. Ich war aber so müde, dass ich den Schluss der Sendung verpasste und erst aufwachte, als es draußen schon dämmerte. Und wenn man den halben Tag schläft, ist man irgendwie schlecht gelaunt, und darum guckte ich den ganzen Abend fern, bis spät in die Nacht hinein, und als ich am nächsten Tag aufwachte, tat mir alles weh, denn ich hatte mich tags zuvor überanstrengt.

⌘

20

Nebel

An Tagen wie diesem sollte man einfach nur daheimbleiben und Filme gucken, jemanden zur Seite haben, einen Freund oder wenigstens die Mutter, aber am allerliebsten eine Freundin. Ich hatte aber nur einen einzigen Freund, der den Kontakt aus unerklärlichen Gründen abgebrochen hatte: Nói. Vielleicht war er gestorben. War so tot wie Róbert McKenzie. Vielleicht hatte die Polizei seinen Stecker gezogen, weil er sich in die Website der Küstenwache gehackt hatte, um zu sehen, wo sich der Hubschrauber befand. Vielleicht würde er sich bald wieder melden, einfach so, als wäre überhaupt nichts passiert. Ich hoffte es. Schwarzkopf lag zerfetzt auf der Melrakkaslétta, meine Mutter musste arbeiten, und eine Freundin hatte ich noch immer nicht. Ich hatte in meinem ganzen Leben noch nie Sex gehabt. Ich hasste mein Leben. Ich hasste mich. Vielleicht setzten mir die Toten zu. Aber manchmal muss man eben durch die Hölle, um in den Himmel zu kommen. Rückblickend ist das so. Ich musste sterben, um auferstehen zu können. Ich musste mein altes Leben abschließen, um ein neues zu beginnen. Und wenn man sich eine Freundin wünscht, hilft es nicht, zu Hause auf der Couch zu liegen, wie ich es über dreißig Jahre lang getan hatte. Das sah ich ein. Machte aber trotzdem nichts. Denn an jenem

Tag hätte ich wirklich eine Pause verdient. Mein Körper gab mir nämlich alle möglichen Signale, und ich hatte den schlimmsten Muskelkater meines Lebens. Eigentlich war ich überzeugt, dass auf der Melrakkaslétta eine Gefahr lauerte, und vielleicht hätte ich jemanden darüber informieren sollen, doch ich wollte nicht schon wieder ausgelacht werden. Ich hatte Schmerzen in den Beinen und im Rücken, die mich mit hartem Griff auf die Couch drückten. Selbst wenn der Küstenwachehubschrauber auf meinem Dach gelandet wäre – ich wäre einfach liegen geblieben, denn genau das hatte ich vor. Ich wollte den ganzen Tag Cocoa Puffs essen und Adam-Sandler-Filme gucken. Der Mann ist lustig. Und wenn sich Nói plötzlich gemeldet hätte, hätte ich mich mit ihm unterhalten, den ganzen Tag, selbst wenn ich ihm nur beim Computerspielen zugehört und auf seinen doofen Pullover geguckt hätte. You Shall Not Pass!

Nói. Ich ärgerte mich so. Ich wusste nicht mal, wer sein Vater war. Ich hatte ihn nie danach gefragt. Aber wenn man sich online kennenlernt, sind Namen gar nicht wichtig. Darum konnte ich Nói auch nicht ausfindig machen. Namen sind eben doch wichtig. Ich vermisste ihn. Er war so, wie ich nicht sein durfte. Er war wirklich mein genaues Gegenteil, mein Gegenstück, und nun, da er plötzlich offline war, kippte ich um und konnte mich nicht von der Couch rühren. Wenn ich überleben wollte, musste ich mir ein Beispiel an ihm nehmen.

Nach der Trauer kommt die Wut. Ich war plötzlich wütend, wütend auf Nói, wütend auf unsere Mütter, die uns bevormundeten, wütend auf unsere Väter, die einfach nicht im Bild waren. Wütend auf die Behörden, die Polizei und die Litauer. Nadja. Sie hatte mich hinters Licht geführt. Das war gemein.

Ich stand auf, ging in die Küche, nahm einen Teller und zerschmetterte ihn auf meinem Schädel. Die Scherben prasselten auf die Küchenarbeitsplatte und zu Boden. Es tat auch gar nicht weh, aber die Stelle am Kopf wurde warm. Ich tastete meine Haare ab, erwartete Blut an meinen Fingern, aber da war kein Blut. Also nahm ich ein Trinkglas aus dem Schrank und hielt es mir über den Kopf, doch mein Mobiltelefon begann auf dem Salontischchen in der Stube zu dudeln. Mit dem Glas in der Hand verharrte ich einen Augenblick, dann stellte ich es zurück in den Schrank und ging hinüber. Es war Birna. Sie teilte mir mit, dass sie aus Raufarhöfn abgezogen werde, dass sie sich bei mir bedanken und von mir verabschieden wolle, aber sie würde sich so freuen, wenn sie vorher noch meine Lagerhalle sehen könnte, meinen Arbeitsplatz, denn ich hätte ihr so viel über die Haifische erzählt, darum würde sie gerne sehen, wo ich die Haie verarbeite.

Ich sagte einfach zu allem ja, obwohl meine Glieder schon schmerzten nur beim Gedanken daran, das Haus zu verlassen. Aber Birna war wirklich nett, und mir schwindelte, und weil sie schon unterwegs war, wies ich sie auch nicht ab, sagte einfach nur »ja, ja« und nochmals »ja«. Bevor sie das Gespräch abbrach, sagte sie noch, ich solle mich warm anziehen, sie werden in fünf Minuten an meine Tür klopfen.

Ich guckte aus dem Fenster. Draußen war es windstill, aber die Wolken hingen tief. Über dem Meer wartete Nebel. Vielleicht auch Schnee. Das Meer war eigentlich gar nicht mehr da. Ganz nettes Wetter also, um den Kopf zu kühlen. Ich stülpte meinen Cowboyhut über meine Beule, steckte den Sheriffstern an meine Wind-und-Wetterjacke und schnallte den Pistolengürtel um meine Hüfte. Ich zog die Mauser aus dem Halfter und dachte dabei an meinen amerikanischen Großvater, der sie einem Koreaner abgenommen hatte. Ob er ihn auch damit abgeknallt hatte? Ich drehte die Pistole in meiner Hand, musterte sie, versuchte zu erkennen, wie viel Tod an ihr haftete, und steckte sie schließlich wieder ins Halfter. Jetzt, wo Birna abgezogen wurde, brauchte mich das Dorf wieder, und zwar in voller Montur. Mauser inklusive.

Ich wartete vor der Tür und schaute Birna zu, wie sie den Weg hochkam. Sie war nicht in Uniform, sondern ganz normal in einen beigen Mantel und einen schwarzen Schal gekleidet. Ihre Begrüßung war eher trocken, sie zeigte auch gleich auf die Fabrikhallen am Hafen und sagte:

»Gehen wir, ich habe noch einen langen Tag vor mir.«

Als wir hinuntergingen, sagte sie kein Wort, wirkte richtig mürrisch, dabei hatte sie am Telefon so nett mit mir geredet. Sie hatte einen zügigen Schritt, war mir immer zwei Meter voraus. Ich konnte ihr Tempo kaum halten, denn meine Beine waren gar nicht glücklich darüber, nicht auf der Couch zu liegen. Aber durch den zügigen Spaziergang hinunter an den Hafen wurden sie schließlich doch warm, und der Muskelkater war dann auch nicht mehr so schlimm.

»Glaubst du, es wird noch einmal schneien?«, fragte mich Birna über die Schulter.

Ich schaute in den grauschweren Himmel hoch.

»Ja«, sagte ich. »Ich rieche Schnee.«

»Na, phantastisch«, sagte Birna, aber sie meinte es nicht so.

Ich stolperte über einen Stein, fiel aber nicht hin, stolperte nur ein wenig, denn Birna ging so verdammt schnell.

»Alles in Ordnung?«, fragte sie, schaute sich aber nicht einmal um.

»Kein Grund zur Sorge«, murrte ich.

Schon waren wir unten am Hafen und gingen den leeren Hallen entlang. Niemand sonst war da. Siggis Boot lag vertäut im Hafen, und Sæmundurs Auto stand nicht vor seinem Container. Ich fragte mich, ob schon wieder Wochenende war. Ich wusste gar nicht, welcher Wochentag es war, und das mag ich eigentlich nicht.

»Diese hier?«, fragte Birna und zeigte auf meine Halle.

»Ja, diese«, sagte ich und war überrascht, dass sie genau wusste, welche Halle meine war.

Erst als sie bei der Tür angekommen war, hielt sie inne und ließ mir den Vortritt. Ich öffnete, ging ins Dunkel und knipste das Licht an. Das dauerte eine kleine Weile, die Neonröhren machten nämlich immer erst Disco, bis sie schließlich gleichmäßig leuchteten. Birna blieb neben mir stehen, stemmte die Hände in die Hüften, guckte nach oben, nach links und nach rechts.

»Ziemlich große Halle für einen einzigen Haifischfänger«, sagte sie. Ihr Stimme verhallte.

»Ich benutze nicht die ganze Halle, nur den Teil da hinten«, sagte ich. »Da tropft es nicht durchs Dach.«

Ich führte sie zu meiner Arbeitsecke, wo mein Tisch war, meine Messer, mein Kühlschrank, mein Radio, das nicht mehr funktionierte, mein USA-Kalender von 2007, meine Fässer mit den Ködern und meine Holzkisten, in denen ich das Haifischfleisch fermentierte. Ich begann meine Führung bei den Holzkisten, denn das interessierte die Leute immer am meisten, aber Birna war gar nicht interessiert. Sie ging schnurstracks auf den Kühlschrank zu und öffnete ihn. Sie schaute sich die Cola-Dosen, das Toastbrot und die Leberpastete an und machte den Kühlschrank wieder zu. Dann schaute sie sich die Messer auf dem Tisch an, nahm sie auch in die Hand.

»Gut geschärft«, stellte sie fest.

»Auf dem Tisch schneide ich das Fleisch in Stücke, hier im Fischtrog wasche ich das Fleisch mit Salzwasser, in diesen Holzkisten staple ich es, aber erst am Ende des Sommers, damit es vergammelt.«

»Wie lange bleibt es da?«, fragte Birna, die sich nun doch für die Holzkisten zu interessieren schien.

»Mindestens fünfundzwanzig Tage.«

»Wird das Fleisch nicht vergraben?«

»Jetzt nicht mehr. Früher schon. Da haben wir es unten am Strand im Sand vergraben, damit die Fliegen nicht rangekommen sind.«

»Und wieso machst du das nicht mehr?«

Ich zuckte mit den Schultern.

»So wird es nicht dreckig«, sagte ich. »Und die Fliegen kommen in der Holzkiste auch nicht ran.«

Birna lachte kalt und sagte:

»Als ob *das* das größte Problem wäre!«

Ich verstand nicht, was sie damit meinte, aber ich wagte auch nicht zu fragen, denn etwas in ihrer Art, in ihrer

Stimme, in ihrem Auftreten war anders, oder das Gegenteil von freundlich. Sie war ungeduldig. Sie war wütend.

»Und wo hängst du die Stücke auf?«

»Hinten, in der Trocknungshütte.«

»Wo ist hinten?«

»Da.« Ich zeigte in die Richtung. »Hinterm Dorf. Ganz in der Nähe von Katas Pferdestallungen.«

»Wie lange hängt das Fleisch da draußen?«

»Sechs bis acht Wochen. Aber nur im Winter.«

»Wegen der Fliegen?«

»Ja, aber sobald die Stücke eine braune Kruste bekommen, kommen die Fliegen auch nicht mehr ans Fleisch.«

»Soso. Und dann ist es …«, Birna zögerte, »… genießbar?« Sie lachte wieder kalt.

»Ja. Dann kann man es essen. Dann ist es nicht mehr giftig. Dann wird man auch nicht mehr krank davon.«

»Was du nicht sagst! Und an diesen Haken hängst du das Fleisch auf?«

Sie zeigte an die Wand, wo die Haken von unseren früheren Leinen an einem Nagel aufgehängt waren.

»Keine Chance«, sagte ich. »Das sind die Fischerhaken. Die Fleischstücke hängen an Schnüren in der Hütte. Nicht an Haken. Ich machte Löcher ins Fleisch und hänge es so an Schnüren auf.«

»Das sind die Fischerhaken?« Birna schien wirklich überrascht. Ich nickte. »Damit ziehst du doch einen Killerwal aus dem Wasser!« Sie schaute sich die Haken genauer an, nahm einen vom Nagel und drehte ihn in den Fingern. Ich wollte ihr widersprechen, aber sie bombardierte mich schon mit einer neuen Frage: »Wieso hast du so viele Haken?«

»Früher hatten wir ein paar Langleinen«, erklärte ich.

»Also mehrere Leinen mit Haken?«

»Ja, jeweils eine Langleine zwischen den Bojen.«

»Und heute?«

»Heute habe ich nur noch eine Langleine mit zehn Haken. Das reicht.«

Birna nickte. Sie drückte die Spitze des Hakens ein wenig in ihre Handfläche.

»Die Köderstücke sind also ziemlich groß.«

Ich nickte.

»Etwa so groß wie deine Hand«, sagte ich.

Birna schaute mich entsetzt an.

»Was verwendest du als Köder?« Ihre Stimme war nun nicht mehr so forsch, sondern plötzlich zurückhaltend. Ich zögerte, aber sie wich meinem Blick nicht aus.

»Das ist ein Familiengeheimnis«, sagte ich.

»Ich werde es nicht weitersagen«, sagte sie.

»Jeder hat seine Vorlieben.«

»Jeder Haifischfänger?«

»Ja.«

»Und welche Köder haben sich am besten bewährt?«

Ich stöhnte genervt. Birna machte mich noch fertig!

»Geräuchertes Pferdefleisch«, sagte ich. »Aber ich verrate dir nicht, wie ich das Fleisch mariniere!«

»Wie bitte? Pferdefleisch, mariniert?«

»Die Haie müssen das Fleisch riechen können, weil sie da unten nichts sehen.«

»Ach so«, sagte Birna und machte gespielt große Augen. »Ich frage mich ja, wie wir jemals auf die Idee gekommen sind, Haie zu fangen, vergammeln zu lassen und dann zu essen.« Ich wollte es ihr erklären, aber offenbar hatte sie die Frage gar nicht an mich gestellt, denn sie gab sich gleich selber eine Antwort. »Uns muss es wirklich dreckig gegangen sein. Und die Köder sind in diesem Fass?« Sie zeigte mit dem Haken auf das blaue Plastikfass mit dem schwarzen Deckel.

Ich nickte. Jetzt bereute ich, sie in meine Halle geführt zu haben.

»Darf ich?«

»Nein.«

Sie schaute mich an.

»Kalmann, ich würde jetzt gerne in dieses Fass gucken.« Sie zeigte auf das Fass.

»Keine Chance«, sagte ich. In meinem Kopf pochte der Puls. Birna starrte mich an, als würde sie mich mit Gedankenübertragung dazu bringen wollen, den Deckel des Fasses zu öffnen. Darum wich ich ihrem Blick aus und begann, die Messer auf dem Tisch zu sortieren und auf ihre Schärfe zu überprüfen. »Familiengeheimnis. Du darfst nicht«, sagte ich und erschrak selber ein wenig über meine Stimme. Ich klang nämlich gar nicht so wie ich. Birna machte einen Schritt rückwärts und schaute zum Ausgang.

»Ist gut, Kalmann«, sagte sie und hob beschwichtigend die Hände. »Du musst mir deine Köder nicht zeigen, in Ordnung?«

»Du darfst sie nicht sehen!«, sagte ich bestimmt.

»Kein Problem.« Birna seufzte und schaute mir eine Weile zu. Dann sagte sie: »Komm, zeig mir deine Trocknungshütte, ja? Und dann lass ich dich in Ruhe.«

Ich überlegte, nickte schließlich, legte das Messer auf

den Tisch und ging vor, Birna zehn Meter hinter mir, Licht aus, Tür zu. Draußen hatte sich der Nebel vom Meer aufs Land geschlichen, und man sah nicht viel weiter als bis zum nächsten Haus. Das machte aber nichts, denn ich hatte mein ganzes Leben hier verbracht, und darum hätte ich mich mit verbundenen Augen zurechtfinden können.

Ich fragte mich, was Birna im Sinn hatte. Hatte sie gemerkt, dass ich etwas in meinem Fass versteckt hielt? Würde sie einen Durchsuchungsbefehl beantragen oder meine Mutter verständigen? Wie auch immer, ich war enttäuscht. Ich war traurig. Ich war müde. Es war, als wären in meinem Köderfass all mein Trübsinn, alle meine Ängste und all mein Ärger verstaut, und jetzt wollte Birna das Fass öffnen. Keine gute Idee von ihr. Ich hatte Grund zur Sorge. Ich realisierte, dass mein Leben hier in Raufarhöfn, wie ich es kannte, ein Ende nahm, dass der Vermisstenfall Róbert McKenzie heute abgeschlossen und danach alles nicht mehr dasselbe sein würde. Ich wünschte, ich wäre auf meiner Couch liegen geblieben, damit sich die Welt um mich herum nicht verändert hätte. Veränderungen mochte ich sowieso nicht. Mir ging es dann nicht gut, wie damals, als meine Mutter nach Akureyri umgezogen war. Oder als Großvater ins Pflegeheim gesteckt worden war. Gönnte mir Birna diesen letzten Spaziergang zur Trocknungshütte noch, bevor sie die Spezialeinheit aus Reykjavík anforderte? Oder wollte sie mich vom Fass weglocken, Zeit gewinnen, um Verstärkung anzufordern? Ich wusste es nicht, und eigentlich konnte es mir egal sein. Aber ich wollte nicht, dass mein Leben hier ein Ende nahm. Ich hatte sowieso nichts mit der ganzen Sache zu tun haben wollen. Von Beginn an.

Wieso ließ man mich nicht in Ruhe! Ich wünschte, ich hätte die Zeit um zwei Wochen zurückdrehen können, zurück zu dem Tag, als ich Róbert im Schnee gefunden hatte. Ich wäre dann gar nicht auf Fuchsjagd gegangen, hätte mich an jenem Morgen gar nicht von der Couch gewälzt, und dann wäre ich Róbert auch nicht begegnet.

Also beschloss ich, mit Birna einen Umweg zu machen. Wir wären längst bei der Hütte angekommen, die nur ein paar hundert Meter hinter der Lagerhalle etwas erhöht am Hang stand, aber ich führte Birna in einem guten Abstand daran vorbei, so dass sie sie im Nebel nicht bemerkte. Aber Birna war von der Polizei. Sie hatte also einen Polizeisinn, den normale Menschen gar nicht haben. Denn nachdem wir einen halben Kilometer gegangen waren, blieb sie plötzlich stehen. Die Häuser waren im Nebel verschwunden. Wir waren knapp oberhalb der Siedlung, hätten aber auch in Grönland oder auf einem anderen Planeten sein können, denn zu sehen gab es wirklich nichts.

»Kalmann, bleib mal stehen! Bist du sicher, dass wir hier richtig sind?«

Ich drehte mich um und schaute sie an. So sah es also aus, wenn ein Lebensabschnitt zu Ende ging; eine verwirrte Polizistin im Nebel.

»Ich will dir etwas zeigen«, sagte ich. »Es wird dich interessieren.«

»Ja, die Hütte, nicht wahr? Ist sie denn so weit weg?«

»Es ist nicht mehr weit, wir sind gleich da«, sagte ich und war schon weit voraus.

Birna blieb nichts anderes übrig, als mir zu folgen. Nach einer Weile blieb sie wieder stehen.

»Kalmann!«, rief sie. »Wo bringst du mich hin?«

Ich blieb ihr eine Antwort schuldig und ging einfach weiter. Wir waren inzwischen in der Nähe des Arctic Henge, eigentlich schon oben auf der Ebene. Aber hier war der Nebel noch dicker.

»Kalmann!« Birnas Stimme überschlug sich. »Wo geht es zurück zum Dorf?«

»Es ist nicht mehr weit!«, versicherte ich ihr. Ich wollte ihr doch die Felsspalte zeigen, die Kleidungsstücke und den Revolver, das hätte sie sicher interessiert, aber Birna war stur.

»Bleib stehen, Kalmann!«, rief sie. »Ich will zurück ins Dorf! Sofort!« Sie rannte nun wütend hinter mir her, versuchte mich aufzuhalten. Ich ging etwas schneller, denn Birna holte auf. Sie hatte mich fast eingeholt, als die dunklen Silhouetten des Arctic Henge wie Riesen im Nebel auftauchten. Jetzt merkte auch Birna, wo wir uns befanden. Nach Atem ringend blieb sie neben mir stehen und schaute auf die Steine.

»Kalmann«, sagte sie. »Mach mir keine Angst!«

»Es ist nicht mehr weit«, sagte ich.

»Nein, stopp!«, sagte sie bestimmt. »Keine Spielchen mehr. Schluss damit. Schluss mit dem ganzen Quatsch! Was willst du mir zeigen, Kalmann?«

Hier oben im Schutz des Nebels fühlte ich mich geborgen. Es gab nur Birna und mich. Sie schaute mich an, und ich schaute sie an. Und vielleicht war es diese Zweisamkeit, die ich gesucht hatte. Vielleicht würde ich ihr jetzt erzählen können, was ich hier oben wirklich gefunden hatte.

»Schwarzkopf«, sagte ich. »Weißt du noch? Ich machte Jagd auf ihn.«

»Der Polarfuchs«, sagte Birna ungeduldig. »Ich weiß.«

»Er hat sich ziemlich nahe am Dorf rumgetrieben. Und Hafdís hat mich gebeten, ihm eine Lektion zu erteilen. Aber töten wollte ich ihn eigentlich nicht.«

»Wen, den Fuchs?«

Ich zuckte mit den Schultern.

»Es hat geschneit, ich habe nicht viel mehr gesehen, als wir jetzt sehen, und da, wo ich ihn vermutet hätte, habe ich ihn nicht entdeckt. Aber ich bin in einem großen Bogen über die Melrakkaslétta gelaufen und schließlich hier vorbeigekommen. Und hier in der Nähe habe ich Róbert gefunden.«

»Du meinst, seine Blutlache?«

»Da.« Ich zeigte in den Nebel. »Da vorne.«

Wir blickten eine Weile in den Nebel und sagten nichts. Birna brach das Schweigen.

»War Róbert am Leben, als du ihn gefunden hast?«

In meinen Gedanken begegnete ich Róbert erneut. Ich konnte mich an jedes Detail erinnern. Das hatte mit dem Schauplatz zu tun. Wenn man an den Schauplatz zurückkehrt, kann man sich besser an die Geschehnisse erinnern. Das ist einfach so, weil alles genau gleich aussieht und auch so riecht, die Luft und alles.

Ich sah Róbert, wie er schief im Schnee stand. Er hatte einen roten Kopf und war betrunken, war ohne Winterjacke und ohne Mütze. Seine Multifunktionalbrille hatte er nicht auf. Wahrscheinlich hatte er sie auf dem Weg hierher verloren. Er muss nämlich ein paar Mal hingefallen sein, denn sein schicker Anzug hatte einen Riss im Ärmel, seine Hosen waren schmutzig, sein Hosenschlitz offen, seine Krawatte hing schräg und lose um seinen Hals. In der rechten Hand hielt er einen silbrigen Revolver. Er lachte ausgelassen, als er mich bemerkte, sagte, dass ihm das gerade noch gefehlt habe.

»Der Dorftrottel!«, grölte er und schlug sich die freie Hand an die Stirn. »Ich bitte um einen Engel, und dann schickt man mir den Dorftrottel!« Er bekam fast keine Luft mehr, so lustig fand er meinen Anblick.

Ich war völlig überrascht, Róbert hier oben zu begegnen – in diesem Zustand! Zwar fuchtelte er mit seinem Revolver in der Luft herum, aber ich spürte, dass keine Gefahr von ihm ausging. Er strömte Hass und Verachtung aus. Er war ein Fremdkörper in dieser stillen Idylle. Ich blieb einfach stehen, etwa zwanzig Meter von ihm entfernt, und weil ich so verlegen war, ließ ich ihn reden und lachen.

»Weißt du was, Kalmann? Manchmal wünschte ich mir, ich wäre so ein Pinsel wie du. Ganz ehrlich! So wie du. So einfach, so simpel. Alles so einfach. Ein einfaches Leben. Alles schwarz und weiß. Alles grad oder krumm. Ein Horizont, der nur knapp über die Melrakkaslétta reicht. Glücklich sein in Raufarhöfn. Ha! Zufrieden mit den Haien, und darum beneide ich dich. Das Rezept für Glück ist nämlich Genügsamkeit. Völlig evident! Verstehst du, was ich meine?«

Ich reagierte nicht. Schaute ihn nur an. Und ich wusste nicht, was er meinte. Róbert merkte es:

»Genügsamkeit ist, wenn man mit wenig zufrieden ist

und darum genug von allem hat. Oder gibt es etwas, das du dir wünschst?«

Mir fielen gleich einige Sachen ein, die ich mir wünschte, auch wenn ich sie nicht zugeben wollte. Darum sagte ich nichts.

»Na, was wünschst du dir, Kalmann, das würde mich wirklich interessieren, und wenn es das letzte Geheimnis ist, das ich in meinem Leben erfahre. Sag mir, was du dir wünschst! Vielleicht kann ich dir den Wunsch erfüllen. Einen letzten Wunsch! Ha!« Er grölte und spuckte in den Schnee, fummelte mit der freien Hand eine kleine Whiskyflasche aus der Jackentasche, öffnete sie und gönnte sich einen kräftigen Schluck. Den Deckel ließ er fallen.

Ich schaute ihm zu. Dachte schon nicht mehr an all die Sachen, die ich mir wünschte. Er hätte mir meine Wünsche sowieso nicht erfüllen können.

»Komm schon, Junge. Streng deine Hirnzellen an! Etwas wird dir doch einfallen!«

»Eine Frau«, murmelte ich.

»Was?«

»Eine Frau!«, sagte ich lauter und fühlte Bitterkeit in mir aufsteigen.

Róbert war tatsächlich einen Moment still, verharrte mit der Whiskyflasche auf halber Höhe, musste sich meinen Wunsch wohl erst durch den Kopf gehen lassen, überlegte sich vielleicht, wie er mir eine Frau beschaffen könnte, aber dann winkte er mit dem Revolver ab und lachte verächtlich.

»Frauen!«, grölte er. »Glaub mir, Frauen sind nur Probleme. Nur Probleme. Es geht dir besser ohne Frauen. Und den Frauen auch!« Er lachte, machte die Flasche leer und warf sie achtlos in den Schnee. Das darf man nicht: Abfall in der Natur entsorgen. Aber ich sagte nichts, weil ich befürchtete, dass mich Róbert nur ausgelacht hätte.

Es schneite noch immer stark. Auf Róberts Kopf hatte sich eine Schneeschicht gebildet, sicher lag auch auf meinem Cowboyhut Schnee. Eine Weile blieben wir wortlos vor einander stehen, eigentlich fast wie in einem Western. Aber meine Mauser steckte noch im Halfter.

Róbert machte sich viele Gedanken, die sich auf seinem Gesicht abzeichneten. Manchmal verzog er den Mund, als hätte er·Schmerzen, dann lächelte er wieder, schaute zufrieden in den Himmel, so dass die Schneeflocken auf sein erhitztes Gesicht fielen und dahinschmolzen. Er lachte, er schüttelte den Kopf, er jammerte.

»Du musst mir etwas versprechen. Kannst du das, Kalmann? Weißt du, was ein Versprechen ist?«

Ich nickte. Was ein Versprechen ist, weiß jeder. Aber bevor man etwas versprechen kann, muss man wissen, was man versprechen soll.

»Lass mich verschwinden«, sagte Róbert. Er war plötzlich ganz ernst, ganz nüchtern. Er schaute mich so intensiv an, dass ich seine Kälte spürte. »Kalmann, hörst du mich?«, sagte er und machte ein paar Schritte auf mich zu. »Du musst es mir versprechen! Dagbjört darf mich so nicht sehen. Niemals. Sie darf mich nicht finden. Das will ich ihr nicht antun, verstehst du? Und du willst ihr das sicherlich auch nicht antun, nicht wahr? Du magst sie doch! Lass mich verschwinden. Mach Fischfutter aus mir! Verfüttere mich den Haien.« Er trat ganz nahe an mich heran und fasste mich mit seiner freien Hand am Oberarm, drückte fest zu.

Ich schaute zu Boden, versuchte, ihm den Arm zu entziehen, aber Róbert hatte einen eisernen Griff. Und er roch nach Alkohol. Er hob die Hand, die den Revolver umklammerte, und tippte mit dem Lauf an meinen Sheriffstern.

»Sheriff, ich sag dir was. Ich glaube nicht, dass sich unsere Wege hier oben ganz zufällig gekreuzt haben. Niemand außer dir weiß, wie man Haifischfutter aus jemandem macht, verstehst du?«

Ich sagte nichts. Sein Blick war irr. Seine Augen glasig, seine Zunge schwer und träge, seine Augenlider halb geschlossen. Aber sein Anliegen war unmissverständlich:

»Du *musst* es mir versprechen! Du musst es mir einfach versprechen, hörst du? Dagbjört darf mich hier nicht finden, und wenn es so aussieht, als hätten mich die Litauer umgebracht ... noch besser. Darum bin ich ja hier.« Jetzt zeichneten sich in seinem Gesicht wieder Schmerz und Verzweiflung ab. Er ließ mich los, verlor das Gleichgewicht und fiel rückwärts in den Schnee. Da blieb er erschöpft und mit hängendem Kopf sitzen. Die Hand, die seinen Revolver umklammert hielt, stützte er auf seinen Knien ab. Schnee klebte an seinen blauen Fingern.

»Ich habe ein ganzes Fass verloren, verdammte Kacke!« Er wedelte mit dem Revolver etwa in die Richtung, wo sich das Meer befand. »Die Verankerung oder das Seil müssen sich gelöst haben, und jetzt treibt es da draußen rum. Dabei ist dieses verdammte Fass nur ein Teil meiner Probleme. Kannst du dir überhaupt vorstellen, wie es ist, das Gewicht dieses ganzen Jammerkaffs auf den Schultern zu tragen?

Als wäre es meine Schuld, dass Raufarhöfn stirbt. Dabei habe ich alle möglichen Wiederbelebungsversuche unternommen, und jetzt ist es nun mal Zeit für den Todesstoß. Jemand muss es tun. Jemand muss es einfach machen. Jemand muss *mich* abtun, Róbert McKenzie, diesen Versager.«

Ich war verwirrt. Raufarhöfn starb? Ein Dorf konnte doch gar nicht sterben! Ich muss Róbert fragend angeguckt haben, denn er sagte:

»Ja, Kalli minn, wir machen den Laden dicht. Die Quote geht an die Dalvíkinger. Die Schule macht zu. Und wenn ein Dorf keine Schule hat, ist es kein Dorf, verstehst du? Und ich allein bin der Sündenbock. Wie immer. Dabei will ich doch nur ein gutes Leben leben, ist das denn zu viel verlangt? Anscheinend schon! Aber meine Tochter darf mich so nicht sehen. Das müssen wir ihr ersparen. Du und ich. Wir sitzen jetzt im selben Boot. Du musst mich verschwinden lassen. Du musst!« Róbert seufzte, irgendwie erleichtert, als wäre er froh, es mir gesagt zu haben. Aber ich war nicht froh. Ich hatte es nicht hören wollen, denn es waren ganz schreckliche Neuigkeiten. In meinem Kopf jagten sich die Gedanken. Dabei hatte ich nur die Hälfte von dem verstanden, was er mir erzählte, denn was das für ein Fass war, das er angeblich verloren hatte, erfuhr ich ja erst viel später. Dass Dagbjört ihre Anstellung an der Schule verlieren würde, fand ich aber nicht in Ordnung. Ein Dorf ohne Kinder. Das ist doch gar kein Dorf! Und jetzt verstand ich auch, dass ein Dorf ohne Kinder nicht überleben würde.

»Die Schule muss bleiben«, sagte ich, aber Róbert lachte mich nur aus.

»Es ist zu spät, Junge, es ist vollbracht! Auch du kannst deinen Laden dichtmachen. Dann haben wenigstens die Haie wieder ihre Ruhe.«

Ich wurde wütend.

»Die Schule muss bleiben!«, wiederholte ich.

»Meinetwegen. Die Schule kann bleiben, aber eine Schule ohne Kinder geht nicht!«

»Die Kinder müssen bleiben!«

»Na gut, na gut!«, sagte Róbert und hob beschwichtigend die Hände, lachte dabei ein kränkliches Lachen. »Die Kinder bleiben. Ich verspreche es. Ehrenwort. Aber versprichst du mir, Haifischfutter aus mir zu machen? Machen wir einen Deal?«

Ich sagte nichts, ich nickte nicht, ich schüttelte nicht den Kopf, ich schaute ihn nur an, blinzelte nicht mal, denn ich war wütend, und ich fragte mich, wie ich Raufarhöfn retten könnte.

»Versprichst du es, ja?«

Ich nickte dann doch. Was blieb mir denn anderes übrig, und Róbert schaute mich nachdenklich an, betrachtete mich fast liebevoll, dann lächelte er sogar, als wäre er plötzlich ganz zufrieden mit mir, mit sich und allem. Er sagte, er sei froh, dass ich ihn hier draußen gefunden habe, hielt sich den Revolver an die Stirn, sagte »Bless« und drückte ab.

⌘

21

Mauser

Mein Kopf explodierte. Ich hatte noch nie jemandem zugeschaut, der sich einen Revolver an die Stirn hielt und abdrückte. Plötzlich saß auch ich auf meinem Hintern, denn meine Beine machten einfach mal Pause, und mein Kopf pfiff wie ein Wasserkessel auf glühender Herdplatte. Und darum brauchte ich ein paar Sekunden, um zu realisieren, dass Róbert noch immer vor mir im Schnee saß und ganz verwirrt seinen Revolver betrachtete. Mehr als ein metallenes Klicken hatte er ihm nämlich nicht entlocken können. Róbert schüttelte den Revolver, hielt ihn sich noch mal an die Stirn und drückte wieder und wieder ab, dann begann er am ganzen Körper zu zittern, ließ den Revolver fallen und schlug sich die Hände vors Gesicht. Sein bitteres Weinen ging allmählich in Lachen über, und dann wurde er richtig hysterisch, wälzte sich und hieb mit den Fäusten in den Schnee. Ich saß einfach nur da und versuchte, den Schock zu überwinden, bekam kaum noch Luft.

Birna hatte mir entsetzt zugehört, ohne mich zu unterbrechen, und wie ich es ihr erzählte, raste mein Herz von neuem. Jetzt schaute sie mich besorgt an, sagte aber noch immer nichts. Die Erinnerung an diesen Moment mit Róbert schwappte über mich wie eine Monsterwelle auf hoher See. Dabei war es hier oben auf der Melrakkaslétta so still, aber ich befand mich in einem Sturm, denn ich hatte die Begegnung während all dieser Tage zu verdrängen versucht. So was kann ich nämlich gut. Verdrängen. Das lernt man, wenn man so ist wie ich. Dass nun die Erinnerungen so detailliert und deutlich in meinem Kopf erschienen, überwältigte mich. Und darum wollte ich eigentlich gar nicht weitererzählen. Mehr brauchte Birna auch nicht zu wissen. Doch ich konnte die Bilder nicht mehr aufhalten, sie flackerten vor meinem inneren Auge auf wie ein verrückter Film, in dem alles viel zu schnell geschnitten ist. Zudem hatte sich während der letzten Tage bestätigt, was Róbert prophezeit hatte: Die Quote war verkauft worden, die Schule machte bald zu, und Dagbjört wollte Raufarhöfn verlassen. Ich hatte versucht, den Moment hinauszuzögern, die Veränderung in meinem Leben. Nun stand Birna direkt vor mir, und ihr Blick verriet, dass sie keine weiteren Ausreden zulassen würde. Sie wollte die ganze Geschichte hören. Bis zum bitteren Ende. Darum holte ich tief Luft und fuhr fort. Ich erzählte ihr, wie Róbert eine ganze Weile im Schnee gelegen und geweint hatte, ich meine, richtig geweint wie ein Kind, mit Tränen und allem, und wie er nach einer Weile zu lachen begonnen hatte, hysterisch, dann irgendwie herzhaft, als wäre ihm ein Stein vom Herzen gefallen.

»Es hat wohl alles seinen Sinn«, sagte er schließlich und tastete seine Taschen nach einer weiteren Schnapsflasche ab, die es aber nicht gab. »Langsam glaube ich wirklich daran, dass da oben einer sitzt und sich einen Spaß aus mir macht.« Er zeigte in den Himmel. »Da drückt mir der liebe Gott einen kaputten Revolver in die Hand und schickt mir einen behinderten Sheriff zu Hilfe, der eine antike Spielzeugpistole hat! Ha! Der Sheriff von Raufarhöfn! Ich lach mich krank! Die Litauer sollten sich vor dir fürchten!«

Er lachte wieder herzhaft, und irgendwie erholte auch ich mich von meinem Schock und fand die ganze Sache plötzlich auch lustig, und ich war ein wenig stolz, dass er mich »Sheriff von Raufarhöfn« genannt hatte, er, der König, und dass sich die Litauer vor mir fürchten sollten, obwohl ich nicht wusste, wieso. Es war ja wirklich lustig. Und ich fühlte das Gegenteil von dem, was ich eben noch gefühlt hatte. Ich war in meinem ganzen Leben noch nie so erleichtert gewesen! Róbert würde seine Selbstmordabsichten nun sicher aufgeben, er hatte zwar abgedrückt, aber er würde es dabei belassen, auch wenn keine Kugel aus dem Lauf geschossen war. Schließlich hatte er abgedrückt, und darum ging es doch letztendlich. Jetzt hatte er seine zweite Chance bekommen, er würde das Steuer herumreißen und ein neues Leben beginnen. Er würde die Quote zurückholen, die Kinder würden bleiben, und die Schule würde nicht zumachen. Dagbjört würde ihre Stelle behalten. Also kein Grund zur Sorge.

»Zeig mal her«, sagte Róbert und streckte seine Hand nach meiner Mauser aus.

Manchmal fallen einem gewisse Dinge, die dann im Nachhinein augenscheinlich sind, zu spät auf – oder gar nicht. Das passiert mir manchmal. Aber ich bin einfach so. Auch als wir uns da oben im Schnee gegenübersaßen, Róbert und ich, funktionierte mein Kopf nicht mehr richtig. Róbert hielt die Hand weiterhin ausgestreckt und beharrte:

»Zeig mal deine verfluchte Nazipistole!«

Ich löste die Pistole aus dem Halfter und reichte sie ihm.

»Ein geiles Ding«, sagte er. »Und woher hast du die?«

»Von meinem amerikanischen Großvater«, sagte ich.

»Und woher hat sie dein Großvater?«

»Er hat sie einem Koreaner abgenommen, im Korea-krieg.«

»Wow.« Róbert war beeindruckt. Er drehte die Pistole in den Händen, las die Aufschrift, »Mauser«, und meinte, dass es nicht sehr koreanisch klinge.

»Es ist eine deutsche Marke«, erklärte ich ihm.

»Also doch eine Nazipistole!«, rief er, doch jetzt be-merkte ich, dass sich Birnas Gesichtsausdruck plötzlich verändert hatte. Das holte mich zurück und ich hielt in meiner Erzählung inne.

Birna schaute mich auch nicht mehr an, sondern wandte sich von mir ab und starrte gebannt in den Nebel.

»Sei still!«, zischte sie.

Ich lauschte in den Nebel hinein. Hörte sie jemanden kommen? War uns jemand gefolgt und hatte uns zugehört? Aber nun bemerkte ich es auch. Jemand war schon da. Und wir hatten ihn nicht kommen hören.

Es war ein Schnaufen, ein Schnuppern, und ich wusste sofort, wer hier schnupperte, auch wenn ich noch nie einen schnuppern gehört hatte.

»Da«, sagte Birna und dreht sich noch weiter um. Sie wusste noch nicht, wen sie da schnuppern hörte. »Ist das ein Pferd?«, fragte sie.

Ich wollte ihre Vermutung korrigieren, doch ich brauchte gar nichts zu sagen, denn nun bewegte sich ein Stück Weiß des Nebels, und dadurch war der Eisbär besser auszumachen.

Er war etwa dreißig Meter von uns entfernt, seine schwarze Nase deutlich erkennbar. Birna sagte kein Wort. Der Eisbär stand einfach nur mit hängendem Kopf da und schnupperte in unsere Richtung, ohne uns wirklich anzuschauen. Er schwenkte den Kopf hin und her, rauf und runter, schnupperte und schnaufte. Birna hatte sich nun völlig versteift. Sie machte ein paar Schritte rückwärts, weg vom Eisbären.

»Kalmann, wir müssen laufen.« Sie sagte es tonlos, kraftlos, lief auch gar nicht los, es war bloß eine Feststellung, sie machte nur ganz kleine Schritte rückwärts, bis ich zwischen ihr und dem Eisbären stand.

Birna hatte recht. Wir hatten nur eine Überlebenschance: laufen. Aber man konnte niemals schneller laufen als ein Eisbär. Das wusste ich. Denn Eisbären haben vier Beine, und darum sind sie doppelt so schnell. Es gibt nur wenige Raubtiere auf dieser Welt, denen man davonlaufen kann. Eisbären gehören nicht dazu. Zudem musste dieser hier sehr hungrig sein, schließlich war er den ganzen Weg von Grönland nach Island geschwommen, und, sofern ich es beurteilen konnte, sah er wirklich nicht gerade wohlgenährt aus. Es war ein schlankes Tier, wenn auch ein großes. Sein flauschiges Fell hatte einen gelblichen Ton und war nun ganz deutlich im weißen Nebel zu erkennen. Auch seine Tatzen mit den schwarzen Krallen sah man gut.

Von uns beiden konnte also nur derjenige überleben, der schneller laufen konnte als der andere. Dann war der Fall klar, ich war schneller als Birna. Und ich wusste auch, in welcher Richtung das Dorf lag. Birna wusste es nicht. Wir würden davonlaufen, der Eisbär würde uns verfolgen, Birna wäre langsamer als ich, und der Bär würde über sie herfallen und sie mit ein paar Bissen am Kopf und am Hals stillmachen. So machen das Eisbären nämlich, beißen manchmal sogar den Kopf ab. Aber nicht immer. Manchmal lebt die Beute noch, wenn sie schon gefressen wird. Unter Tieren gibt es keine Betäubungspflicht. Das ist die Natur. Obwohl es in der Natur ganz klare Gesetze gibt. Zum Beispiel: Ich überlebe, Birna wird gefressen, denn ich bin schneller, und sie ist langsamer. Ganz unkompliziert eigentlich.

Es gibt Momente im Leben, in denen man nicht überlegt. Man handelt einfach. Der Körper übernimmt die Führung, das Gehirn darf dann eine Pause machen, denn man hat keine Zeit für Denkereien. In solchen Momenten bin ich irgendwie normal. Und genau so war es. Ich dachte nicht. Ich reagierte. Ich blieb einfach stehen, denn mein Körper wusste ganz genau, dass er stehen zu bleiben hatte. Denn ein Sheriff läuft nicht davon.

»Kalmann«, zischte Birna verzweifelt. »Komm! Wir müssen laufen, und zwar so schnell wir können, verstehst du?«

»Keine Chance«, sagte ich und schüttelte unmerklich den Kopf. Der Eisbär schaute mich kurz an, schaute mir direkt in die Augen, dann hob er seine Nase wieder in die Höhe und gab den schrecklichen kehligen Laut von sich, den ich schon einmal aus weiter Ferne gehört hatte. Birna schrie auf vor Entsetzen, schlug sich die Hand vor den Mund und wimmerte. Ich merkte, dass ein schwacher Wind um meinen Nacken strich, wir also genau im Wind standen, und der Bär sich eine Nase voll gönnte, bevor er sich den Bauch vollschlagen würde. Wir rochen bestimmt gut. Ich war ein Jäger wie der Eisbär. Ich wusste also, was er dachte. Ich konnte mich ganz einfach in den Kopf des Tieres versetzen, und ich dachte unvermittelt an Róbert, der sich seinen Revolver so selbstverständlich und ohne Weiteres an die Stirn gehalten hatte, um sich eine Kugel durch den Kopf zu jagen, als wäre es die einzige Möglichkeit. Und genauso war es bei mir. Es gab nur eine einzige Möglichkeit, und darum brauchte ich auch nicht zu denken. Ich blieb reglos stehen, dem Eisbären zugewandt. Ich wusste, wer ich war und was ich zu tun hatte. Und ich wusste, wer der Bär war. Alles war genau so, wie es zu sein hatte. Die Welt war im Lot.

»Kalmann!« Birna packte mich am Oberarm, zerrte an mir, doch ich war stärker als sie und blieb stehen.

Vielleicht lag es an diesem Ort. Wieso war Róbert hier hochgekommen, um sein Leben zu beenden? War ich mit Birna hierhergekommen, um auch mein Leben zu beenden? Wieso schien der Eisbär hier oben auf uns gewartet zu haben? Vielleicht hatte dieser verfluchte halbfertige Arctic-Henge-Steinkreis magische Kräfte. Vielleicht war der Eisbär die Wiedergeburt Róberts.

»Kalmann! In welcher Richtung liegt Raufarhöfn?«

Ich drehte meinen Kopf zu ihr und sagte:

»Die Richtung. Geh. Lauf!« Dann wandte ich mich wieder dem Eisbären zu, schnippte das Pistolenhalfter auf und zückte meine Mauser.

»Kalmann, nein!«, schrie Birna verzweifelt. »Deine Spielzeugpistole nützt dir jetzt nichts!«

»Ich bin der Sheriff von Raufarhöfn«, sagte ich, streckte

meinen Arm und zielte mit der Mauser auf den Eisbären, der nun mit gesenktem Kopf in meine Richtung trottete und brummte. Birna brüllte:

»Kalmann, deine Pistole ist nicht geladen!«

Birna brüllte es. Dann begann sie zu schreien, machte alle möglichen Tierrufe, versuchte den Eisbären zu verscheuchen. Es war lächerlich. Sie warf sogar mit Steinen um sich, die ihr in die Finger kamen, warf sie in die ungefähre Richtung des Eisbären, verfehlte ihn aber um Meter. Zu kraftlos und verzweifelt waren ihre Würfe. Ich umklammerte meine Mauser mit festem Griff und visierte den Eisbären übers Korn an. Der Bär duckte sich, als wüsste er, was ich da in den Händen hielt, doch er kam unaufhaltsam auf mich zu.

»Kalmann!«, kreischte Birna verzweifelt. Ich sah ihr Gesicht nicht, aber ich hörte in ihrer Stimme, dass sie auch weinte. »Du bist kein Sheriff, du bist kein Jäger, Kalmann! Du bist kein Jäger! Und deine Pistole ist nicht geladen! Kalmann, bitte, bittebittebitte, lauf!«

Der Eisbär war nun wenige Meter von mir entfernt, verlangsamte seinen Gang, verlagerte sein Gewicht, als wollte er gleich zum Sprung ansetzen. Er schaute mich an, und ich schaute ihn an, und ich erkannte die Intelligenz in seinen Augen. Und er war ein schöner Eisbär. Ich glaube, dieser Eisbär war das schönste Tier, das ich in meinem ganzen Leben gesehen habe. Und er war mächtig. Ich schätzte, dass er mindestens eine halbe Tonne wog, aber er bewegte sich so leichtfüßig wie ein Polarfuchs. Und jetzt wusste ich auch, wer Schwarzkopf so arg zugerichtet hatte. Ich merkte plötzlich, dass ich meine Mauser etwas gesenkt hatte, so beeindruckt war ich, dieses majestätische Tier aus der Nähe betrachten zu können.

Der Eisbär blieb stehen. Warum er stehen blieb, weiß ich nicht. Vielleicht störten ihn die Steine, die nun auf ihn niederhagelten, aber an seinem Fell abprallten, als wären sie Wollknäuel. Er beachtete weder Birna noch ihre Steine. Er gab nur ein tiefes Knurren von sich, ein unterdrücktes Heulen, schnaufte ziemlich laut aus seiner Nase und schaute mich an. Gut so. Ich war seine Beute. Das wollte ich so.

Ich hatte keine Angst. Und vielleicht wird es den Leuten schwerfallen zu glauben, dass ich keine Angst hatte, aber ich hatte wirklich keine Angst. Man muss mir das einfach glauben, ob man nun will oder nicht. Ich wusste eben, was zu tun war. Und meine Muskeln wussten es, mein Körper, und zwar von den Haaren bis zu den Zehenspitzen. Ich brauchte nicht zu überlegen. Ich richtete den Pistolenlauf auf die Brust des Eisbären, atmete aus und sagte: »Peng.«

»Wirklich schade, dass die Knarre nicht geladen ist«, sagte Róbert. »Mit so einer Nazipistole könnte man sich wenigstens mit Stil aus dem Leben verabschieden.« Er zuckte mit den Schultern, hielt sich die Pistolenmündung unters Kinn, grinste mich an, sagte »Peng« und drückte ab.

Es war ein äußerst seltsamer Anblick. Die kleine Schneeschicht, die sich auf seinem Kopf gebildet hatte, hüpfte ein wenig, als hätte siedendes Spaghettiwasser den Deckel vom Topf gehoben. Ein Teil seiner Schädeldecke hob sich etwas an, blieb aber am Kopf dran. Die Pistole fiel ihm gleich aus der Hand. Blut ergoss sich sprudelnd über seine Brust. Róbert schaute mich noch immer an, wenn auch nicht mehr lange, eine halbe Sekunde höchstens, dann kippte er mit verdrehten Augen nach hinten in den Schnee. Seine Knie zeigten angewinkelt in den Himmel.

Ich schloss die Augen und hielt mir die Ohren zu. Ich machte das automatisch und weiß eigentlich gar nicht, wieso. Aber es war jetzt angenehm still und dunkel um mich herum, als wäre ich gar nicht da. Aber man kann ja nicht immer so sitzen bleiben, die Welt dreht sich trotzdem. Also blinzelte ich in den Schnee und nahm meine Hände von den Ohren. Róbert gab kein Geräusch mehr von sich. Seine Beine hatten sich zur Seite geneigt. Meine Mauser lag neben ihm im Schnee. Sie war zum Glück nicht blutverschmiert, lag aber nur wenig außerhalb der Blutlache. Ich stand auf und trat zu Róbert, hob meine Mauser auf und steckte sie ins Halfter. Sie war warm.

»Kalmann!« Birna ließ sich verzweifelt auf die Knie fallen, warf die Hände in den Himmel, als bäte sie den lieben Gott um Hilfe. Doch das half uns überhaupt nichts. Hier oben auf der Melrakkaslétta bekommt man vom lieben Gott keine Hilfe. Hier muss man sich schon selber helfen.

Bevor sich der Eisbär wieder in Bewegung setzte, drückte ich ab.

Der Schuss peitschte laut, die Pistole zuckte wütend in meiner Hand, doch der Nebel schluckte den Laut sogleich. Birna hatte es glatt die Sprache verschlagen, als wäre *sie* von der Kugel getroffen worden, weshalb es einen ganz kurzen Moment, eine Sekunde nur, mucksmäuschenstill war.

Bis ich wieder abdrückte. Ich merkte, dass der Eisbär unter dem zweiten Schuss zusammenzuckte, aber ich konnte unmöglich feststellen, ob ich ihn wirklich getroffen hatte, denn das dicke Fell verdeckte die Einschussstelle. Doch der Eisbär blieb stehen, duckte sich und warf den Kopf wütend hin und her, als versuchte er, lästige Wespen zu verscheuchen.

Beim dritten Schuss wurde meine Pistole richtig warm in meiner Hand. Der Eisbär schien aber keine weitere Notiz zu nehmen und setzte sich wieder in Bewegung. Es war eindrücklich, wie elegant sich dieses schwere Tier in Bewegung setzte, aber für mich, in diesem Moment, war das nicht ideal. Also feuerte ich meine Mauser ein viertes Mal ab. Und jetzt endlich nahm ich dem Bären den Wind aus den Segeln. Ich sah es, und ich spürte seinen Schmerz. Er knickte ein wenig ein, stolperte fast, fing sich aber wieder, schüttelte den Kopf und kam direkt vor mir zum Stillstand, eine Armlänge nur. Keuchte kläglich. Mein vierter Schuss hatte ihn böse getroffen. Nun quoll Blut aus seinem Fell. Er richtete sich auf, stellte sich auf die Hinterbeine und hob die Tatzen, baute sich vor mir auf, als wollte er mir zeigen, wer hier der Boss war. Er überragte mich um mindestens einen Meter. Ich sah jedes Haar an seinem Körper, ich sah die Krallen an den Tatzen, und ich bemerkte seine Zitzen. Es war ein Weibchen.

Ich hatte noch eine einzige Patrone im Magazin. Ich hatte mitgezählt. Eine Kugel hatte Róbert für sich beansprucht. Sie hatte gereicht, um ihn zum Schweigen zu bringen. Róbert war kein Eisbär. Ich wusste also, wie es um uns stand. Es war keine Eile. Die Zeit verging irgendwie langsamer, was ich angenehm fand, denn so konnte ich mir diesen Moment wirklich gut einprägen. So etwas erlebt man, wenn überhaupt, nur einmal, und darum will man sich später an jedes Detail erinnern können. Ich hatte also noch eine Kugel für diese Königin der Tiere in meiner Mauser, und die jagte ich ihr ins Herz, Blattschuss, denn wenn man ein Jäger ist, und das bin ich, weiß man, wo sich das Herz befindet. Ich hielt meinen Arm ausgestreckt, die Mündung meiner Mauser nur Zentimeter vom Bärenfell entfernt. Ich konnte das Herz unmöglich verfehlen.

Mit diesem letzten Schuss fällte ich das Eisbärenweibchen. Es fiel nach vorne, und jetzt machte mein Körper doch irgendwie nicht mehr richtig mit, denn ich reagierte nicht, blieb einfach stehen, so dass mich das Tier zu Boden riss und unter sich begrub.

Eins habe ich an dem Tag da oben beim Arctic Henge gelernt: Unter einem Eisbären ist es dunkel. Und es ist still. Wahrscheinlich wie in einem Sarg, aber ich lag noch nie in einem Sarg.

Ich hörte Birna wie aus weiter Ferne meinen Namen rufen. Es dauerte dann ein paar Sekunden, bis mir klarwurde, wo ich war – unter einem Eisbären nämlich –, und es fühlte sich auch gleich so an, denn das Tier war mordsmäßig schwer, und ich bekam praktisch keine Luft. Es wurde nun wieder heller, denn Birna zerrte am Vorderbein der Bärin, das meinen Kopf bedeckte, doch das Bein entglitt ihr, und darum wurde es wieder dunkel. Birna gab aber nicht so schnell auf. Schließlich hatte ich ihr Leben gerettet. Darüber war sie sicher froh. Sie fluchte wie ein Seemann und zerrte wütend an dem Tier, bis wenigstens mein Kopf unter ihm hervorguckte und ich etwas besser nach Luft schnappen konnte. Aber mein Brustkorb fühlte sich ein wenig zerquetscht an. Ein stechender Schmerz raubte mir den Atem, und mir wurde jetzt fast schwarz vor Augen.

Birna war richtig erleichtert, als sie feststellte, dass ich noch am Leben war. Sie streichelte ganz nervös mein Gesicht, sagte, dass Hilfe unterwegs sei und ich mich nicht zu sorgen brauche. Sie verschwand aus meinem Blickfeld, und schon glaubte ich, dass sie sich aus dem Staub gemacht hatte, um Hilfe zu holen, aber sie zerrte nun wieder am Tier, und zwar von der anderen Seite. Aber eine halbe Tonne wälzt man nicht so einfach auf dem Boden rum. Der Kopf des Eisbären lag neben mir, die Zunge hing etwas aus der Schnauze. Ich konnte es gut sehen, wenn ich meinen Kopf drehte. Und ich sah die Zähne. Sofort wusste ich, dass ein Eisbär den Kampf mit einem Grönlandhai gewinnen könnte. Aber jetzt bemerkte ich, dass das Eisbärenweibchen noch immer atmete, wenn auch kaum merklich. Ein leichtes Hecheln nur, aber es lebte noch! Und plötzlich tat es mir leid. Es tat mir so unglaublich leid, und ich fühlte mich so schäbig, dass ich dieses Tier erlegt hatte. Wäre es denn nicht logisch gewesen, wenn es mich gefressen hätte? Hatte ich die Gesetze der Natur gebrochen? Schließlich wäre ich ihm ohne meine Mauser ganz sicher unterlegen gewesen. Ich war … ja, wer war ich denn? Ich war kein Sheriff. Birna war deutlich gewesen. Ich war auch kein Jäger. Ich war ein Niemand. Ich war bloß der Dorftrottel. Dieses Eisbärenweibchen hatte vielleicht Junge. Es war den ganzen Weg von Grönland hierhergeschwommen, vielleicht suchte es Nahrung für seinen Nachwuchs. Es hatte von der Welt mehr gesehen als ich. War rumgekommen. War wer. Ich nicht.

Mein Kopf hätte gut in seinen Rachen gepasst. Es hätte zubeißen können, und mein Kopf wäre weg gewesen. Aber das Bärenweibchen hechelte nur noch, ich musste schon den Atem anhalten, um es wahrzunehmen – was ich eigentlich sowieso schon machte, denn das Tier drückte schwer auf meine Lunge. Und dann brummte das Weibchen, aber auch das nur ganz leise, Birna konnte es sicher nicht hören. Es war ein Brummen, das ganz tief aus seinem Innern kam, tief verborgen, eine letzte Regung, ein Verglimmen der Glut, die Hülle war schon tot, doch es war ein ganz zufriedenes Brummen, so, als träumte das Bärenweibchen etwas Schönes, vielleicht dachte es an seine Jungen, und das tröstete mich sehr. Ich war so erleichtert darüber, auch wenn das jetzt seltsam klingt. Noch ein allerletztes Brummen, dann atmete es nicht mehr. Das Eisbärenweibchen war tot, und das war nur logisch, denn in seiner Brust steckten fünf Mauser-Kugeln, mindestens eine davon in seinem Herzen. Vielleicht war das Tier erleichtert, die ganzen Strapazen hinter sich zu haben, vielleicht hatte es sich damit abgefunden, dass es nie wieder nach Grönland zurückfinden würde, vielleicht ging es ihm ähnlich wie Róbert, der auch nicht mehr leben wollte. Vielleicht hatte es mich gesucht, und unsere Wege mussten sich kreuzen, es musste alles so sein, wie es war, denn die Naturgesetze kann man nicht einfach so umgehen. Was hatte Róbert gesagt? *Es hat wohl alles seinen Sinn.*

Wenn man unter einem Eisbären liegt, macht man sich viele Gedanken. Man sucht dann eine Erklärung. Das ist einfach so. Und irgendwie stimmt dann plötzlich alles, denn sonst würde man sich den Kopf darüber zerbrechen, wieso man unter einem Eisbären liegt. Nichts ist falsch in dieser Welt. Es gibt dann weder Gut noch Böse.

Birna kniete sich wieder zu mir, fragte, wie es mir gehe, ob ich atmen könne, und ich nickte. Sie kam noch näher an mich ran, ihr Gesicht war ganz nahe, so nahe wie noch nie. Sie schaute ganz überrascht, und ich war es auch, denn sie war eigentlich eine recht schöne Frau.

»Oh, Kalmann«, sagte sie und strich mir übers Haar. »Du hast mein Leben gerettet, weißt du das?«

Ich sagte nichts, versuchte nur, bei Bewusstsein zu bleiben. Birna lächelte.

»Doch, du Dussel, du hast mein Leben gerettet. Ich wäre jetzt Bärenfutter, wenn du dich nicht so mutig zwischen mich und diese Bestie gestellt hättest. Du bist der mutigste Mensch, der mir je begegnet ist. Und es tut mir leid, dass ich all diese Sachen gesagt habe. Du bist ein richtiger Jäger, das weiß ich jetzt, und du bist ein Beschützer wie ein richtiger Sheriff.« Birna hatte plötzlich Tränen in den Augen, und sie zitterte ein wenig, aber ich wusste nicht, ob vor Kälte oder weil sie um ein Haar Bärenfutter geworden wäre. »Sheriff von Raufarhöfn«, sagte sie noch. Dann machte ich die Augen zu.

Unter einem Bären ist es warm. Auch das wusste ich jetzt. Selbst der Boden war gar nicht so kalt, denn ich war auf Moos und Gras und Blut gebettet. Aber der stechende Schmerz in meiner Brust wurde unerträglich. Und das Luftholen bereitete mir wirklich Schwierigkeiten, selbst wenn ich nur ganz flach atmete. Ich bereute, Birna nicht mitgeteilt zu haben, dass es mir nicht so gutging. Aber was hätte sie denn dagegen unternehmen können? Nichts.

Das Eisbärenweibchen war zu schwer für sie. Jetzt hieß es Zähne zusammenbeißen.

»Mach die Augen auf, Kalmann«, sagte Birna und tätschelte meine Wangen. »Lieber, lieber Kalmann. Du musst jetzt versuchen, wach zu bleiben. Hilfe ist unterwegs.«

Ich machte tapfer die Augen auf und schaute sie an, nickte sogar. Birna war richtig zufrieden und lächelte. Sie betrachtete mich liebevoll.

»Was ist bloß aus Róbert geworden?«, fragte sie mich. Ihre Augen waren so ehrlich, so mitfühlend. Jemandem, der dich so anguckt, erzählt man keine Dummheiten.

»Fischfutter«, flüsterte ich. »Ich musste es ihm versprechen.«

Birna nickte.

»Hast du ihn umgebracht?«

Ich schüttelte den Kopf, so gut es eben ging. Ich hatte Mühe, bei der Sache zu bleiben. Wenn ich mich nicht aufs Atmen konzentrierte, wurde ich müde. Ich hätte zwar lieber nicht gesprochen, aber ich verstand ja auch, dass ich wach bleiben musste. Und darum stellte mir Birna diese Fragen.

»Er hat sich selber ... Mit der Mauser«, sagte ich. »Er wusste nicht, dass sie geladen –« Weiter kam ich nicht, denn ich musste husten, was verdammt weh tat. Ich stöhnte kläglich, obwohl ich gar nicht stöhnen wollte. Birnas Gesicht war voller Blutspritzer.

»Kalmann!«, entfuhr es ihr.

Ich erschrak auch, denn nun merkte ich, dass es gar nicht gut um mich stand. Selbst der Bär begann plötzlich wieder zu brummen, aber weil Birna mit einem erleichterten Ruf auf die Füße sprang und mit den Armen fuchtelte, musste das Brummen wohl von einem Quad oder mehreren kommen. Vielleicht kam auch ein Hubschrauber angeflattert, ich sah das nicht so genau, aber es war die Rettung, und darum machte ich jetzt die Augen zu und hörte mit dem Atmen auf, das mir sowieso Schmerzen bereitete, und es tat mir darum auch gar nicht mehr so weh.

Es wurde tatsächlich sofort dunkel, schwarze, sternenlose Nacht, und darum weiß ich, dass sterben gar nicht so schmerzhaft ist wie leben.

⌘

22

Heimkehr

Es gibt auf der ganzen Welt nichts Schöneres als zu schlafen, ganz besonders dann, wenn man müde ist. Ich glaubte, zehn Jahre geschlafen zu haben oder eine Sekunde, so genau konnte ich das gar nicht sagen, aber als ich wieder zu mir kam, lag ich nicht mehr unter dem Eisbärweibchen, sondern auf einer Trage, und eine ganze Menge Leute blickte auf mich runter. Ich kannte sogar einige, aber eigentlich mag ich sie nicht aufzählen, ich bin mir nämlich gar nicht mehr sicher, wer mir da oben Hilfe leistete. Doch ich hätte schwören können, dass meine Mutter auch da war, und Nói, dessen Gesicht ich noch gar nie gesehen hatte, aber jetzt war er da, mit Gesicht, Pullover und allem. Dagbjört und Sæmundur waren da, Bragi, der mich mit der Pfeife im Mundwinkel und Tränen in den Augen betrachtete. Der Hauswart Halldór war da und blickte ganz vorwurfsvoll. Und Großvater war auch da, jünger, kräftiger, er sagte allen, was zu tun war. Selbst Róbert stand dabei, wenn auch etwas abseits. Er schaute einfach teilnahmslos zu, sein Blick war leer. Er tat mir leid. Vielleicht kannte ich von meinen Rettern gar niemanden, und es waren einfach nur irgendwelche Leute, Menschen, denn wir Menschen sind doch irgendwie alle gleich und gar nicht so verschieden, wie man glaubt. Eigentlich weiß ich nur, was mit mir passierte, weil man es mir später erzählte, denn ich machte die Augen wieder zu und tauchte ab, denn schlafen ist richtig schön.

Ich wurde mit dem Hubschrauber nach Akureyri ins Krankenhaus geflogen, wo sich meine Mutter nach der Operation persönlich um mich kümmerte. Und als ich dann aus der Narkose aufwachte, war sie an meiner Seite, und sie war glücklich und traurig und stolz und beschämt zugleich, einfach alles zusammen, die ganze Gefühlspalette, wie ein Regenbogen, ich sah es ihr an, ich fühlte es mit ihr, und dann weinte sie so sehr, dass es wirklich peinlich war, denn sie war schließlich eine professionelle Krankenpflegerin, und wie ich da im Bett lag, mit blaugrünem Körper, mit fünf gebrochenen Rippen, die jetzt glücklicherweise nicht mehr in meiner Lunge steckten, wurde mir plötzlich bewusst, dass ich den bedeutenden Schritt in mein neues Leben gemacht hatte. Und ich lebte noch. Meine Mutter war da und pflegte mich, ich würde wieder gesund werden, und irgendwie fand ich das aufmunternd.

Die Ruhe im Krankenhauszimmer hielt nicht lange an. Meine Mutter sagte mir, dass eine ganze Menge Leute mit mir reden wolle, vor allem Reporter, aber auch Birna wolle sich mit mir unterhalten, und ob ich das auch wolle, obwohl ich bei Birna nicht unbedingt eine Wahl hätte, und ich sagte, dass ich mich mit allen unterhalten würde, solange sie, also meine Mutter, in der Nähe bleibe, was sie mir versprach.

Birna brachte mir eine Packung Dörrfisch. Und sie sah in ihrer Polizeiuniform richtig gut aus. Ihre Lippen waren geschminkt, und ihre Gesichtshaut schimmerte matt. Sie sah jedenfalls sehr gut aus, und ich war verdammt stolz, ihr

Leben gerettet zu haben, auch wenn ich es in dem Moment, als uns der Eisbär gegenüberstand, gar nicht geplant hatte. Ich wollte ja einfach nur, dass niemand gefressen wurde. Aber Birna bestand darauf, dass ich ein Held sei, und sie musste es schließlich wissen, weshalb ich ihr auch glaubte und sehr stolz auf mich selber war. Sie brachte eine Zeitung mit und las mir den Artikel vor, worin alles ziemlich genau beschrieben war. Auch ein Foto des Eisbärenweibchens war zu sehen. Es lag friedlich auf einer Plastikplane auf dem Hubschrauber-Landeplatz in Akureyri, sein Fell blutverschmiert, seine Augen geschlossen. Sechshundertfünfzig Kilogramm schwer. Zweihundertdreißig Zentimeter lang. Ein großes, kräftiges Weibchen. Aber eben tot. Im Hintergrund war der Hubschrauber der Küstenwache zu sehen, und einige uniformierte Leute standen um das Tier herum und grinsten stolz in die Kamera, als hätten sie es selber erlegt.

Mein Name stand auch in der Zeitung, und jetzt begriff ich auch, weshalb die Reporter, die man vor dem Krankenhauszimmer palavern hörte, mit mir ein Interview führen wollten. Ich erlaubte schließlich, die Tür zu öffnen, nachdem mich meine Mutter gekämmt hatte. Birna positionierte sich auf einem Stuhl direkt neben mir, wir berührten uns fast. Da waren Kameras und ganz helle Lichter, denn für Kameras braucht es helles Licht. Ein Strauß voller Mikrophone wurde mir und Birna vors Gesicht gehalten, und es ist das Einzige, woran ich mich erinnere, denn irgendwie war ich total nervös, und ich hatte Schmerzen, obwohl ich von den Schmerzmitteln völlig zugedröhnt war. Aber ich weiß noch, dass die Reporter manchmal lachten und irgendwie gut drauf waren, also kein Grund zur Sorge. Aber das Ganze war schon ein bisschen viel für mich, und weil ich wahrscheinlich nicht immer ganz bei der Sache war, beantwortete Birna einige Fragen für mich, sie war jetzt also auf meiner Seite, und darüber war ich total froh.

Nachdem die Reporter wieder gegangen waren, bat Birna, ein paar Worte mit mir sprechen zu können, und zwar unter vier Augen, also ohne meine Mutter.

Ich war erschöpft. In meinem Kopf drehte sich alles, und ich wollte eigentlich nur noch fernsehen. Aber das Gespräch unter vier Augen musste jetzt einfach sein.

»Kalmann minn«, sagte Birna und seufzte. Sie wollte etwas sagen, aber sie machte nur den Mund auf und dachte noch eine Weile nach, musterte mich dabei. Dann fand sie die Worte: »Kalmann, wird man Róbert jemals wiederfinden?«

Ich zuckte mit den Schultern.

»Keine Ahnung.«

»Kalmann«, sagte Birna nun etwas bestimmter. »Sag bitte nein.«

Und darum sagte ich »nein«, und Birna lächelte erleichtert und sagte, ich solle mich bei ihr melden, wenn ich ein Problem hätte, und ich solle so bleiben, wie ich sei, denn es gebe einen Grund, dass ich so sei, wie ich sei, denn sonst wäre sie jetzt nicht mehr am Leben. Und dann, beim Abschied, beugte sie sich zu mir und hielt mich sanft an meinen Schultern fest.

»Wir behalten die Sache für uns, abgemacht?«

»Abgemacht«, sagte ich, denn Birna hatte es nicht gerne, wenn man nur nickte oder den Kopf schüttelte.

»Róbert hat sich das Leben genommen, und du kannst nichts dafür, verstehst du?«

»Ja.«

»Es ist *nicht* deine Schuld.«

»Ich weiß.«

»Es wäre doch ungerecht, wenn wir seinetwegen Probleme bekämen, nicht wahr?«

»O ja.«

Birna lächelte zufrieden und küsste mich auf die Stirn. Ich denke, es gibt nur wenige Menschen auf dieser Welt, die von einer Polizistin, die weiß, dass du eine Leiche entsorgt hast, geküsst worden sind.

Bevor Birna die Zimmertür aufmachte, drehte sie sich noch einmal um.

»Die Mauser musst du bei Gelegenheit auch versenken, in Ordnung? Sie hat ihre Pflicht jetzt erfüllt. Sag, dass du sie verloren hast, wenn jemand fragt. Sag, sie sei dir ins Wasser gefallen.«

Ich nickte, aber Birna lächelte:

»Sag ja, Kalmann.«

Also sagte ich »ja«.

»Völlig verrückt eigentlich«, sagte Birna gedankenverloren. »Die Mauser, der Arctic Henge, der Bär, ich meine – völlig verrückt.«

Birna verließ kopfschüttelnd das Zimmer, und ich wunderte mich, dass sie gar nicht nachgefragt hatte, wie ich Róbert hatte verschwinden lassen, und darum hatte ich ihr auch nicht erzählen können, dass ich Bragi begegnet war, als ich die Säge und schwarze Plastiksäcke holen ging, es also einen Augenzeugen gab. Aber ich glaube, Birna wollte sich gar keine großen Gedanken darüber machen, denn wenn sich einer eine Kugel in den Kopf jagt, ist das vor allem sein Problem. Also knipste ich den Fernseher an und schaute die Wiederholung von *The Biggest Loser*. Da sind die Leute so dick, dass man sich gleich schlank fühlt, auch wenn man selber ein wenig dick ist. Die dicken Leute müssen dann in einem Camp wohnen, wo es keine Schokolade und Süßgetränke gibt, und sie müssen von früh bis spät Übungen machen, bis sie schwitzen und manchmal auch weinen, weil sie so erschöpft sind oder sich plötzlich daran erinnern, dass jemand aus der Familie, den sie sehr gemocht haben, gestorben ist, weshalb sie auch so dick geworden sind. Und darum müssen Fitnesstrainer auch gut zuhören können wie Dr. Phil. Wenn die Dicken dann nach ein paar Tagen wieder nach Hause dürfen, futtern sie manchmal gleich wieder Schokolade und Pizza, trinken zwei Liter Cola vor laufender Kamera, und wenn sie wieder zurück ins Camp gehen, schimpft der Trainer mit ihnen, weil sie übers Wochenende zugenommen haben, und zur Strafe müssen sie dann bei Regen und Kälte fünfzig Runden rennen.

Als *America's Funniest Home Videos* im Fernsehen lief, wurde ich von einer Besucherin gestört, die ich nun wirklich nicht erwartet hatte: Dagbjört. Und sie kam ganz alleine. Sie brachte Blumen und eine Zeichnung von ihrer jüngsten Tochter, eine Kinderzeichnung also, und darum sah ich auf der Zeichnung auch nicht so aus wie ich, war aber dank des Cowboyhutes gut zu erkennen. Ich hielt eine Pistole in der Hand und richtete sie auf einen Eisbären, der aber wie ein Pferd aussah, also gar nicht furchteinflößend. Ich wusste dann aber nicht, worüber ich mich mit Dagbjört unterhalten sollte, denn sie war irgendwie traurig, und ich durfte ihr auch gar nicht erzählen, dass sich ihr Vater mit meiner Pistole umgebracht hatte, schließlich hatte ich ihm versprochen, Dagbjört dieses grausige Bild zu ersparen. Aber sie stellte auch gar keine Fragen, wollte überhaupt nichts von mir wissen, und darum schauten wir uns eine Weile *America's Funniest Home Videos* an, und sie lachte sogar ein paarmal, was ich nicht von ihr erwartet hätte. Ich hätte eigentlich gerne mit ihr gelacht, aber das konnte ich nicht, weil ich sonst wegen den Schmerzen in meiner Brust das Bewusstsein verloren hätte. Am lustigsten finde ich die Missgeschicke, wenn ein Vater mit seinem Kind ein Ballspiel macht, Baseball oder Fußball, das spielt eigentlich keine Rolle. Meistens nimmt dann die Mutter das Video auf. Und man weiß auch immer gleich, was passieren wird: Das Kind wird den Ball nämlich ganz überraschend präzise mit dem Baseballschläger oder der Schuhspitze erwischen, und zack!, fadengerade in die Eier! Der Vater fällt dann jaulend hin, und die Mutter lacht sich krumm. »I got this on video!«

Als es Abendessen gab, verabschiedete sich Dagbjört. Dafür setzte sich meine Mutter zu mir aufs Bett, und wir guckten die Abendnachrichten auf beiden Sendern. Ich war überall zu sehen, gleich von Beginn an, »die Top-Story«, wie mir meine Mutter stolz erklärte, und ich sah nun, dass ich die Sache gar nicht schlecht gemacht hatte. Die Reporter lachten, weil ich ihnen erzählte, wie dunkel es unter dem Eisbären gewesen war, und dass ich, währendem der Bär auf mich zugekommen war, gar nicht überlegt hätte, denn mein Kopf habe keine Zeit gehabt zu denken, weshalb ich einfach gehandelt hätte, denn manchmal sei es besser, nicht zu viel zu denken. Ich erzählte, dass mir der Bär im Nachhinein sehr leidgetan habe, denn *er* sei eine *Sie* gewesen und wunderschön obendrauf, und Großvater habe mir doch gesagt, dass man nur Tiere schießen dürfe, die man auch essen werde, worauf ein Reporter einwarf, dass Großvater meine Heldentat bestimmt gutgeheißen hätte, da mich das Eisbärenweibchen hatte fressen wollen, was ich einsah, worauf wieder alle lachten. Danach übernahm Birna das Antworten, denn ich war eine Weile nicht mehr da, dachte wohl an Großvater.

Nach meinem Interview erklärte ein Tierexperte, dass das Eisbärenweibchen mit großer Wahrscheinlichkeit erst tags zuvor an Land gestiegen war, man also fast ausschließen konnte, dass Róbert McKenzie von dem Tier gefressen worden war. Die Suchmannschaften hätten sich nie in Gefahr befunden, obwohl man die Gefahr durchaus hätte ernstnehmen sollen, da im März 1965 ganz in der Nähe von Raufarhöfn sogar zwei Eisbären gesichtet worden waren, es also nie auszuschließen sei.

Dann wurde erneut über den Vermisstenfall gesprochen, und Birna war sogar live im Fernsehstudio zu Gast, sie muss also gleich nach dem Besuch mit dem Flugzeug nach Reykjavík geflogen sein. Und sie klärte die Nation darüber auf, dass sie momentan keine weiteren Auskünfte geben könne, denn es handle sich um eine verstrickte, tragische Angelegenheit, und derjenige, der die Sache am besten erklären könnte, sei wohl leider Róbert. Die Fernsehsprecherin fragte noch, ob organisierte Drogenringe, womöglich aus Osteuropa, Drogen nach Island schafften. Und Birna wiegte den Kopf ein wenig hin und her, sagte, dass sie auch darüber nicht viele Informationen preisgeben könne, die Ermittlungen dauerten an und seien in enger Zusammenarbeit mit Interpol, doch eine Verbindung bestehe durchaus, das Problem sei real, aber längst nicht einseitig.

Dann zögerte Birna und presste die Lippen zusammen. Und sie schaute ganz kurz in die Kamera, obwohl man das eigentlich gar nicht darf. Dann sagte sie, dass die Drogen in dem Fass, das man in Raufarhöfn gefunden habe, in Island hergestellt worden und darum möglicherweise für den Export bestimmt gewesen waren. Ich glaube, das hätte sie offiziell nicht sagen sollen, denn in den nächsten Tagen wurde sehr viel darüber auf allen Kanälen gesprochen, und es gab auch Razzien in Gewächshäusern und auf Dachböden. Ich glaube, man war etwas verwirrt darüber, dass Isländer Drogen herstellten, und zugleich war man auch ein bisschen stolz, denn die Ware war von sehr guter Qualität.

Plötzlich erinnerte ich mich, wo ich so ein Drogenfass schon mal gesehen hatte: Als ich den Litauern draußen auf dem Meer begegnet war! Nadja und ihrem Freund Darius und allen! Und ich hatte geglaubt, dass die Litauer nur zum Spaß aufs Meer fuhren. Ich vermute, dass sie das Fass mit dem Boot nach draußen fuhren, da an einer verankerten Boje befestigten, damit es Róberts Trawler abholen und ins Ausland bringen konnte. Fast hätte ich etwas gesagt, aber meine Mutter fand, dass es nun reichte, und darum stellte sie den Sender um, und wir schauten eine Quizshow, in der Akranes gegen Kópavogur antrat, aber keine Chance hatte, denn Kópavogur war schon oft Islandmeister geworden. Ich mag isländische Quizshows. Ich versuche immer, die Fragen zu beantworten, und ich bin ziemlich gut darin, denn in Erdkunde bin ich stark und weiß einiges über wilde Tiere, und darum bin ich manchmal sogar besser als meine Mutter, aber nie besser als Kópavogur.

Etwa zwei Wochen nach der Begegnung mit dem Eisbärenweibchen wurde ich aus dem Spital entlassen. Ich hatte also Róberts Beerdigung verpasst, worüber ich eigentlich froh war. Der Arzt lobte mich. Ich heile schnell, sagte er, ich sei ein kräftiger Bursche und er sei überzeugt, dass mir der Verzehr von Gammelhai Superkräfte beschere. Das sagte er wirklich. Ein Arzt! Er muss es schließlich wissen.

Meine Mutter hatte den Tag freigenommen. Erst besuchten wir Großvater, und ich erzählte ihm von der Begegnung mit dem Eisbärenweibchen, doch er war schlecht gelaunt und regte sich auf. Dann fuhren wir weiter nach Raufarhöfn, wo wir am späten Nachmittag eintrafen. Ich freute mich schon auf einen gemütlichen Abend in meinem Häuschen, wurde aber ganz schön überrascht. Meine Mutter fuhr nämlich direkt zum Gemeindehaus. Sie sagte, ich solle ihr in den Saal folgen, und weil sie so schelmisch lächelte, hatte ich eine Vorahnung, und darum war ich nicht ganz so überrascht, als ich im Saal die gesamte Bewohnerschaft von Raufarhöfn vorfand – minus Magga und Róbert natürlich. Als ich den Saal betrat, ging das Gejubel los, und Schafbauer Magnús spielte auch gleich sein Akkordeon, und ich musste dann prustend lachen, was wegen meiner Verletzung sehr schmerzhaft war, aber ich konnte trotzdem nicht aufhören, bis mir die Tränen kamen und ich nur noch jaulte, und ich sah einige unter den Leuten, die auch Tränen in den Augen hatten, obwohl ihre Rippen gar nicht gebrochen waren.

So ist es, wenn man ein Held ist: Man muss allen die Hand schütteln. Allen! Manchen Kindern sogar zweimal! Bis einem die Finger abfallen! Ich hatte gar keine Zeit, den Dörrfisch, das Roggenbrot, das geräucherte Lammfleisch, den Kuchen oder den Kaffee zu genießen. Hafdís hielt eine Rede, stand oben auf der Bühne, und ich musste dann neben ihr stehen, guckte wahrscheinlich wie der hinterletzte Dorftrottel, weil ich so verlegen war. Hafdís drückte mich an sich – was höllisch weh tat – und knutsche mich vor allen auf die Wange. Tosender Applaus und Gepfeife! Wie peinlich. Hafdís kürte mich kurzerhand zum Ehrenbürger von Raufarhöfn. Ja wirklich! Ich bekam sogar ein Zertifikat, es steht also schwarz auf weiß. Bragi machte mit seinem alten Fotoapparat ein paar Bilder von uns, sagte: »Jetzt lach mal, Kalmann!«, dabei grinste ich doch schon, so gut es eben ging, denn lachen konnte ich fast nicht, aber Bragi lachte auch, und tags darauf konnte man mich in der Zeitung mit schmerzverzerrtem Gesicht lachen sehen, wenn auch nicht auf der Titelseite, aber gleich auf der nächsten.

Berühmtsein macht müde. Letztendlich war ich froh, mich verabschieden zu können. Meine Mutter, die es plötzlich auch eilig hatte wegzukommen, machte mir den Weg frei. Die Schmerzen in meiner Brust erinnerten mich daran, dass ich längst nicht geheilt war.

Wir blieben aber nicht in Raufarhöfn, sondern fuhren wieder nach Akureyri, wir saßen also fast den ganzen Tag im Auto, und wir unterhielten uns auch gar nicht, sondern fuhren einfach, und weil meine Mutter am Steuer saß, war ich einfach ganz glücklich. Das Zertifikat in den Händen, schaute ich aus dem Fenster und genoss es, Ehrenbürger zu sein, und ich merkte auch gar nicht, dass ich einschlief, denn meine Mutter weckte mich erst, als wir schon in Akureyri waren. Zur Feier des Tages aßen wir in einem richtigen Restaurant einen Hamburger und gingen dann ins Kino, obwohl es schon später Abend war. Wir schafften ganz knapp die Zehn-Uhr-Vorstellung, doch kaum hatte der Film begonnen, begann meine Mutter im Sitz neben mir zu schnarchen, weshalb ich versuchte, sie zu wecken, damit sie den Film nicht verpasste, doch sie ließ sich nicht wecken, aber sie bettete ihren Kopf an meine Schulter, und darum musste ich dann den ganzen Film lang stillsitzen, damit sie nicht vom Stuhl fiel. Ich weckte sie dann erst wieder, als der Film zu Ende war.

Ich übernachtete in der kleinen Wohnung meiner Mutter. Sie hatte ihr Zimmer hergerichtet und ihr Gestell mit den Eulenskulpturen geräumt, denn ich sollte nun bei ihr leben, wenn auch nur vorübergehend. Meine Mutter machte es sich auf der Schlafcouch in der kleinen Wohnstube gemütlich, so gut es eben ging.

Aber es gefiel mir gar nicht gut bei ihr, denn ein fast vierunddreißigjähriger Sohn sollte nicht bei seiner Mutter leben. Das ist ein ungeschriebenes Gesetz. Das ist in uns drin. Das ist Erwachsensein.

Die folgenden Tage waren stinklangweilig. Meinen vierunddreißigsten Geburtstag in der Wohnung meiner Mutter zu feiern war irgendwie auch nicht so toll. Wegen meiner Verletzung musste ich meistens stillsitzen. Und ich vermisste mein kleines Häuschen. Meine Mutter konnte

mich schließlich überreden, vorübergehend in eine Wohngemeinschaft in Akureyri zu ziehen, und da gefiel es mir
erstaunlicherweise auf Anhieb, denn auch meine Mitbe-
wohner schauten gerne Quizshows, aßen gerne Pizza und
waren nicht ganz so ordentlich wie meine Mutter. Also kein
Grund zur Sorge.

Tja. Da bin ich jetzt. Mitten in meinem neuen Leben.
Und da, in unserer Wohngemeinschaft, gibt es eine junge
Frau, die Perla heißt. Zuerst gefiel sie mir gar nicht, denn
ich finde, eine Frau sollte nicht schwerer sein als ihr Mann.
Ich glaube nämlich nicht, dass ich stark genug wäre, sie auf
meinen Armen zu tragen, und das muss man können, wenn
man heiraten will. Aber Perla ist wirklich nett, gut gelaunt
und lustig. Sie hat sehr schöne Haare und eine Lernbehin-
derung. Sie sagt, ich sei ein Griesgram und sie werde mir
das Lachen schon noch beibringen. Dabei bin ich gar kein
Griesgram, und ich lache eigentlich oft, aber ich bin eben
scheu, vor allem, wenn ich jemanden noch nicht so gut
kenne, und dann blicke ich eben ernst, aber irgendwie gefällt mir die Rolle des Griesgrams, schließlich habe ich einiges erlebt, und vielleicht hat sie auch recht. Vielleicht habe
ich mich verändert. Ich korrigiere sie manchmal trotzdem:
»Ich bin nachdenklich«, sage ich. »Ich habe einiges erlebt,
weißt du?«

Perla ist wirklich nett zu mir, und sie schminkt sich wegen mir. Sie hat mir jetzt schon zwei Mal Kekse gebacken,
sie in einem schönen Säcklein verpackt und mich damit
überrascht. Und sie hat mich auf Facebook befreundet und
postet jeden Tag einen lustigen Spruch auf meine Wand.
Das finde ich nett, denn es steckt auch Weisheit in den

Sprüchen drin, und so ist auch Perla. Einmal stand da: *Dein Gesicht wurde dir geschenkt. Lächeln musst du selber!* Und ein andermal: *Deine Liebe steht dir manchmal näher, als du denkst.* Das gibt einem zu denken, nicht wahr? Manchmal unterhalten wir uns auf Messenger, obwohl unsere Zimmer nebeneinander sind und wir uns fast durch die Wand hören. Das ist lustig, und darum vermisse ich Nói überhaupt nicht. Er hat sich noch immer nicht gemeldet, weil er vielleicht gestorben ist.

Ich bin nur während fünf Tagen und vier Nächten in Akureyri. Drei Nächte verbringe ich in Raufarhöfn, meistens von Dienstag bis Freitag. Cowboyhut und Sheriffstern habe ich da im Schrank verstaut. Es sind nur Utensilien, die ich nicht mehr brauche. Wenn mich mein Vater eines Tages besuchen wird, werde ich ihm die Sachen zurückgeben. Denn sie gehören zu meinem alten Leben. Aber ich bin noch immer Haifischfänger. So was legt man nicht einfach ab. Jemand muss schließlich den zweitbesten Gammelhai in ganz Island machen! Ich werde darum von verschiedenen Leuten nach Raufarhöfn gefahren, und weil ich so berühmt bin, lässt sich immer jemand finden. Man hat auf Facebook eine Gruppe gemacht. Sie heißt: *Fahrt Kalmann zu seinen Haien!* Und da kann ich schreiben, wann ich fahre, und dann kommentieren diejenigen, die dann nach Húsavík oder Raufarhöfn fahren, und bis jetzt hat sich noch immer jemand finden lassen, zum Beispiel Sæmundur oder seine Frau Sigga. Bragi hat mich einmal gefahren, obwohl er gar nicht nach Akureyri musste. Perla hat mich gefragt, ob ich sie bald nach Raufarhöfn mitnehmen werde, und ich habe auch gleich ja gesagt, aber jetzt müssen wir erst noch ihren

Vormund um Erlaubnis bitten. Ich stelle mir vor, wie es sein wird. Ich könnte auf der Couch schlafen und Perla oben in meinem Bett. Oder vielleicht würden wir beide auf der Couch vor dem Fernseher einschlafen, nebeneinander. Körper an Körper. Und vielleicht haben wir dann richtigen Sex!

Als ich zum ersten Mal seit dem Vorfall wieder aufs Meer hinausfuhr, noch bevor ich Perla kennenlernte, war es windig, aber ziemlich warm, fast sommerlich, doch der Wind war gegen mich, weshalb ich fast drei Stunden unterwegs war, bis ich draußen bei meiner Leine war.

Ich hatte Pech. An einem der Haken hing zwar ein Hai, der aber längst tot und schon ziemlich verwest war. Die Fische hatten ihn auch schon angeknabbert, an einer Stelle sogar bis auf die Knochen. Er war selber zum Köder geworden. Also machte ich ihn vom Haken und ließ ihn zurück ins Meer gleiten. Nach fünfhundertzwölf Jahren futtern war nun er an der Reihe. Ich kurbelte den Rest der Leine hoch und warf die wenigen abgenagten Köderstücke, die noch an den Haken waren, den Möwen zu. Dann steckte ich meine neuen Köderstücke an die Haken, zwei, drei Stücke aufs Mal, und ließ sie in die Tiefe gleiten. Es war ein seltsamer Anblick, Róberts linke Hand im Dunkel des Meeres verschwinden zu sehen, als winkte er mir ein letztes Mal zu. Bless, Róbert McKenzie! Ich war erleichtert. Das letzte Stück Róbert war nun im Meer versenkt. Meine Mauser schmiss ich ihm gleich hinterher. Da musste ich gar nicht lange überlegen. Ich hielt also alle meine Versprechen. Auf mich war Verlass. Róbert war Fischfutter, und Birna brauchte sich keine Sorgen zu machen, dass man den König von Raufarhöfn jemals finden würde. Es gab also keinen Grund zur Sorge. Ich war glücklich und zuversichtlich, dass ich nächste Woche einen Hai am Haken haben würde, denn die Grönlandhaie schienen Róbert zu mögen.

Die ganze Arbeit dauerte ein wenig länger, weil ich keine schnellen Bewegungen machen konnte, und der Wind trieb mich auch immer wieder ab, und so war ich erst am Nachmittag wieder zurück im Hafen. Sæmundur wartete schon mit dem Gabelstapler, ging davon aus, dass ich etwas gefangen hatte, weil ich so lange draußen gewesen war. Dabei hatte ich ja auch etwas gefangen! Ich erzählte ihm von dem vergammelten Hai am Haken, und wir lachten, denn ich hätte ihn gleich so als Gammelhai verkaufen können, wie Sæmundur meinte. Das Lachen tat weh, und vielleicht hatte ich mich zu früh aufs Meer gewagt, denn die Schmerzen in meiner Brust brachten mich fast um, weshalb mir Sæmundur half, zurück auf den Pier zu klettern. Und irgendwie glitt ich auf den feuchten Planken ein wenig aus und wäre fast zurück ins Boot gefallen, aber Sæmundur kriegte mich zu fassen, hielt mich fest und zog mich auf den Pier, so dass ich in seinen Armen landete. Aber Sæmundur ließ mich gar nicht mehr los, schlang seine Arme um mich, drückte mich fest an sich und lachte.

⌘

23
Wal

Am nächsten Tag fuhr mich Hafdís nach Húsavík. Ich war noch nie so lange mit ihr alleine gewesen, aber sie war ganz nett, erzählte mir einiges über sich und Raufarhöfn. Ich saß viel lieber mit ihr im Auto als mit Magga. Hafdís konnte nämlich auch mal nichts sagen.

In Húsavík besuchte ich natürlich sofort Großvater. Ich hatte einige Stunden totzuschlagen, denn meine Mutter würde auch kommen und mich dann zurück nach Akureyri fahren.

In Húsavík war es nicht so windig, aber ziemlich sonnig. Vor dem Pflegeheim stand Lísa und wartete auf den Bus, der nicht kommen würde, winkte mir kurz zu, hielt sich aber sogleich wieder an ihrer Handtasche fest. Ich fragte mich, ob sie wirklich einsteigen würde, wenn plötzlich ein Bus angefahren käme.

Ich fand Großvater auf seinem kleinen Balkon. Er saß auf einem Stuhl und war dick eingepackt, obwohl es doch recht warm war. Der Sommer konnte eigentlich nicht mehr weit weg sein, aber die Angestellten sind da vorsichtig. Die wissen, dass eine Erkältung alte Menschen leicht zur Strecke bringen kann. Großvaters Wollmütze saß etwas schief auf seinem Kopf. Sie war ihm irgendwie runtergerutscht, so dass sein rechtes Auge fast verdeckt war. Er sah aus wie ein alter Pirat, aber er schien es nicht bemerkt zu haben. Er hob sein Kinn und blinzelte unter der Mütze hervor.

Ich setzte mich zu ihm und sagte Hallo. Großvater schaute mich nur kurz an und fuhr auch gleich fort, als hätten wir uns schon eine Weile unterhalten.

»Siehst du? Jetzt haben sie ihn gefunden«, sagte er und zeigte mit krummem Finger auf das grünblaue Meer hinaus.

Ich schaute an seinem Finger entlang und bemerkte zwei Walbeobachtungsboote auf dem Wasser, etwa fünf Seemeilen entfernt.

»Was meinst du?«, fragte ich ihn.

»Weil sie jetzt stillstehen. Schon seit einer Weile. Sie haben ihn gefunden.«

»Wen?«

Großvater schaute mich an, als sei ich begriffsstutzig.

»Den Großen!«, sagte er.

Ich zuckte mit den Schultern. »Ich bin gestern draußen bei der Leine gewesen, einer hat angebissen, aber er ist schon verfault gewesen.«

»Eben«, sagte Großvater und nickte, als hätte er es schon vermutet, runzelte dann aber die Stirn und schaute mich nochmals zweifelnd an. Dann wandte er sich wieder »dem Großen« zu, saß stumm und reglos in seinem Rollstuhl und starrte aufs Meer. Er hatte wohl schon wieder vergessen, wer ich war oder was sich kürzlich in Raufarhöfn zugetragen hatte. Ich hätte es ihm also erzählen können, aber irgendwie hatte ich das Gefühl, dass Großvater im Bilde war, auch wenn er es nicht wusste. Früher hatte er immer auf alles eine gute Antwort parat. Und ich denke, es kommt der Moment im Leben, wo man nichts Neues mehr wissen muss, weil man einfach alles schon mal gehört hat. Man hat begriffen, wie das Leben funktioniert, und darum hat man einfach genug gehört. Ich glaube, Großvater war an diesem Punkt angekommen.

Darum saß ich still neben ihm, Großvater, der zwar keine Ahnung hatte, wer ich war und was ich erlebt hatte, aber alles wusste. Vielleicht wusste er es nicht in seinem Kopf, aber sein Körper war bestens informiert. Familie, die sitzt nämlich überall, in den Haaren, in den Fingern, in der Nasenspitze, in den Zehen und im Herzen. Dann fühlt man sich einfach wohl. Großvater wusste ganz genau, wer ich war, auch wenn er es vergessen hatte. Ich war sein Junge, sein Blut, aus demselben Holz geschnitzt. Und darum brauchte ich auch nichts zu sagen.

Eine Pflegefrau fragte uns, ob wir es hier draußen gemütlich hätten und ob uns nicht zu kalt wäre. Ich schüttelte den Kopf, und Großvater gab keine Antwort, aber er hob ganz langsam seinen Arm und zeigte mit krummem Finger aufs Meer hinaus.

»Sie haben ihn gefunden«, sagte er. »Den Großen.«

»Wie schön!«, sagte die Pflegefrau, rückte Großvater die Wollmütze gerade und zwinkerte mir zu. Ich glaube, sie hatte keine Ahnung, wovon er sprach.

Erst als sie wieder gegangen war, ließ Großvater seinen Arm in den Schoß sinken. Ich zückte mein Klappmesser, fischte ein Stück Gammelhai aus meiner Plastikdose und schnitt es in kleine Stücke. Großvater muss es gleich gerochen haben, denn er starrte nun nicht mehr zu den Walbeobachtungsbooten hinaus, sondern schaute mir zu, wie ich den Gammelhai zerschnitt, und kaum war ich damit fertig, streckte er seine zittrige Hand aus, und ich gab ihm gleich drei Stücke, die er sich umständlich in den Mund steckte. Er kaute und seufzte zufrieden, nickte und sagte:

»Kalmann minn, dein Gammelhai ist noch besser als meiner.«

Und so saßen wir eigentlich ziemlich lange auf dem Balkon, obwohl es doch wieder kalt geworden war, mampften Gammelhai, warteten auf meine Mutter und schauten den Walbeobachtungsbooten zu. Aber aus dieser Entfernung konnten wir den Wal natürlich nicht sehen, denn so groß, wie man denkt, sind die gar nicht immer. Ein Riesenhai kann doppelt so groß wie ein Zwergwal sein. Das ist die Vielfalt. Das ist die Natur.

Ende

Danksagung

Tausend Dank geht an die Schweizer Kulturstiftung Pro Helvetia, die 33 Gönner des wemakeit-Crowdfundings und mein Gotti Julika. Mein besonderer Dank geht an Dr. Matthias Kokorsch, der mich überhaupt auf die Idee gebracht hat, die Geschichte im entlegenen Raufarhöfn anzusiedeln. Ich danke dem Haifischfang-Fachmann Elvar Reykjalín und den total netten und in Wahrheit ganz normalen und höchst liebenswürdigen Bewohnern von Raufarhöfn; Svava Árnadóttir, Nanna Steina Höskuldsdóttir, Jónas Friðrik Guðnason, Gunnar Páll Baldursson, Magnús Matthiasson und den goldigen Seniorinnen und Senioren des Breiðablik-Treffs. In Raufarhöfn gibt es Kaffee und Kuchen bis zum Umfallen! Erwähnen möchte ich den Initianten der zugleich kolossalen wie inspirierenden Arctic-Henge-Installation, Erlingur B. Thoroddsen, der leider 2015 verstorben ist. Ich danke meinen stets zuverlässigen Gegenleserinnen und -lesern: Stefan, Lukas, Ziad, Riccarda, Juli, Jeje, Camenisch, Mario, Mads, Mueti und Vati, meinen Brüdern und meiner Schwester. Ich danke Edda, die in ihrer Kindheit Heringe salzte – in Raufarhöfn notabene –, und natürlich Kristín Elva, die mich auf verrückte Buchideen bringt.

Takk kærlega fyrir mig!